Maudit manège

PHILIPPE DJIAN | *ŒUVRES*

Philippe Djian

Maudit Manège

Éditions J'ai lu

Antoine, le bruit court que ce livre est pour toi.
Je te le confirme.

« Ne permets pas aux événements de ta vie quotidienne
de t'enchaîner mais ne te soustrais jamais à eux. Ainsi,
seulement tu atteindras la libération. »

HUANG-PO

1

Un soir, environ cinq ans après la mort de Betty, j'ai bien cru que ma dernière heure venait d'arriver. Et Dieu sait que je m'attendais pas du tout à ça.

Je me trouvais dans la cuisine avec Henri et j'épluchais tranquillement quelques trucs en lui prêtant une oreille distraite. La supériorité de la poésie sur le reste, ça faisait deux cents fois qu'il me la démontrait. Le plus terrible, c'est qu'il avait raison, mais j'avais toujours refusé de l'admettre. Je pouvais écrire des romans et des paquets de nouvelles, mais j'étais incapable d'aligner un seul poème valable, c'était un terrain que je sentais pas très bien. J'éprouvais une admiration sans bornes pour ces types qui trouvaient le moyen de vous descendre en quelques phrases, qui vous coupaient la respiration, l'ennui c'est qu'ils étaient tous à moitié cinglés. Une des questions que je me posais était de savoir si la poésie rendait fou ou si c'était l'inverse qui se produisait. Enfin ce que je voyais, c'était qu'un écrivain pouvait encore préparer le repas du soir, tandis qu'un poète, c'était tout juste bon à glisser les pieds sous la table.

Il s'était planté devant la fenêtre avec son verre à la main et pissait consciencieusement sur le genre romanesque, mais j'avais d'autres chats à fouetter, il commençait à se faire tard et j'avais

7

encore une bonne centaine de petits bidules à beurrer. J'ai jeté un œil à ses cheveux blancs et ce soir-là, je l'ai laissé dérailler, je lui ai pas demandé de venir m'aider au lieu de me les briser, j'ai pensé que je devais faire un effort le soir de son anniversaire. Henri venait d'avoir soixante-deux ans et j'avais invité quelques personnes pour nous aider à souffler les bougies. J'espérais que j'aurais la chance d'en retenir une ou deux pour régler le problème de la vaisselle.

Le frigo était plein à craquer. En l'ouvrant, je me suis aperçu qu'un filet de vinaigrette dégringolait sur la boîte du gâteau et j'en ai eu les poils du ventre hérissés pendant un quart de seconde. Le carton me paraissait déjà un peu ramolli par endroits. Je l'ai sorti en vitesse, j'ai arraché le couvercle sans plus attendre, tout en claquant le frigo du talon. Heureusement, le gâteau n'avait rien. Heureusement, car je me souvenais très précisément combien il m'avait coûté. Je connaissais toujours le prix des choses quand je traversais des périodes difficiles. Et l'anniversaire d'Henri coïncidait avec le passage de mon découvert bancaire dans la zone rouge.

C'était un gâteau superbement décoré, moderne dans l'esprit mais somptueusement baroque. J'avais passé un bon moment dans le magasin à leur expliquer ce que je voulais, à croire qu'ils n'avaient jamais vu une locomotive. Pour finir, j'avais dû leur faire un dessin. J'avais précisé que je voulais les roues en nougatine et qu'ils me mettent un bon paquet de chantilly pour le panache de fumée. Henri, les trains, c'est ce qu'il aimait. Je ne pouvais pas faire moins. Pas le jour de son anniversaire. J'étais vraiment content que le gâteau soit intact, j'ai décidé de le lui montrer.

Il me tournait le dos. À ce que j'entendais, le roman était une forme d'obésité cultivée par les gars dans mon genre. Je lui ai posé une main sur l'épaule :

— Hé ! arrête une minute, je voudrais te montrer quelque chose !...

Je tenais la loco d'une main et il y avait tout un tas de reflets accrochés sur la crème, je voulais voir la tête qu'il allait faire. Ses épaules tombaient mais on sentait cette flamme à l'intérieur, c'était tout à fait curieux, je ne sais combien de fois j'avais éprouvé cette sensation en regardant Henri, peut-être une bonne centaine de fois, et les premiers temps ça me laissait sur le cul. J'espérais qu'un type qui écrit des romans envoyait au moins quelques étincelles, enfin j'en étais pas sûr du tout. Ils ont de la chance, ceux qui se consument de l'intérieur, ils brillent d'une belle lumière, on les reconnaît plus facilement. Henri s'est tourné doucement vers moi. J'ai eu l'impression que ça durait des siècles. Et puis d'un seul coup, l'air m'a manqué, une angoisse épouvantable m'a carrément pris à la gorge, et dans la même seconde je me suis retrouvé dans la peau d'un bateau qui se fait éperonner. Je suis tombé à genoux.

Henri m'a demandé ce que j'étais encore en train de fabriquer, alors que j'étais tout simplement en train de mourir. Je l'ai su tout de suite. La douleur épouvantable qui m'écrasait la poitrine n'était rien, ou si peu de chose comparée à la trouille qui m'engloutissait. J'ai vu le gâteau glisser de mes mains et tomber bien à plat devant moi. Bien sûr, j'avais pu remarquer à quelques signes que j'étais plus tout jeune, mais quarante ans c'est quand même pas le bout du monde, et pour dire la vérité, on ne peut jamais être tout à fait sûr qu'on a vécu ses plus belles années.

J'ai eu la chance à ce moment-là de pouvoir quitter mon corps. Il paraît que tous les écrivains ne sont pas capables de faire ça, mais je ne suis pas étonné, il y a toujours des types pour se trouver en dessous du strict minimum dans n'importe quelle branche, ils sont là uniquement pour vous faire chier. J'ai vu le regard d'Henri s'assombrir. J'ai vu de quelle manière je suis parti en avant et comment je me suis rattrapé in extremis, prenant appui sur un seul bras. J'ai vu un filet de sueur scintiller sur mon nez. D'une certaine manière, j'étais déjà mort. Mon âme était en train de se briser en mille miettes.

Pour finir, mes dernières forces m'ont abandonné et je me suis étalé de tout mon long sur le sol. Je me suis couché en travers de la loco, je l'ai complètement écrasée. C'était son gâteau d'anniversaire. Certaines choses ne devraient jamais arriver, me semble-t-il. Pourtant, c'était comme ça. J'ai toujours gardé un souvenir très précis de cette scène. Sa tristesse est d'un parfum sans nom.

J'avais déménagé depuis la mort de Betty, peut-être bien cinq ou six fois, et puis l'envie m'avait passé. Tous les coins se ressemblaient. Les baraques, les rues, les villes, les gens, oui, même les gens finissaient par se ressembler. Au fond ça simplifiait le problème. J'avais donc choisi de ne plus bouger. Cette ville-là ou une autre, environ trois cents kilomètres plus à l'ouest, dans une rue plutôt calme, une baraque sans rien de particulier... pourquoi pas, quelle différence ça faisait ?... C'était comme cette chambre d'hôpital. Exactement les mêmes d'un bout à l'autre du pays. J'en avais profité pour dormir pendant presque une semaine d'affilée.

Lorsque je me suis vraiment réveillé, j'ai trouvé Henri assis au pied de mon lit, en petite chemisette et plongé dans un magazine. Il y avait du soleil plein la chambre, la fenêtre était légèrement entrouverte.

– Henri, je suis désolé pour le gâteau, j'ai dit.

Il a levé aussitôt les yeux vers moi. Il s'était coiffé, rasé, sa chemise était propre, il avait l'air en forme. On s'est regardés quelques secondes en souriant, puis il a levé sa main en l'air et j'ai claqué dedans en rigolant.

– Espèce de connard ! il a murmuré.

– Bon Dieu ! j'en reviens pas moi-même !

Nous nous sommes laissés aller pendant quelques secondes avant de passer aux choses sérieuses. J'ai retiré ma main de son épaule.

– Dis-moi, est-ce que tu m'as apporté le courrier ?

Il a lancé un paquet de lettres sur mes genoux en soupirant.

– Que des conneries, des factures, des pubs...

J'ai vérifié du bout des doigts pendant qu'il ramenait ses cheveux en arrière. Il n'y avait vraiment rien à sauver, j'ai rempli la corbeille à papier d'un seul coup.

– Je commence à me demander s'il y a pas des merdes à la poste, j'ai dit. Tu as bien vu, dans sa dernière lettre il m'écrivait : « Tenez bon, je vous envoie un chèque dans quelques jours. »

– Ouais ! il doit croire que t'as des bras en acier !

Le plus fort de tout, c'est que je ne savais même pas où le joindre. Pour un éditeur, il voyageait vraiment beaucoup. Peut-être qu'il avait posté mon argent à l'autre bout du monde, et rien que cette pensée me rendait nerveux, peut-être avait-il tout perdu au jeu ou bien se trouvait-il abandonné au coin d'une rue, détroussé, presque nu, sans lunettes, sans papiers, sans rien, sans carnet de chèques ? Je ne savais que penser. On était bourrés de dettes jusqu'au cou.

– D'un autre côté, je m'en suis toujours sorti, j'ai murmuré.

Henri s'est levé en ricanant. Il était plutôt

grand, dans les quatre-vingt-dix kilos, et le lit a grincé.

– Ah ! merde ! Tu crois qu'on peut fumer, ici ? il a demandé.

– Ben quoi, qu'est-ce qu'il y a ?

– Enfin, tout ça, la fumée, ça ne te dérange pas ?

– Henri, moi c'est pas les poumons, c'est le cœur. Mais tu vois, il est reparti, alors on va faire comme s'il s'était rien passé, on va plus parler de ça, t'es d'accord ?

Il a sorti son paquet de cigarettes et m'en a tendu une. Ça ne me disait rien mais je l'ai attrapée quand même. C'était la première depuis que j'étais revenu de la mort. Une filtre.

Henri a envoyé la première bouffée au plafond.

– À mon avis, l'épicier tiendra encore une semaine. Mais après je ne sais pas.

– Il a tort de s'affoler. Le fric sera là d'un jour à l'autre.

– Chaque fois que j'y mets les pieds, il me sort la note. Aujourd'hui encore, il me l'a déroulée sous le nez et il m'a dit : « Soyons clairs, je ne voudrais pas que cette petite bande de papier finisse par traîner sur le sol. » Et il a ajouté : « Dites-moi, mon vieux, est-ce que je me fais bien comprendre ?... »

– Bon Dieu ! par moments, ils nous tiennent !

– Ouais !... Je suis reparti avec deux boîtes de sardines et du pain de mie en réclame.

– Merde. Sinon, à part ça, tout va bien ?

– Eh bien, d'ici, tu ne peux pas vraiment te rendre compte !

Nous nous sommes tus pendant un très court instant, puis j'ai planté ma cigarette dans le cendrier et je l'ai tortillée dans tous les sens.

– Écoute-moi !... Est-ce que j'ai pas toujours réglé tous ces problèmes, est-ce que t'as besoin de te casser la tête avec ces machins-là ?...

– Oui, mais t'es pas à ma place. En ce moment

je fais un bond à chaque fois que j'entends frapper à la porte et je dois baratiner tous les commerçants du coin pendant au moins une heure pour obtenir un dernier sursis. L'autre fois, je suis venu pour t'annoncer qu'ils allaient couper le téléphone, mais tu dormais. Je profite que tu sois réveillé pour te dire que ça y est, ils l'ont coupé.

— Comment ça, ils ont coupé le téléphone ? !...

— J'en sais rien mais ils se sont pas gênés. Aux dernières nouvelles, il nous reste encore l'eau, le gaz et l'électricité. Note bien que je n'ai pas d'inquiétude de ce côté-là, je suis persuadé qu'on sera jetés dehors avant.

— Ah ! bon sang ! qu'est-ce que tu vas chercher !... Je te garantis qu'on va bientôt avoir ce fric. Je ne me fais pas de soucis là-dessus. Et sois tranquille, on fera ce qu'on avait décidé.

J'ai aimé la manière dont il m'a regardé quand j'ai dit ça. Il a exécuté quelques grimaces du bout des lèvres, puis il a hoché lentement la tête.

— Rien n'est changé ? C'est toujours pour après-demain ? il a demandé.

— Oui, dès que j'aurai passé la visite.

— Tu veux que je vienne te chercher ?

— Ben je sais pas... J'ai prévu de rentrer en courant. Je sais pas si c'est très bon pour un type de ton âge.

Je suis sorti de l'hôpital sur les coups de 10 heures du matin. Le soleil vous frappait déjà en pleine figure, un jeune soleil nerveux et encore maladroit qui vous brûlait tout de suite, une espèce de chien fou étranglé par sa laisse, dans le genre printemps hystérique. Tout en marchant, je me suis étiré discrètement, j'ai gonflé mes poumons, j'ai fait bouger ma tête, comme un type qui vient de se faire assommer et qui vérifie avec une légère inquiétude qu'il y a plus personne de planqué dans la maison. Mais j'ai rien senti d'anormal et pour un peu, je me serais presque mis à rire. Je ne classais pas ça dans la série des pannes importantes, j'imaginais plutôt quelque saloperie dans l'arrivée d'essence, de quoi vous faire caler mais pas de quoi vous affoler, l'engin était reparti au quart de poil. Finalement, j'étais plutôt étonné par ce qu'il m'était arrivé. Quand on voit un éclair déchirer le ciel bleu, on se demande toujours si on a pas rêvé. Et puis il me suffisait d'imaginer toutes les merdes qui peuvent dégringoler sur la vie d'un homme pour me sentir épargné.

J'ai traversé une bonne partie de la ville sans me presser, sans éprouver la moindre fatigue, ruminant simplement mes problèmes de fric comme un bienheureux. Je ne me cachais pas que la situation était particulièrement alarmante, mais j'y étais plus ou moins habitué. Je recevais mon chèque tous les six mois, et pendant trois ou quatre mois tout se passait bien. Je m'apercevais toujours ensuite que j'avais visé trop court. N'importe qui s'en serait tiré haut la main, tandis que moi, je m'effondrais régulièrement dans la dernière ligne droite. Il y avait certainement quelque chose qui m'échappait avec l'argent, une force que je ne parvenais pas à maîtriser. Bien sûr, Henri était un sérieux handicap, mais la question n'était pas là. Lorsque je vivais seul, c'était du pareil au même. Je me serais senti bien plus à l'aise avec une moitié de chèque tous les trois mois. Ça m'aurait simplifié la vie.

Plutôt que de passer devant chez l'épicier, j'ai continué mon chemin sur le trottoir d'en face. Il faisait aussi bon. Ce n'était pas fuir les problèmes que de les éviter, c'était se conduire de manière raisonnable, surtout pour un type dont le cœur venait de flancher. D'ailleurs, je me suis pas plié en huit derrière la rangée de bagnoles, je n'ai pas accéléré l'allure, j'ai fait comme si de rien n'était.

– HEP ! LÀ-BAS !... ATTENDEZ UNE MINUTE !

Je me suis arrêté. Je n'étais pas tellement surpris. Ces gars-là finissent par développer un sixième sens, j'imagine. Je l'ai regardé traverser la rue en courant avec son cahier à la main et son crayon derrière l'oreille, et sincèrement, je me suis senti rempli de pitié pour lui, j'ai eu la vision du sale numéro qu'il avait tiré. Je l'ai immédiatement rassuré.

– Ah ! vous tombez bien ! j'ai dit. Je voulais justement passer vous voir. Vous avez ma note ?...

C'est la meilleure méthode, il faut leur couper l'herbe sous le pied le plus près possible du sol. Je l'ai laissé reprendre ses esprits et juste au moment où il a ouvert la bouche, je l'ai achevé :

– Qu'est-ce qui vous ferait plaisir, un chèque ou du liquide ?...

– Oh !... eh bien, c'est comme vous voulez !...

– Vous avez ma note, là, vous l'avez avec vous ?

– Euh !... oui, oui !

– Bon ! ben, n'allez pas la perdre ! Je viens de recevoir mon chèque, je passe vous régler dans l'après-midi.

Ses sourcils se sont légèrement rapprochés. Il m'a suffi de me souvenir que j'étais toujours vivant pour lui envoyer le plus désarmant sourire qu'on ait jamais rencontré.

– Hé !... on pourra dire qu'il se sera fait attendre ! j'ai enchaîné. Vous deviez commencer à trembler, je veux dire qu'une telle ardoise avait de quoi vous rendre nerveux. Je me mettais à votre place. Enfin heureusement que tout est arrangé, ça me faisait mal pour vous.

Il a reculé d'un pas. Je me suis sensiblement déporté pour qu'il se prenne le soleil dans la figure. Je faisais le même genre d'effet à certains de mes lecteurs, j'avais eu vent de quelques cas d'hystérie dans les grandes villes. Le type a légèrement vacillé.

– Je serai là à l'heure de l'ouverture, j'ai clôturé.

En quelques enjambées, j'ai tourné au coin de la rue. Il n'y en avait pas un, il y en avait dix comme ça et dans la majorité, ils étaient concentrés aux alentours de la baraque. Traverser cette zone ressemblait à un parcours du combattant. Est-ce que ça crevait les yeux, dans ce pays, que les écrivains on les préférait morts que vivants ? Je suis rentré en rasant les murs. Il fallait le voir, le plus grand écrivain de sa génération, filant bon train et le dos courbé comme la dernière des merdes. Il était tout à fait clair que je n'avais pas encore fait l'unanimité. Betty, ça l'aurait rendue folle de voir ça.

La boîte aux lettres était chaude, brûlante. Je l'ai ouverte. Elle a grincé dans la rue silencieuse. J'ai serré les dents tellement elle était vide, tellement ça me faisait chier. J'ai eu envie de l'arracher et de l'envoyer dans un pare-brise, mais j'étais déjà assez ennuyé comme ça. J'ai pas eu le cœur à sauter par-dessus le portillon du jardinet. Je l'ai poussé gentiment et je suis entré.

La baraque aussi était vide. Je me suis demandé où il était passé. Je suis allé me chercher une bière et quand je suis revenu dans la grande pièce, j'ai remarqué que le ménage était fait. Je ne m'en étais pas aperçu tout de suite et pourtant, c'était le nez au milieu du visage et ça m'a scié en deux. Je devais me battre avec lui pour ces histoires de ménage et rien que de passer l'aspirateur le rendait à moitié malade. J'imaginais ce que ça lui avait coûté. J'ai hoché la tête d'un air satisfait.

J'étais en train de regarder sous les tapis lorsqu'il est entré. Il tenait dans ses bras un carton rempli de nourriture. Une goutte de sueur pendait à la pointe de son nez.

– Mince, t'es déjà là ? m'a-t-il lancé en souriant.

Je voyais carrément un jambon et tout un tas de bouteilles d'alcool, pas les plus mauvaises marques. Du diable si je comprenais.

– Mais Henri...

L'ensemble devait peser lourd. Il a grimacé.

– Bon sang ! cette fois-ci, c'était limite !...

Je l'ai accompagné jusqu'à la cuisine.

– Ben alors là, je te tire mon chapeau ! Je me demande comment tu t'es démerdé...

Il a posé le carton sur la table en soufflant. La goutte s'est décrochée et je l'ai regardée tomber dedans. Il s'est creusé les reins.

– Eh bien, il est arrivé par le courrier de ce matin ! m'a-t-il expliqué. Je l'ai un peu agité sous leur nez.

Un vent du large mentholé a traversé la pièce, j'ai tiré tranquillement une chaise et je me suis assis.

Ces histoires de chèques vous transformaient la vie en un parcours de montagnes russes. Jamais j'avouerai une chose pareille, mais il n'est pas tout à fait impossible qu'au plus profond de mon cœur, là où la plus infime lueur n'a jamais pénétré, là où je ne m'aventure pratiquement jamais, dans ces profondeurs insondables donc et dans la plus complète obscurité, je ne prisse quelque plaisir à ce genre de situation. Ne serait-ce que cette sensation de se trouver acculé au pied d'un mur et de voir ce mur à la dernière seconde s'écrouler, ne serait-ce que brandir à nouveau cette épée lumineuse et leur couper la chique. Il y avait quand même de bonnes choses à prendre. Un jour il fallait retourner ses poches pour une malheureuse bière et le lendemain toutes les canettes de la ville étaient à vos pieds. Ça ne voulait pas dire que le monde était mal fait. La position d'Henri là-dessus était qu'il avait passé l'âge de se laisser emmerder. Seulement il n'y pouvait rien. Nous avions vingt-deux ans d'écart, il fallait bien que ça se remarque d'une manière ou d'une autre.

J'ai surtout été content de pouvoir aller récupérer la voiture. Il y avait plus d'un mois qu'elle était au garage, encore un qui m'imposait une partie de bras de fer environ une fois par semaine et qui s'étranglait au téléphone. La dernière fois, je m'étais pointé avec le journal à la main et je lui avais montré l'article avec ma photo, je lui avais dit regardez un peu ça, regardez la pub qu'ils sont en train de me faire, alors est-ce que je vous ai menti ? Mais bien sûr j'étais tombé sur un type qui n'avait jamais acheté un seul bouquin de sa vie, un type qui se méfiait de la littérature, qui aurait nettoyé une tache de cambouis avec la dernière page d'*Ulysse*. J'avais dû lui lâcher quelques-uns de mes derniers billets pour lui prouver qu'un écrivain était un type de bonne volonté. J'étais ressorti de là avec un léger sursis, titubant sur le trottoir comme s'il m'avait flanqué un coup de clé à molette.

Contrairement à une légende qui circulait, je n'éprouvais pas d'attirance particulière pour les voitures. C'était la solitude que j'aimais, enfin pas n'importe laquelle. Rouler avec toutes les portières bloquées. Et s'il y avait une chose que je détestais vraiment au monde, c'était qu'une bagnole me coûte du fric. J'avais horreur de la mécanique, je ne voulais pas en entendre parler, mais malgré tout je devais parfois y passer et ces factures-là étaient un véritable supplice. Enfin quoi qu'il en soit, j'avais dû faire contrôler la boîte de vitesses. C'est en sortant d'un créneau que cette histoire était arrivée. J'avais pesté tout le long du chemin tandis qu'Henri rigolait et envoyait des signes aux autres conducteurs. Il faisait nuit, on rentrait d'une soirée à l'autre bout de la ville. Que je meure sur-le-champ si on n'a pas fait tout ce trajet avec la marche arrière coincée, si ça m'a pas filé des sueurs froides. J'ai dû avaler deux aspirines avant de me coucher.

Bien sûr, la Mercedes me rappelait certains souvenirs mais j'avais rien contre ça. Ce n'était pas comme ces saloperies de photos sous verre ou comme si j'avais gardé une mèche de cheveux comme un con, c'était quelque chose de plus naturel. Il était tout à fait normal qu'elle ait toujours sa place dans ma vie, je ne parle pas de la Mercedes évidemment, et le désir de l'oublier ne m'avait jamais effleuré. Elle se tenait rarement très loin de moi et on passait encore de bons moments ensemble. J'avais même emmené Henri pour lui montrer ce terrain que je lui avais acheté, j'en avais profité pour réparer un volet de la cabane qu'un connard avait arraché, je m'en souviens comme d'une agréable journée, on était rentrés en pleine forme, on avait déconné tout le long du chemin. Betty et moi on s'entendait bien, on était comme ces jumeaux séparés qui gardent mystérieusement contact et ça m'allait parfaitement. Le seul truc qui m'ennuyait, ainsi que je l'ai déjà laissé entendre, c'était de ne pas savoir quoi faire de ses cendres. Je n'avais jamais pu décider quoi que ce soit là-dessus. Je les gardais au fond d'une valise, la dernière valise du dessous dans le placard le plus inaccessible. C'était une sorte de boulet à traîner, mais pour être honnête, je n'y pensais pas très souvent. J'imagine que ça ira mieux le jour où je vais ouvrir ce truc, le jour où je vais mouiller mon doigt, le jour où je vais l'enfoncer dedans. Mais rien ne presse, j'ai l'impression d'avoir tout mon temps.

J'ai fait le plein d'essence avant de rentrer, j'ai tourné doucement autour de la ville avec ma boîte neuve. Maintenant, tout était paré. On allait pouvoir s'occuper de Gloria. On pouvait encore profiter de la lumière du jour, et pourtant la ville s'éclairait, les lampadaires brillaient dans le ciel mauve et l'ambiance générale rayonnait d'un charme étrange. Je me suis garé pour faire quelques courses, puis je me suis installé à une terrasse pendant qu'un type préparait mes pizzas.

L'instant m'est apparu d'une douceur inexplicable, à tel point que j'ai fermé les yeux à moitié sans plus penser à rien. Sortir la voiture du garage était la dernière épine que j'avais retirée de mon pied. J'écoutais le type chantonner dans sa camionnette tandis que mes pizzas cuisaient.

Quand je suis arrivé, Henri est sorti sur le trottoir pour s'assurer que c'était bien vrai. Il a fait le tour complet de la Mercedes en se frottant les mains et réellement, il lui souriait.

– Huummm !... te voilà, petite !... Te voilà ENFIN !

– Seigneur Dieu... Par moments, je me demande si tu es tout à fait normal...

J'ai embarqué les pizzas sans plus attendre. Je lui ai montré qu'il restait quelques trucs sur la banquette arrière et j'ai foncé jusqu'à la cuisine. J'avais une faim de loup.

Henri était remonté à bloc. Quand nous avons eu fini de manger, il a débarrassé la table sans même s'en apercevoir, j'ai pas eu besoin de lever le petit doigt. J'ai fumé une cigarette pendant qu'il souriait devant la fenêtre, je l'ai fumée tranquillement.

La nuit était douce. Henri a sorti deux verres et j'ai transporté le mien jusqu'à l'accoudoir du divan. C'était comme si la baraque baignait dans la mousse, on entendait rien dehors. Hier encore, nous étions dans la peau de deux créatures traquées, gémissant à mesure que se refermait le piège, mais le décor avait basculé d'un seul coup et n'importe qui aurait pu voir à présent ces deux loups magnifiques le ventre plein, l'âme légère, couchés sur le dos au milieu de la clairière avec un rhum-Coca à portée de la main. Ça faisait pratiquement un an qu'Henri s'était installé dans la baraque, ça se passait merveilleusement bien. Mais je n'avais pas souvent eu l'occasion de le voir dans cet état, les yeux brillants et plus excité qu'un pou.

Je savais ce qui l'électrisait. Je connaissais parfaitement la situation. Pourtant je me suis allongé sur le divan en souriant, sans dire un seul mot, je l'ai laissé tourner autour de moi avec son verre serré sur la poitrine et j'en ai profité pour vider le mien. Au bout d'une minute, il s'est planté devant moi. Il avait l'air d'un type qui s'est bu de l'extrait de café, ses cheveux étaient presque raides.

— Mais bon Dieu !... Pourquoi ne dis-tu rien ? il a grogné.

Je me suis croisé les bras derrière la tête, j'avais envie de le faire un peu chier, de le tirer en pleine lumière.

— Pourquoi je dis rien ?... Ben j'en sais rien moi, qu'est-ce qu'il t'arrive, tu as envie que je te raconte une histoire ?... Tu n'apprécies pas ce petit moment de calme ?... Ma parole, tout serait parfait si tu t'occupais de mon verre...

Il a tourné les talons en grimaçant, puis s'est ramené avec les bouteilles. On s'est regardés.

— Vas-y doucement avec le Coca, j'ai dit. C'est plein de sucre.

Il s'est penché vers moi avec une espèce de sourire tordu. Son visage s'en trouvait plus ridé que d'habitude. Je me suis dit voilà ce qui t'attend, voilà la seule vérité ici-bas. Je lui ai tendu mon verre. Il a failli en renverser la moitié à côté.

— Écoute, il a murmuré, je suis en train de me demander quelque chose...

— Ouais ?

– Hum... pourquoi on partirait pas demain matin ?

J'ai joué au type qui tombait des nues, je me suis dressé sur un coude.

– Attends voir, Henri, je ne te suis pas très bien... De quoi es-tu en train de me parler ?...

Il a hoché la tête en soupirant :

– Bien sûr, je ne peux pas espérer que tu te mettes à ma place...

Je n'ai pas relevé. J'ai bu tranquillement mon verre.

– Je te sens d'une drôle d'humeur, j'ai dit. J'espère que tu vas pas nous gâcher la soirée...

2

Le lendemain, nous sommes partis de bonne heure. Il faisait frais mais le ciel était complètement dégagé. Je me suis installé dans la voiture pendant qu'Henri fermait la baraque à clé et j'ai tiré la portière en bâillant. J'éprouve réellement une sainte horreur pour ce genre d'expression, il faut bien reconnaître que je suis un écrivain que la facilité dégoûte, mais il ne m'a pourtant fallu qu'un seul coup d'œil pour comprendre qu'on avait mis les pieds dans un petit matin tout neuf, blanc et fragile comme une hostie. Ça m'a donné envie de nettoyer mon pare-brise.

Nous sommes sortis de la ville par le sud au moment où se levait le soleil. Henri était silencieux et tendu. J'ai mis un peu de musique pour effacer tout à fait le bruit du moteur et j'ai gardé l'aiguille dans le milieu du cadran. Il y avait au bas mot quatre ou cinq heures de route. Ce qui ne représentait pas grand-chose si l'on songe que nous étions sans nouvelles de Gloria depuis trois mois.

Henri avait retrouvé sa trace de manière tout à fait accidentelle, en lisant le journal, il y avait de ça maintenant environ trois semaines, c'est-à-dire durant les jours sombres, quand il n'y avait plus ni bagnole, ni argent, ni quoi que ce soit qui vous permette d'entreprendre la moindre chose. C'était un petit encart publicitaire en bas de page, paru dans le journal du coin, et Henri s'était écarté de la table en jurant. « Merde, alors, regarde-moi ça !... Ce petit connard d'Éric vient d'ouvrir un parc de voitures d'occasion ! !... C'est à peine à quatre cents kilomètres d'ici !... » Seulement dans la situation où l'on se trouvait, c'était l'équivalent du bout du monde et Henri avait dû ronger son frein. Maintenant, il était chargé à bloc.

Nous nous sommes arrêtés en cours de route pour manger un morceau. Henri s'est contenté d'une bière qu'il a descendue d'un air absent, tandis que j'attaquais mon deuxième sandwich. C'était une belle journée, nous étions les seuls dans la salle et la serveuse profitait de ce temps mort pour se faire les ongles, elle agitait ses mains dans un rayon de lumière sans s'occuper de nous. J'ai examiné Henri du coin de l'œil, puis je me suis penché légèrement en avant :

— Dis-moi, Henri, j'espère que tu te fais quand même pas trop d'illusions sur cette balade...

Il est redescendu lentement sur terre, posant sur moi un regard sans expression.

— Tu n'as jamais eu de fille, il a soupiré. Tu ne peux pas comprendre.

— Que tu crois.

Il a posé ses mains à plat sur la table. Une espèce de sourire étrange est apparu un instant sur ses lèvres.

— Tu vois, il a déclaré, ils se sont vraiment payé ma tête. C'est là où je suis plus d'accord.

Je pouvais difficilement répondre quelque chose de valable à ça. Et puis j'étais de son côté, j'étais pas du côté de Gloria. Il a liquidé sa bière puis a reposé doucement la canette sur la table. Des flots de lumière giclaient de ses yeux.

– Tu vois, il a repris, ce n'est pas tant qu'elle se fasse sauter par un type sans intérêt, non ce qui me rend vraiment malade, c'est qu'elle m'ait menti. Je ne peux pas lui pardonner un truc pareil.

Je me suis levé avant qu'il prenne carrément feu sur sa chaise. La serveuse avait les coudes plantés sur le comptoir et regardait ses doigts en penchant la tête de côté. J'ai laissé tout un tas de pièces sur la table avant de sortir.

On a ouvert les fenêtres quand le soleil s'est mis à donner. J'étais parvenu à un âge où l'on savait apprécier les grosses voitures, un âge où les petites bombes nerveuses n'avaient plus aucun attrait, et la Mercedes filait silencieusement sur la route avec son moteur atomique et on avait de la place pour allonger nos pieds. Quoi qu'il en soit, j'étais content de revoir Gloria. Elle était quand même restée six mois avec nous, et quand elle était partie, je m'étais rendu compte que j'avais fini par m'habituer à elle. On pouvait parfois être agacé par toutes ses conneries, c'est vrai qu'on se demande ce qu'elles ont dans la peau à vingt-deux ans, mais pour tout dire, je savais bien que ça faisait partie du lot, elle n'était pas différente des autres, blonde, dans les un mètre soixante-dix, avec cet air qu'elles ont quelque chose de grave à vous donner. C'était la fille d'Henri et certains jours elle fut comme un rayon de soleil dans la baraque. J'espérais qu'elle allait bien.

Nous sommes arrivés un peu avant midi. Henri n'avait pratiquement pas desserré les dents. J'ai demandé le plein à la première station-service et j'en ai profité pour me faire indiquer le chemin. C'était de l'autre côté de la ville. J'ai regardé l'heure, puis je me suis accoudé à la portière d'Henri.

— Bon, le type m'a expliqué où c'était, j'ai dit. Mais maintenant ça doit être fermé, ça ouvrira pas avant 2 heures. Ce qui serait bien, c'est que tu t'arrêtes de faire ce genre de gueule. Toi et moi, on pourrait s'installer tranquillement à la terrasse d'un resto...

— Sans beurre ?... a répété le gars.

— Ouais ! parfaitement, j'ai dit. Sans beurre. Dommage qu'il vous soit pas resté un peu de pain rassis.

— Hé c't' une blague ?...

— Putain non, c'est pas une blague ! j'ai soupiré.

J'ai pris ma commande et j'ai traversé la rue pour retourner à la voiture. Par chance, on avait pu se garer sous une rangée d'arbres, mais c'était les heures les plus chaudes. Henri transpirait déjà. Je me suis installé à côté de lui et j'ai claqué la porte. Je lui ai collé son sandwich en travers des genoux.

— Prends ton temps pour l'avaler, j'ai dit. J'espère qu'il est comme tu les aimes...

Il a rien répondu. J'ai jeté un œil triste à mon sandwich, sans compter qu'on allait bientôt se tortiller dans les miettes de pain. Mais j'avais eu trop peu d'amis dans ma vie pour négliger la moindre chose, et bien que ce fût totalement idiot de poireauter ainsi dans la voiture, j'avais choisi de rester avec lui. Ce qui me consolait, c'est que je n'avais pas gaspillé mes forces ni ma salive, j'avais tout de suite compris que pas un seul truc au monde aurait pu le faire changer d'avis.

Sur les coups de 1 heure et demie, je suis ressorti pour aller chercher des bières. La rue était toute blanche et à part moi, il n'y avait personne en vue, le ciel ressemblait à un arc électrique. Au dernier moment, j'ai décidé qu'il n'y avait aucune raison pour ne pas retourner le couteau dans la plaie et je me suis excusé auprès du gars, je lui ai dit finalement je vais pas prendre de bière, je vais plutôt vous demander une grande bouteille d'eau minérale. Il a rembarqué ses canettes en soupirant. Je ressens une espèce d'attirance sexuelle pour cette image de la coupe qu'on boit jusqu'à la lie.

J'ai repris ma place derrière le volant mais cette fois, j'ai laissé la portière ouverte. Henri a bu quelques longues gorgées à la bouteille sans faire de remarques. Il ne quittait pas le parking des yeux, il les plissait simplement car toutes ces bagnoles brillaient sous le soleil et renvoyaient la lumière dans tous les sens. C'était sûrement une bonne journée pour la vente, les chromes donnaient le maximum et les prix disparaissaient derrière les pare-brise, au milieu des reflets. C'était sûrement une bonne journée pour tout un tas de choses excepté moisir dans une voiture avec la chemise collée dans les reins quand on est persuadé de l'inutilité de tout ça. J'ai attendu d'avoir 2 heures pile à ma montre avant d'envoyer une petite grimace du côté d'Henri.

— Alors, tu crois pas qu'on aurait pu aller manger normalement ?...

J'ai pu constater qu'il n'avait pas du tout envie de rigoler, bien au contraire. D'ailleurs, il a plié la bouteille d'eau en deux. Le plastique a poussé un grognement surnaturel en se déchirant.

— Ah Sainte Vierge ! il a gémi. Mais qu'est-ce qu'ils attendent pour ouvrir ?...

Une belle aura d'agressivité vibrait autour de lui. J'ai réfléchi pendant quelques secondes, je lui ai souri d'une certaine manière et je suis sorti de la bagnole. Il s'est penché en travers du siège :

– Bon sang ! qu'est-ce que tu fabriques ! il a grondé.

– Je vais me dégourdir les jambes, lui ai-je répondu. J'ai envie de respirer un peu...

– Ah je t'en prie ! il a grogné d'une voix sourde. Remonte en vitesse ! Bon sang tu vas nous faire repérer ! !

J'étais sur le point de l'envoyer au diable quand j'ai aperçu Éric qui tournait au coin de la rue. J'ai réintégré ma place en quatrième et avec un parfait ensemble, Henri et moi nous nous sommes ratatinés derrière le tableau de bord.

Éric était un jeune type dégingandé, dans la série nouvelle vague, et le problème avec les types de son genre, c'est qu'on ne pouvait jamais savoir ce qu'ils pensaient vraiment et même, s'ils pensaient quelque chose. Personnellement, il ne m'avait jamais rien fait mais j'évitais de me retrouver seul avec lui, je n'y étais pour rien s'il y avait un fossé entre les générations. On l'a observé pendant qu'il ouvrait les grilles. Il souriait tout seul. Sa chemise hawaïenne, son costume bleu ciel, ses godasses délirantes, ses cheveux blonds coupés en brosse, tout ce petit monde souriait. Il a grimpé les quelques marches qui menaient aux bureaux d'une foulée nerveuse, illustrant ainsi une facette plus répandue de la fureur de vivre. J'ai déjà remarqué qu'on ne pouvait rien à ça, qu'il était inutile de chercher à y voir clair ou d'espérer quoi que ce soit, il fallait se résigner à en croiser quelques-uns le long du chemin, de ces individus dont la seule présence vous énerve, de ces êtres qui peuvent se tenir silencieux, dans un coin, le dos tourné, ligotés sur une chaise, et qui vous mettent malgré tout les nerfs à vif. Éric me faisait régulièrement cet effet-là. Je sentais confusément que je devenais plus ombrageux avec l'âge.

– Et Gloria ? j'ai soufflé.

– Il va nous donner de ses nouvelles, tu peux être tranquille !

Tandis que nous sortions de la voiture, une petite bonne femme a traversé la rue, mi-courant mi-marchant, et s'est engouffrée dans les bureaux à la suite d'Éric. C'était l'heure où les secrétaires retournaient à leurs chaises avec le feu aux joues, mais à part cette douce effervescence, tout était calme, les villes se font toujours scier les pattes dans les premières heures de l'après-midi.

Henri est entré le premier. La secrétaire était en train de vérifier que rien n'avait changé de place sur son bureau, elle remuait les lèvres comme si elle murmurait bonjour ma gomme, bonjour mon crayon, bonjour mes petits chéris. Ensuite, elle a levé les yeux vers nous. Il n'y avait aucun signe sur son visage qui permettait d'affirmer qu'elle était folle.

– Oui, messieurs… Que puis-je pour vous ?…

– Eh bien, voyez-vous, j'ai démarré, c'est une affaire assez délicate !…

Il y avait une porte derrière elle. Henri a traversé le bureau en deux enjambées et l'a ouverte en grand. J'ai aperçu Éric dans le fond de la pièce, il nous tournait le dos et se tenait penché à la fenêtre avec toutes ces rangées de voitures qui s'étalaient devant lui. La secrétaire a bondi en renversant sa chaise. Henri a franchi le seuil en reniflant. Elle s'est précipitée sur ses talons et j'ai suivi.

Il aurait été surprenant qu'Éric ne nous entende pas arriver. Il n'a pas eu l'air étonné lorsqu'il nous a vus, il a eu l'air épouvanté. C'était un bureau assez grand. Il a eu le temps de sauter par la fenêtre avant qu'Henri lui mette la main dessus. On s'est regardés avec la secrétaire pendant qu'Henri filait vers la sortie.

– Bon eh bien, je crois que je vais appeler la police, elle a sifflé.

J'ai posé ma main sur le téléphone en lui souriant gentiment :

– Non, ce serait une grossière erreur, j'ai dit.
C'est pas ce que vous pensez, c'est juste une
histoire de famille…

Elle s'est écartée de moi, elle était ni jeune
ni vieille et elle ne semblait pas avoir froid aux
yeux.

– Il y a pas d'argent ici, elle m'a lancé.

Elle avait adopté une drôle de position, toute
raide et les jambes écartées comme si elle allait
se mettre à pisser debout. J'ai senti qu'elle
allait tenter quelque chose. Les gens de cette
espèce n'en finissaient pas de m'étonner,
j'éprouvais une sorte d'amour pour eux, pour
cette manière qu'ils ont de résister sans réfléchir, pour cette affirmation de la vie face au
néant total si j'ose dire, pour cette désarmante
facilité qu'ils ont à regarder les choses en face.
J'ai senti qu'elle allait me balancer un coup de
pied.

– Hé ne faites pas l'imbécile, je lui ai conseillé.
Nous deux, nous allons rester en dehors de tout
ça. D'ailleurs, c'est rien de grave, c'est votre
patron qui s'explique avec le père de sa petite
amie…

Elle s'est détendue. Je lui ai souri et pour
finir nous nous sommes approchés de la fenêtre
pour voir comment ça se passait là-bas. Il semblait qu'Éric avait été rejoint par son poursuivant,
ils se tenaient dans le fond du parc, du côté des
petites voitures, il y avait une VW rouge entre
eux. On entendait Henri brailler mais on ne
comprenait pas ce qu'il disait. De temps en
temps, il tapait du poing sur le capot de la
Coccinelle, de temps en temps ils tournaient
autour et Henri se passait la main dans les cheveux. La secrétaire a posé une fesse sur le rebord
de la fenêtre. Je lui ai tendu une cigarette.

– Bon sang ! on dirait que ça va mal ! elle a
déclaré.

– Oui, mais vous savez, la vie est comme un

torrent. Parfois c'est le calme, parfois c'est la chute.

La fille s'est tournée vers moi en rigolant :

– Ben, où vous allez chercher des trucs pareils, vous ?

Comme toute cette histoire en bas menaçait de s'éterniser, j'ai rien répondu à la fille et je suis sorti pour aller voir de quoi il retournait.

Nous nous sommes tenus tous les trois silencieux pendant le voyage du retour. Lorsque j'ai garé la voiture devant la maison, la nuit tombait. Je suis resté un instant à m'étirer sur le trottoir pendant qu'Henri cramponnait Gloria par un bras et l'entraînait jusqu'à la porte. Je les ai laissés entrer, j'avais choisi de me tenir un peu à l'écart pour le moment. Et puis au fond, tout ça m'emmerdait.

Il y avait encore assez de lumière dans la baraque pour que je me dispense d'allumer. Les zones d'ombre étaient douces et le reste baignait dans une ambiance particulière, toute la pièce semblait attirée par la clarté de la fenêtre. Je les entendais s'engueuler au premier, quelque part au-dessus de ma tête, mais malgré tout, la baraque m'inondait de son calme et je me suis bientôt retrouvé sur mon petit rocher, enfoncé dans un fauteuil et les deux pieds croisés sur la table. Je me suis demandé s'ils allaient redescendre, si la soirée ne faisait que commencer ou si tout le monde était parti. En fait, je n'en savais rien, ça m'était complètement égal. Qu'il se démerde avec sa fille, qu'ils se démerdent tous les deux. Tout le monde sait que la vie est un brasier, pour ne pas dire un torrent de flammes. J'ai laissé retomber mes pieds avant qu'il ne m'arrive des fourmis dans les jambes.

Je me suis levé lentement et j'ai glissé telle une ombre jusqu'au placard de la cuisine. Je ne m'entendais même pas respirer. J'ai ouvert une bouteille de tonic pour me mettre en forme et j'en ai versé un peu dans mon gin. Le mélange s'est mis à siffler comme une mèche avant d'apparaître dans une légère lueur bleutée, presque fluorescente. J'ai attrapé ma boîte de Trinitrine au fond de ma poche, je me suis fourré les cachets dans la bouche et je m'en suis bu une bonne gorgée. Il fallait que je pense à en racheter d'autres boîtes, il fallait que je pense à entretenir mon vieux cœur alors que dans cette cuisine je pouvais presque toucher l'immortalité. Maintenant, c'était Gloria qui criait. Ça me faisait tout drôle de réentendre cette voix dans la maison. On n'y voyait pratiquement plus rien et c'était agréable, la lumière nous fait louper tout un tas de choses formidables, à commencer par ce qui se trouve dans l'ombre, et les bruits du dessus étaient comme un coffret de pierres précieuses dégringolant jusqu'à mes pieds. J'exagérais à peine. D'une certaine manière, c'était assez réconfortant de sentir des gens bouger et vivre autour de soi. Ça entretenait le rêve.

Je suis resté un moment devant la fenêtre, les fesses collées à l'évier, les bras croisés et mon verre dans une main, aussi à l'aise que dans le ventre de ma mère. Il n'y avait pas trente-six façons de voir l'avenir, c'était la seule position valable. Il m'était déjà arrivé de rester comme ça jusqu'à ce que le jour se lève. Ensuite, j'allais me coucher. Je n'avais de comptes à rendre à personne. Je pouvais bâiller tout le restant de la journée avec les cheveux dressés sur la tête. Dans la vie, chacun se débrouille comme il peut, il n'y a pas de recette idéale pour s'en tirer. La manière dont je m'y prenais avait le mérite de pas coûter grand-chose, sans compter que durant les instants difficiles je n'avais qu'un geste à faire pour me passer la tête sous l'eau.

Un peu plus tard, j'ai préparé une omelette aux fines herbes. On n'entendait plus rien là-haut. Je n'avais pas très faim, mais j'éprouvais beaucoup de plaisir à déambuler dans la cuisine, ouvrir les tiroirs, casser les œufs et les battre, puis mélanger les herbes du bout des doigts. Il était difficile d'imaginer quelque chose de plus reposant, d'ailleurs, malgré cette journée, je ne sentais pas la moindre fatigue dans mes jambes.

Henri est arrivé au moment où je regardais tout ça d'un œil satisfait, l'esprit au repos. Il a filé tout droit vers la bouteille. Une espèce de main invisible lui tordait la figure, des poils blancs d'un demi-centimètre hérissaient ses joues, il était comme un buffle qui aurait chargé pendant des kilomètres et que la course avait rendu fou. J'ai touillé doucement mon omelette en attendant qu'il se calme. Je suis même allé jusqu'à lui mettre le dernier Johnny Cash parce que je savais qu'il aimait bien ça, je savais que ça le détendrait. Quand j'ai vu que ça allait mieux, j'ai sorti ma fourchette de l'omelette et j'ai cogné des petits coups sur le bord du saladier.

— Tu en voudras ? j'ai demandé.

Il a grogné que oui, qu'il en voulait. Je suis allé chercher des œufs dans le frigo pendant que l'autre attaquait *Johnny 99* de sa voix délirante, et en temps normal, ce truc-là, Henri, ça lui pliait les genoux et il s'écroulait dans un fauteuil en croisant ses mains sur son ventre. J'ai rallongé ma sauce.

— Hé, j'ai dit, tu voudrais pas appuyer sur le truc de la poubelle ?

Il lui a fallu une dizaine de secondes avant qu'il se décide à enfoncer son pied sur la pédale. Le couvercle s'est soulevé, aussi raide que la mort. J'ai balancé les coquilles dedans. Henri a vidé son verre jusqu'à la dernière goutte.

— Elle t'a pas dit si elle descendait ?

Il a battu l'air d'une main.

— Bah, ne nous occupons pas d'elle ! Je l'ai assez vue pour aujourd'hui.

Nous n'avons plus dit un mot pendant que l'omelette cuisait. Ce n'est qu'entre deux bouchées, alors que nous étions passés à table, qu'il a retrouvé l'usage de la parole. Il a secoué la tête au-dessus de son assiette.

– Bon Dieu ! Peux-tu m'expliquer pourquoi elles ont décidé de me faire plonger en enfer ?... Tu ne crois pas que j'ai déjà eu mon compte avec sa mère ?...

– Ouais, mais c'est vrai que d'un autre côté elle est majeure...

Il m'a envoyé un regard brillant par-dessus la table.

– Elle est majeure ! a-t-il ricané. Ne me fais pas rire !...

– Tu sais, on ne pourra pas la retenir de force, on va avoir du mal...

– Quand je l'ai laissée partir, elle m'avait raconté qu'elle allait voir sa mère. Eh bien, elle va aller la voir, sa mère, mais cette fois, je te garantis que cette fois, elle va VRAIMENT y aller !...

Lorsque nous eûmes terminé, j'ai envoyé les couverts dans le lave-vaisselle et nous nous sommes glissés dans l'autre pièce. J'ai allumé deux ou trois petites lampes dans les coins et je lui ai tendu ma boîte de cigarillos.

– Y a quand même un truc qui m'a fait plaisir, j'ai dit. Je sais pas si tu as remarqué, mais quand on s'est pointés dans l'appart, elle a d'abord souri. Elle avait l'air contente de nous voir...

– Toi, au moins, tu es observateur... Ça ne m'étonne pas que t'écrives des romans... Éric aussi, tu as trouvé qu'il était content de nous voir ?...

– Ben, peut-être que tu n'as pas fait ce qu'il fallait !...

– Oui, mais tu as l'air d'oublier une chose. Ma femme s'est BARRÉE avec un marchand de voitures. Ma fille se BARRE avec un marchand

33

de voitures. Tu ne trouves pas qu'ils en font un peu trop, ces gars-là ?...

Je reconnaissais que c'était dur à avaler. Je ne savais pas s'il méritait un tel coup du sort, mais je pensais pour ma part qu'il valait toute la profession à lui tout seul et même beaucoup plus que ça. Henri était un fabuleux écrivain, sûrement un des meilleurs de tous, mais il faut se lever de bonne heure aujourd'hui pour se vendre un bouquin de poèmes, la plupart des gens ne savent même pas que ça existe encore. Il n'empêche que la moindre ligne qu'il écrivait était toujours une formidable leçon pour moi. Je m'étais déjà vu, légèrement titubant dans la cuisine, lisant et relisant un de ses trucs qu'il avait oublié là et me sentant pris par une sorte de vertige, réellement, quand je ne me mettais pas à caresser l'empreinte de son stylo bille du bout des doigts. Je n'étais rien à côté de lui. Heureusement, il y avait une justice et mes bouquins rapportaient assez de fric pour nous deux. J'étais une espèce d'étoile montante dans le ciel littéraire, tandis qu'Henri en était déjà arrivé au stade du trou noir. Les femmes sont difficiles à comprendre. Le monde est rempli de marchands de voitures. C'est vrai que par moments on se demande si elles peuvent piger quelque chose à la poésie.

On a entendu la porte de la salle de bains claquer en haut. Henri a levé les yeux au plafond :

– Peut-être que j'aurais dû commencer par ça, il a murmuré. Lui plonger la tête sous l'eau froide.

On a rigolé. Malgré ce qu'il disait, je savais qu'il était content qu'elle soit là. Pendant tout le temps où nous avions été sans nouvelles de Gloria, il s'était tracassé à son sujet. Ça l'avait un peu rassuré de la savoir avec Éric, de savoir que l'autre s'en occupait, et bien qu'il ne voulût jamais l'admettre, elle lui avait terriblement manqué. Pour finir, elle était là. Ça aurait pu se passer un peu mieux, mais elle était là.

— Hé, Henri… tu me fais marrer ! lui ai-je dit.

Il a renversé la tête sur son fauteuil, étendu les jambes. Je lui ai planté un verre plein dans le milieu du ventre. Il regardait quelque chose au plafond en souriant.

— Écoute, il a fait de sa voix superbe, écoute-moi pauvre idiot, j'espère que tu ne commettras pas les deux erreurs qui ont foudroyé ma vie, je veux parler de se marier avec une fille beaucoup trop jeune et ensuite trouver le moyen de lui faire un enfant. Surtout une fille. Fais-y bien attention, souviens-toi de ce que je te dis.

— Non. Moi, y a pas de chance que ça m'arrive.

Il a ricané. Il a viré un de ses mocassins du bout de son pied.

— Ah oui, j'avais oublié… Toi tu es celui dont le cœur est saigné à blanc !…

— Oui… d'une certaine manière.

— Tu vois, a-t-il repris, j'avais exactement ton âge quand j'ai épousé Marlène, c'est une période pendant laquelle un homme est particulièrement vulnérable. C'est quand les chevaux s'arrêtent pour reprendre un second souffle qu'ils se font passer la corde autour du cou. Alors souviens-toi de ce que je te dis, ne la choisis pas trop jeune, crois-moi, mais si tu ne peux vraiment pas t'y prendre autrement, ne t'avise surtout pas de la mettre enceinte. Hum… toi et moi, on a des gueules à avoir des filles, on ne serait pas fichus de faire autre chose que ça !

On a discuté encore un petit moment, puis il est monté se coucher. Je l'ai suivi des yeux pendant qu'il grimpait l'escalier et on s'est envoyé un léger signe de la main avant qu'il ne disparaisse à l'étage. Pour moi, c'était une manière de saluer tout ce qui était en lui, je raconte pas des blagues, n'importe qui aurait pu sentir qu'il était habité par une force étrange et j'étais bien placé pour savoir de quoi il retournait.

Je suis sorti pour aller chercher la valise de Gloria dans la voiture. Henri l'avait balancée dans le fond du coffre et elle s'était ouverte. Il faisait frais. Au bout de quelques secondes, j'ai respiré le parfum de Gloria, on aurait dit que son fantôme venait de se glisser hors de la malle. J'ai trouvé que ça sentait bon, vraiment très bon, tout à fait ce qu'on peut s'imaginer d'une fille de vingt ans et des poussières. À mon avis, un écrivain devrait toujours avoir une fille de vingt ans dans les parages, ne serait-ce que pour lui donner l'image de la force et de la fraîcheur, et l'obliger à se fouetter les sangs. Mais qu'est-ce que racontait Henri, est-ce qu'on avait la moindre chance de résister au plaisir de la lumière, est-ce qu'on avait un moyen quelconque de se bander les yeux, pouvait-on renoncer à un rayon de soleil et se résigner à ne plus écrire que des merdes dans un style mou et sans vie ? Je suis persuadé qu'il faut les prendre jeunes et belles, à moins de tomber sur un cas particulier. Cela dit, Gloria n'était pas exactement mon genre de fille, elle était un peu trop blonde à mon goût et surestimait ses forces. Mais elle apportait à la baraque une présence de femme et parfois je prenais le temps de lever la tête pour la regarder traverser une pièce ou bondir dans les escaliers en courant, et la plupart du temps, Henri et moi on poireautait devant la salle de bains. J'ai sorti la valise du coffre en souriant distraitement. Je commençais à cailler avec mon tee-shirt.

Je suis rentré après avoir jeté un coup d'œil d'un bout à l'autre de la rue que de longues traînées de brouillard traversaient. J'ai refermé la porte sur cette gueule béante sans me sentir pour autant épouvanté, car je commençais à avoir l'habitude de ces visions détraquées, de ces éclairs de lucidité qui vous font voir la vie comme un horrible piège, qui vous transforment une rue en monstre grimaçant. Parfois, c'était le contraire et vous débarquiez sur une tartine de miel sans la moindre raison. Il ne fallait pas accorder trop d'importance à ce genre d'impression si on ne voulait pas finir complètement azimuté. D'ailleurs, pendant que la ville entière s'effondrait au-dehors, je suis tombé nez à nez avec Gloria, en slip au milieu de la cuisine et un yaourt à la main. C'était son cinquième, si j'en jugeais par les cadavres alignés sur la table. Quand elle était là, il fallait les acheter par paquets de vingt. Elle a lancé ses cheveux en arrière en me regardant.

– J'ai pas trouvé le sucre en poudre, elle a déclaré.

Si l'on n'entrait pas dans les détails, il y avait rien à lui reprocher, physiquement. L'apparente fragilité de son slip engourdissait tout naturellement mon âme et vous ne pouviez vous en sortir en levant les yeux, étant donné qu'elle vous braquait sa poitrine en pleine figure. J'aimais bien cette ambiance décontractée et j'avais déjà réfléchi à la question, je préférais que les choses en restent là. Je ne me suis jamais traité de tous les noms à cause des filles que je n'ai pas eues, au contraire, je n'ai jamais pensé que baiser une fille était ce qu'elle pouvait vous apporter de meilleur. Gloria se gênait pas avec moi, nous avions fini par nous habituer l'un à l'autre et tout était bien comme ça. Je l'ai observée tranquillement pendant qu'elle raclait le fond du pot et j'en ai ressenti une profonde satisfaction, esthétiquement parlant.

– T'as eu tort de lui mentir, j'ai dit. Tu lui as facilité les choses.

Elle a attrapé un nouveau yaourt dans le frigo puis s'est posé une fesse sur le coin de la table, les épaules bien droites, les deux jambes tendues en avant. Elle a arraché la capsule d'un coup sec.

– T'es sûr qu'il y a pas moyen d'avoir du sucre ?

– J'en sais rien. T'as bien regardé ?

J'ai fait demi-tour sans chercher à tirer au clair cette histoire de sucre. J'ai allumé la télé, récupéré mon verre et me suis installé en tailleur sur un bout du divan avec ma commande à infrarouges. J'ai passé en revue toutes les chaînes puis je suis revenu à un truc sur le pôle Nord avec de la glace à perte de vue et rien que le sifflement d'un traîneau lancé à toute allure. J'espérais que ça allait durer. Au lieu de ça, Gloria s'est pointée et elle s'est fichue devant moi en se grattant la tête.

– Hé ! je trouve pas de cigarettes !...

– Merde, tu le fais exprès ?

Je lui en ai donné une. Elle s'est penchée en retenant ses cheveux pendant que je craquais une allumette. Elle a poussé un profond soupir en recrachant la fumée, puis elle s'est allongée sur le divan, la tête reposant sur ma cuisse.

– C'est quand même un sacré salaud ! elle a déclaré.

On voyait la buée sortir de la gueule des chiens et par moments, un coup de fouet claquait dans l'air et un type poussait des cris. En faisant une petite grimace, Gloria a tiré sur le fond de sa culotte.

– Ah !... Ce machin me rentre dans le cul.

– Non, c'est pas un salaud, j'ai dit. Tu te trompes. C'est pas aussi simple que tu crois.

Elle s'est redressée et s'est mise à genoux à côté de moi. Maintenant, elle avait l'air furieuse, mais à mon âge on en avait vu d'autres, il fallait bien que toutes ces années servent à quelque chose et elle aurait pu tout aussi bien piquer une crise devant moi que ça ne m'aurait fait ni chaud ni froid. C'est rare qu'elles soient vraiment dangereuses, ça arrive une fois tous les trente-six du mois et on s'en aperçoit très rapidement. Je me sentais comme un seau d'eau qui regarde brûler une allumette.

— Non mais de quel droit il se conduit comme ça ? !... elle a sifflé. Pour qui il se prend, merde, mais qu'est-ce qu'il croit ?...

— J'imagine qu'il pouvait pas faire autrement. Par moments, on a besoin d'agir, on peut pas toujours rester assis bien sagement à examiner la situation. J'espère que tu es en âge de comprendre qu'à force de pisser sur un feu, on finit par l'éteindre une bonne fois pour toutes. Tu ne peux pas demander à un homme normal de réduire sa vie à un tas de cendres, surtout lorsqu'il est passé sur l'autre versant de la colline.

— Bon sang, et c'est moi qui dois en faire les frais ?... Eh, vous allez bien, tous les deux, vous pouvez pas redescendre un peu sur terre ?...

— D'accord, je reconnais que ce n'est pas facile.

Je regardais la télé tout en lui parlant, toutes ces immensités glacées et le soleil cafardeux qui pendouillait comme une ampoule de vingt watts. J'ai secoué la tête, tout en continuant à fixer l'écran :

— Mais je vais te demander une chose, Gloria... Tiens-moi à l'écart de toutes vos salades. J'ai pas envie de chercher à savoir qui a raison ou qui a tort. Si tu veux mon avis, attends un peu que sa tête refroidisse.

— Écoute, me dis pas que tu trouves ça normal !...

— Merde, j'ai jamais dit une chose pareille !

3

Une des raisons pour lesquelles Henri se frottait les mains, c'est que pendant les jours qui suivirent, Éric ne s'est manifesté en aucune manière. Il se frottait les mains un peu plus à mesure que le temps passait. Il ne se gênait pas pour faire remarquer à sa fille que les événements lui donnaient raison, qu'Éric était exactement ce qu'il pensait, c'est-à-dire un moins que rien, une espèce de fantôme, un petit bonhomme, un pauvre petit trou du cul de marchand de voitures. Gloria faisait celle qui n'entendait rien, puis un matin, elle lui a répondu que c'était pas la peine de lui casser les pieds avec ça, qu'elle savait à quoi s'en tenir au sujet d'Éric. Alors il s'est levé de table en souriant et à midi, il souriait encore.

– Tu vois qu'elle est moins idiote qu'elle n'en a l'air, m'avait-il soufflé.

Je venais d'écrire un bouquin, à l'époque, et cet après-midi-là, j'ai reçu les épreuves à corriger. Je suis resté à la baraque pendant qu'ils allaient faire un tour tous les deux. Je pensais que c'était ce que j'avais écrit de meilleur jusque-là et j'étais impatient de le vérifier. Ça racontait comment j'avais connu Betty et tout ce qui s'était passé. J'avais été incapable d'écrire un seul mot là-dessus pendant plusieurs années, puis je m'y étais mis d'un seul coup et le truc avait marché. C'est le jour où j'ai tapé la dernière page qu'on a appris la mort de Richard Brautigan, et le soir je me suis saoulé comme je l'avais encore jamais fait de ma vie et je suis resté un long moment couché en travers du tapis à écouter les gens chialer dans les rues. Tout le monde se souvient de cette nuit atroce et des jours sombres qui ont suivi pendant qu'on relisait *Tokyo-Montana Express* ou *Mémoires sauvées du vent*.

J'ai travaillé tranquillement jusqu'à ce qu'ils rentrent et quand j'ai levé le nez de mes feuilles, je me suis aperçu que le soleil était déjà couché, je me suis étiré sur ma chaise et j'ai rangé tout mon bazar. Henri semblait d'excellente humeur, il a cligné de l'œil à Gloria en inclinant la tête dans ma direction.

– Hé, regarde un peu comme il a travaillé, il

a ricané. Tu ne trouves pas qu'il a les traits tirés ? Seigneur Jésus ! qui peut imaginer tout le mal qu'il faut se donner pour venir à bout d'un roman !...

Il avait raison, je me sentais légèrement sonné. J'ai poussé un bâillement du tonnerre et je me suis levé pour aller boire un coup au robinet. Quand je suis revenu, je l'ai entendu qui disait à Gloria écoute-moi, tu sais bien que je ne t'ai jamais empêchée de sortir avec qui que ce soit, je trouve ça tout à fait normal, bon sang ! j'ai eu le temps d'apprendre quelques trucs dans la vie, fais-moi confiance, ce n'est pas moi qui irais te demander ce que tu fais avec un garçon, mais se barrer comme ça avec le premier venu, Gloria, il faut être vraiment dingue, il n'y en a pas un seul qui vaille la peine, tu m'entends, je n'en ai pas rencontré beaucoup...

– Crois-en sa vieille expérience ! j'ai ajouté pour Gloria.

Il a plongé une main dans ses cheveux en me regardant :

– Seigneur, est-ce que j'exagère, est-ce que je ne dis pas la vérité !... Tu en connais beaucoup, toi, des types qui soient à la hauteur, des types à qui tu donnerais volontiers ta fille ?...

– Ben, tu sais, j'ai pas de fille... Je me suis jamais posé la question sous cet angle-là.

Gloria en a profité pour nous servir des verres.

– Ah ! au fait, on t'a pas dit, elle m'a annoncé, mais on a rencontré Charles en se baladant ! On est invités chez lui ce soir.

– Quel Charles ? j'ai demandé. Celui qui a écrit *Le Miroir dans la main* ?

Henri a hoché la tête :

– Ouais, mais tu sais comment il est. Il a insisté. Charles s'est toujours montré très convaincant...

– Ouais, sauf quand il écrit !...

J'étais devenu très chiant avec ça. Je m'en

rendais compte mais je ne pouvais rien y faire et les choses allaient en empirant. Au début, je n'éprouvais que de l'ennui pour ces écrivains à la con, et puis, chemin faisant, je me suis mis à les détester pour de bon, à sentir la rage m'étrangler quand j'essayais d'en lire plus de trois pages. J'en connaissais quelques-uns comme ça, c'est rare qu'il y ait pas au moins un écrivain dans une soirée, et je ne faisais pas toujours attention, je me laissais entraîner. En général le type vous téléphonait le lendemain et vous tirait d'un profond sommeil pour vous annoncer qu'il allait se faire un plaisir de vous envoyer son dernier bouquin par le premier courrier. Et vous vous battiez contre une hydre, vous en écartiez dix et il s'en trouvait vingt alors pour se dresser sur votre chemin. Il fallait donner le maximum pour limiter les dégâts, tout en sachant bien que certains d'entre eux finiraient par vous coincer un jour ou l'autre. Je devais du fric à Charles. Je l'aurais bien étranglé pour ce qu'il écrivait, mais je lui devais du fric. La vie est tellement dure parfois que dans un moment de lassitude, je m'étais résigné à lui emprunter une petite somme. Il m'avait fait entrer et m'avait pris par l'épaule, et le poids de son bras pesait déjà sur mon cou comme un morceau de la croix. « Je suis content de voir que tu ne te gênes pas avec moi, m'avait-il glissé dans l'oreille. Je vais essayer de te donner un coup de main. » Il avait sorti une grosse liasse de billets de sa poche. Son dernier bouquin, je l'avais même pas flanqué à la poubelle, je l'avais balancé de toutes mes forces par la fenêtre, je l'avais jeté dans la rue. À partir d'une certaine limite, ça me fout carrément en rage, je ne sais pas à quoi ça tient. Henri prétendait qu'on ne s'en souciait plus au bout d'un moment.

Inutile de dire que je n'étais pas très chaud pour qu'on se rende à cette soirée. Il s'en est même fallu d'un rien pour que je refuse d'y aller, mais Gloria s'est pendue à mon bras et j'ai fini par céder. Et pourtant, si l'on s'en tient purement et simplement aux faits, on peut dire que tout a commencé par cette soirée. Pour la seconde fois, ma vie allait se trouver balayée, mais le point de départ, ce ne fut que cette petite soirée de merde, et rien de plus que ça, rien de lumineux. Ça me rend malade de voir à quoi tiennent les choses et avec quelle facilité un type avance vers son destin. D'une certaine manière, je trouve ça effrayant. Merveilleusement effrayant.

Nous nous sommes donc retrouvés tous les trois dans la voiture et nous avons enfilé des rues pendant que la nuit tombait, le père et la fille à l'avant et la banquette arrière pour moi tout seul. À un feu rouge, Henri a freiné brusquement, ça m'a rappelé que j'avais oublié de prendre mes cachets. Je les ai repêchés dans le fond de ma poche et je m'en suis avalé quelques-uns discrètement. C'était difficile d'y penser tous les jours, surtout que je ne croyais pas que ma vie pouvait tenir à ces pauvres petits machins, je N'ARRIVAIS PAS à y croire. Je ne sentais absolument pas la mort planer au-dessus de ma tête. D'un autre côté, ça me coûtait rien de les prendre. Qui peut réussir à s'en tirer aujourd'hui, sans avoir tout un tas de pilules à sucer ?

Il y avait déjà pas mal de monde lorsque nous sommes arrivés. Heureusement Charles habitait une de ces grandes baraques où l'on peut encore respirer et faire quelques pas sans écraser personne. Nous étions tous les trois assez connus dans le coin pour soulever un murmure d'approbation en pénétrant dans l'arène. J'avais mon nom dans les journaux, je citais Henri en exemple chaque fois que je le pouvais et Gloria portait une minijupe d'un rouge agressif, on les avait pratiquement à notre main. Charles s'est pointé en souriant de l'autre bout de la pièce et m'a posé une main sur l'épaule. Je détestais ça. Si l'on exceptait ce qu'il écrivait, l'individu n'était pas antipathique. Mais d'une manière générale, je n'aimais pas qu'on me touche. Je n'y pouvais rien. J'ai dû attendre qu'il s'arrête de sourire pour pouvoir en placer une :

— Je veux bien rester planté là encore un petit moment si tu me fais passer un verre, j'ai dit.

Il m'a trituré l'épaule et le pire de tout, il m'a cligné de l'œil.

— C'est bien que tu sois venu, il a fait.

— Ouais, j'ai répondu.

Puis je me suis éloigné de lui aussi vite que j'ai pu.

Une des choses qui n'ont jamais manqué de m'étonner dans la vie, c'est qu'un écrivain trouve toujours plus con que lui, et j'avais assez d'expérience à présent pour repérer ma victime du premier coup d'œil. C'était une fille d'environ trente ans et je savais pourquoi elle me regardait de cette manière. Comme je voulais boire mon verre tranquillement, je me suis approché d'elle. Elle était parfaite, elle avait déjà les joues roses, rien qu'à l'idée d'être à moins de cinquante centimètres de moi. Un écrivain trouve toujours quelqu'un pour lui tenir la jambe et bien sûr, c'est reposant, il n'est pas obligé d'écouter et personne vient lui demander s'il s'ennuie, c'est vraiment bien d'être écrivain, ça leur en fait tous baver des ronds de chapeau. J'ai mis la machine en marche :

— Je vois dans vos yeux que vous avez lu un de mes livres…, j'ai dit.

Peut-être que je m'avance un peu trop mais à la façon dont elle s'est tortillée devant moi, je crois que j'aurais pu lui arracher tous ses vêtements puis la baiser sur place. Sans compter que j'étais plus grand qu'elle, la pauvre était forcée de lever les yeux vers moi, je devais faire très mal avec mon air fiévreux.

– Oh oui, bien sûr !... Je les ai TOUS lus, vous savez, d'ailleurs j'écris moi-même un peu...

Il était difficile de tomber sur un plus beau spécimen, réellement. De temps en temps, je lui jetais un coup d'œil pour vérifier que ses lèvres continuaient à remuer et parfois je hochais la tête, surtout lorsqu'elle remplissait mon verre. J'ai passé des soirées extraordinaires dans de telles conditions, ne goûtant que l'ambiance générale, ne respirant qu'un parfum sans parler à personne, ne voyant que des couleurs, simplement grâce au fruit de mon travail, et ce n'était que justice, finalement il ne peut pas y avoir que des mauvais côtés sur la médaille d'un écrivain.

Quand j'ai commencé à me remuer, j'ai signé mon nom sur le bras de la fille et je l'ai assise sur une chaise. Gloria dansait avec les plus jeunes, tandis qu'Henri s'était écroulé dans les coussins avec les vieux loups. Je suis allé faire un tour jusqu'à la cuisine, ayant dans l'idée d'avaler quelque chose, mais comme de bien entendu, je suis tombé sur Charles et je n'ai pas eu le temps de faire demi-tour qu'il me harponnait. Sauf que j'ai pris les devants, j'ai sorti le paquet de billets de ma poche.

– Voilà une affaire de réglée, j'ai dit. Je te remercie, ça m'a bien aidé.

– Hé !... on dirait que les affaires reprennent ?...

– Ouais. Couci-couça...

Je me suis découpé une tranche de saumon épaisse comme trois doigts pendant qu'il comptait le fric.

– Ha, je ne t'ai pas dit, il a ajouté, je vais bientôt dépasser les deux cent mille avec mon dernier !...

Moi, j'atteignais à peine les dix mille et ça me paraissait déjà énorme. Je n'oubliais pas que je n'étais que L'ESPOIR de ma génération, j'avais encore du chemin à parcourir. Heureusement, personne ne savait que j'avais le cœur fragile, sinon ils m'auraient enterré vite fait et seraient passés à un autre. Le minimum qu'on demande à un espoir, c'est de péter la santé. Mais surtout pas de se la couler douce.

— Bon Dieu ! j'ai dit, cinq cent mille ?

— Non, non, deux cent mille.

— Ah ! tu m'as fait peur !...

La baraque a glissé doucement jusqu'au cœur de la nuit, les heures se sont succédé et quand on tire à deux cent mille, on peut se permettre d'assurer avec les bouteilles et de faire circuler quelques Davidoff. Sans parler de la poudre, mais je n'étais pas d'humeur à grimper aux montagnes, je filais tranquillement sur mes bourbons-Coca avec une petite cheminée au coin des lèvres. C'était toujours lorsque l'ambiance tombait que je me sentais en forme, lorsque les conversations étaient bien rodées, que les groupes s'étaient formés et que tout le bazar ronronnait en économisant ses forces. C'était toujours le moment que je choisissais pour me balader, vers 3 heures du matin, et j'allais voir ce qui se tramait dans les autres pièces avec mon verre à la main. Je me suis levé et j'ai laissé Henri en pleine discussion sur les locomotives, j'ai enjambé une blonde qui buvait ses paroles ainsi que son petit copain.

Le temps de traverser la pièce pour sortir dans le jardin, j'ai pu constater que j'avais déjà avalé une certaine quantité d'alcool, non pas que je ne puisse marcher parfaitement droit, mais c'était limite. Je m'en suis fait la remarque en souriant. Comme la température était agréable, il y avait quelques personnes dehors, les gens sortaient puis rentraient au bout d'un moment. Du fond du jardin, on avait une vue magnifique sur toute la ville qui s'étendait un peu plus bas, ça valait le coup d'y passer cinq minutes pour regarder les lumières, surtout qu'il y avait un banc. Eh bien, je me suis dit, pourquoi pas ? Va pour le banc.

Je venais juste de m'installer sur ce fameux banc avec la ville à mes pieds quand j'ai senti une présence dans le coin. Je me suis penché en avant en m'attrapant les genoux, j'avais même les oreilles qui me sifflaient un peu. J'ai mis un moment avant de repérer deux personnes sur ma gauche, elles semblaient baigner dans un rayon de lune, mais c'était un spot accroché dans un arbre et elles étaient collées l'une à l'autre. Elles n'avaient pas remarqué ma présence, elles étaient en train de se rouler une pelle vertigineuse et je voyais des mains partout. Je me suis radossé à mon banc pour m'allumer une cigarette.

La douceur de l'air m'enchantait. Je sentais mes idées revenir tout doucement à leur place et j'ai regardé la ville pendant une bonne minute sans qu'il se produisît quoi que ce soit. Puis j'ai eu le sentiment qu'une tache rouge s'étalait dans mon cerveau et l'affaire s'est vite précisée. Je me suis penché en avant encore un coup. Je veux bien mourir si j'ai pas reconnu sa minijupe. Si ça ne m'a pas complètement scié.

Maintenant, je l'entendais gémir. J'avais déjà eu l'occasion de voir Gloria dans les bras d'un type, je l'avais même surprise une fois le cul à l'air, dans la baraque, en compagnie d'Éric, mais j'avais passé mon chemin en sifflotant, j'en avais rien à cirer de tout ça. Pourtant, cette fois-ci je me suis levé et j'aurais été incapable de dire pourquoi. J'avais les oreilles toutes chaudes. J'ai tapé sur l'épaule du gars qui s'occupait de Gloria :

– Hé... ça va bien ?... Ça t'arrive jamais de reprendre ton souffle ?...

C'était un type assez jeune, environ deux fois

plus que moi. Il s'est retourné et on pouvait lire dans ses yeux qu'à son avis le monde n'appartenait pas à quelqu'un d'autre. Il était écrit dans les miens que, s'il croyait ça, il se préparait à une belle surprise. Gloria a rompu le charme en se glissant entre nous, elle m'a attrapé par une manche.

— Bon sang, tu m'as l'air dans un drôle d'état ! elle a plaisanté. Je vais te reconduire sur ton banc.

Le jeune gars a regardé ailleurs en soupirant.

— Ah, je t'en prie, débarrasse-nous de ce mec en vitesse !... il a grimacé.

Je me suis laissé reconduire sans dire un mot. Je n'étais pas dans un état tel qu'elle le prétendait, mais je ne refusais pas d'aller m'asseoir un instant. Pour moi, l'incident était clos et ce petit accès d'humeur m'était complètement sorti de la tête. J'ai allongé mes bras de chaque côté sur le dossier du banc, j'ai renversé la tête en arrière. Le ciel était d'un noir intense. J'ai senti la main de Gloria fouiller dans ma chemise et trois secondes plus tard, j'avais une cigarette allumée entre les lèvres. Il faut reconnaître que la vie est illuminée par des éclairs de paix hallucinants, finalement je la trouvais au poil, cette soirée, et la nuit était délicatement acidulée, comme dans un rêve, dommage qu'il ne se soit pas trouvé un petit vent du sud pour me glisser dans les cheveux.

Quand j'ai redressé la tête, j'ai vu que j'étais tout seul. J'ai pensé que c'était une raison de plus de garder mon sourire et je n'ai pas cherché tout de suite à savoir où j'étais. Au bout d'un moment, je me suis raclé la gorge. J'ai ramené mes bras sur mes jambes. Il n'y avait personne, ni à droite ni à gauche. Je me suis mordillé un bout de lèvre. Quelque chose s'est mis à vibrer en moi, comme un fil d'acier tendu de mon ventre à mon cerveau, impossible de décrire ça autrement, moi-même j'en fus surpris et j'eusse été incapable de dire si c'était bon ou pas. Toujours est-il que je me suis penché une nouvelle fois en avant et j'ai pu constater qu'ils n'avaient pas changé de place, ils s'étaient simplement appuyés contre un arbre.

– Ah, Seigneur Dieu ! j'ai murmuré, puis je me suis levé.

Gloria avait les yeux fermés et le jeune type me tournait le dos, il la branlait d'une main, ce qui fait qu'ils m'ont pas entendu arriver. Rien de plus facile à retrousser qu'une minijupe, à ce qu'il semblait, et Gloria avait de belles cuisses, longues et fines, elle commençait vraiment à me faire chier. Je ne me prenais pas pour son père et je ne nourrissais pas une passion refoulée pour elle, mais là elle m'emmerdait carrément. Je voyais sa main plantée dans la nuque du gars et elle se tenait presque sur la pointe des pieds. Je suis intervenu au moment où le type se crachait dans les doigts.

Je l'ai attrapé par les cheveux. Il a gueulé comme un âne et je l'ai arraché de là, il a roulé dans l'herbe. J'ai pas laissé le temps à Gloria de réaliser, je l'ai cramponnée par un poignet. Je lui ai lancé un œil noir cerclé de paupières rouges.

– Ma parole, mais t'es à moitié givrée ! j'ai grogné.

Elle respirait encore à petits coups rapides, il n'y avait pas des heures que l'autre avait retiré sa main. Mais je savais qu'elle n'allait pas en mourir, loin de là, d'ailleurs elle a juré entre ses dents et m'a repoussé de toutes ses forces. J'ai failli m'étaler bêtement en glissant sur une touffe d'herbe.

– Non, mais je rêve ! elle a sifflé. C'est pas vrai ! !...

– Cherche pas à comprendre... Me force pas à t'expliquer !

– Mais c'est pas possible… TU M'EMMER-
DES ! ! !

Je n'étais pas saoul au point de ne pas avoir
remarqué que l'autre s'était relevé, tout grimaçant de rage, et visiblement, il n'avait pas envie
de se tirer. Je me mettais à sa place, ce n'était
pas à lui que j'en voulais. J'ai tendu un bras
dans sa direction pour lui faire comprendre de
rester où il était.

– Te mêle pas de ça ! j'ai dit. Fous-moi le
camp !…

– Putain, mec, je crois que c'est plutôt toi qui
vas aller te faire foutre ! il m'a lancé.

Les choses vont tellement vite aujourd'hui que
j'avais devant moi un type en pleine possession
de ses moyens, complètement sorti de la puberté
et bien décidé à me tenir la dragée haute. Si on
se laissait aller, ils auraient vite fait de nous
balayer, je me suis tenu bien droit sur mes
jambes, vingt ans d'expérience dans chaque
cuisse. Mais c'est Gloria qui m'a sauté dessus
et j'ai failli me prendre une pêche en pleine
figure, je me suis reculé au bon moment. Ses
yeux, comment dire, étincelaient de fureur contenue.

– PAUVRE SALAUD ! ! elle a braillé. EST-CE
QU'ON T'A SONNÉ ? ? ! !…

J'ai attrapé un de ses bras au vol. J'allais me
faire un plaisir de lui envoyer cette baffe qu'elle
avait tant méritée, quand j'ai senti une vive
douleur à la hauteur de l'oreille gauche. Ça m'a
rendu fou. J'ai lâché Gloria en couinant et j'ai
bondi sur le petit connard. À présent, j'avais la
tête toute chaude, comme enveloppée dans du
coton hydrophile, et l'alcool m'embrasait, et mon
cœur tenait le coup. J'ai refermé mon poing sur
le devant de sa chemise. J'ai voulu le soulever
du sol, mais le tissu s'est déchiré, tous les boutons
ont sauté en l'air, improvisant une gerbe nacrée.
L'autre a poussé un étrange hurlement, à croire

que je lui avais arraché un bout de peau, mais ce n'était pourtant pas le cas. Je m'étais laissé dire que ces petites chemisettes n'étaient pas données. Il m'a balancé une droite. J'ai esquivé. Moi, je n'avais pas les moyens de me payer des chemises de ce prix-là, pas encore, ça ne me faisait rien de les arracher. J'ai plongé dans ses jambes.

Bizarrement, il était toujours debout, tandis que je venais d'atterrir par terre. C'est le problème avec l'alcool, on est plein de bonne volonté mais le corps ne suit pas. J'ai entendu Gloria qui hurlait TU M'ENTENDS LAISSE-MOI TRANQUILLE ! L'autre m'a décoché un coup de pied dans le bras. Je me suis laissé rouler contre un buisson. La tête m'a tourné un peu, mais je me suis relevé. Toute cette histoire dégénérait complètement.

— Dis-lui de se barrer ! j'ai lancé à Gloria. Je te le dis gentiment.

En trois pas elle fut sur moi. J'ai eu un mal de chien à lui saisir les bras. Elle avait des couleurs, ses yeux essayaient de me dévorer.

— Qui est-ce qui t'a demandé de me surveiller ! elle a sifflé. Tu crois que j'en ai pas assez d'un ?... Il va falloir que je te demande la permission quand j'ai envie de m'amuser ? !...

Par bonheur, j'ai réussi à la repousser juste à temps, juste au moment où l'autre me sautait dessus. J'ai vu son poing partir et je l'ai senti dévier sur ma pommette comme une barre de feu. Il a continué dans son élan, ce qui m'a beaucoup aidé puisqu'il est venu de lui-même se plier en travers de mon genou, et ce fut ainsi une affaire promptement réglée. Quand on me demande ce que je pense sur les jeunes de vingt ans, je réponds qu'ils ne manquent pas d'audace. Lorsqu'il s'agit des filles en particulier, je passe rapidement à la question suivante.

Je n'ai jamais prétendu en connaître plus que

d'autres au sujet des femmes et d'ailleurs je pensais que Gloria allait tomber à genoux près du type qui se tortillait dans l'herbe et lui couvrir la figure de baisers. Au lieu de ça, elle me regardait. Elle semblait avoir retrouvé tout son calme, simplement elle se passait une main dans les cheveux, les doigts bien écartés et légèrement déhanchée. Je ne sais pas comment je m'y prenais, mais je n'en rencontrais pas à tous les coins de rues, des filles qui baissaient les bras, ce n'était pas la peine de venir me faire signer des trucs pour la libération de la femme, à mon avis elles s'en donnaient assez comme ça. J'ai touché du bout des doigts la partie de mon visage qui commençait à enfler. L'autre a réussi à se mettre à quatre pattes sans que Gloria ne jette un seul coup d'œil sur lui. Elle était plutôt occupée à rendre son corps lumineux ou quelque chose dans ce goût-là et elle ne me quittait pas des yeux. J'ai éclaté d'un rire nerveux pour lui montrer qu'elle pourrait arrêter les frais séance tenante. J'avais déjà écrit cinq cents fois qu'on ne pouvait pas tout avoir dans la vie, j'avais une certaine vision du monde.

Maintenant que le combat était terminé, je me suis mis à bouillir intérieurement d'une fureur épouvantable. Il faut éviter de trop se remuer, quand on a bu, l'alcool circule plus rapidement dans les veines et je devais maîtriser à la fois ma rage et mon sens de l'équilibre. Bien sûr, elle devait s'imaginer que je m'étais battu pour elle, oui, sans l'ombre d'un doute, en général elles ne vont pas chercher plus loin, elles se fient aux apparences, et vous vous retrouvez planté là comme un con avec le souffle court et les cheveux en bataille, et toutes les preuves sont contre vous. Ça me rendait à moitié malade. Partie comme elle était, on pouvait parier qu'elle allait bientôt m'envoyer un sourire. J'ai tenu à m'éviter ça. Je me suis avancé vers elle en serrant les dents pour ne pas la mordre. Elle a compris à ce moment-là que quelque chose n'allait pas très bien, elle a baissé les yeux. Le jeune type a essayé de se relever en s'appuyant contre un arbre, mais il est retombé sur les genoux. J'ai attrapé Gloria par un bras.

– Hééé !... mais tu me fais mal ! elle a couiné.

– Ouais, amène-toi ! j'ai grogné.

J'étais en train de m'examiner dans la glace de la salle de bains lorsque Henri s'est pointé dans mon dos. Il a pris le temps de s'allumer une cigarette.

– Bon alors, est-ce que je vais enfin savoir ce qui s'est passé ?

Ma pommette brillait d'un rouge vif et mon oreille gauche était violette. Je commençais à avoir mal au crâne. J'ai fait couler de l'eau froide dans le lavabo.

– Elle t'a pas mis au courant ? j'ai marmonné.

J'avais dû me contenir durant tout le trajet de retour parce que nous avions ramené deux personnes qui habitaient dans le coin. Il était 4 heures du matin et Gloria avait filé dans sa chambre en prenant bien soin de claquer violemment la porte derrière elle. J'avais empoigné les bords du lavabo en frémissant. J'étais naze.

– Écoute-moi, Henri, j'ai enchaîné. N'ayons pas peur de regarder les choses en face : elle va finir par nous rendre cinglés, tu le sais aussi bien que moi. Je reconnais qu'elle s'est tenue tranquille pendant ces quelques jours, seulement c'était trop beau et je vais te dire, Henri, c'était le calme avant la tempête !...

Il s'est mis à danser d'un pied sur l'autre. Il voyait tout à fait de quoi je voulais parler mais c'était sa fille et il avait plus de difficultés qu'un autre à l'avaler.

– Bon, mais peut-être que tu exagères un peu... il a estimé.

J'ai arrêté la flotte et je me suis tourné face à lui. J'ai dû faire un effort pour éviter de grincer des dents.

– Tu trouves que j'exagère ? Alors on va passer notre temps à la chercher dans tous les coins ou se coltiner avec les types qui vont s'approcher d'elle ?... Tu ne vois pas que ça va empirer tous les jours, qu'elle va nous rendre la vie impossible, putain de merde ?!!...

Il a envoyé un nuage de fumée vers ses pieds en prenant un air soucieux.

– Tu sais, j'ai poursuivi, on y peut rien du tout, c'est comme ça. Peut-être que c'est pas très marrant pour elle de vivre avec nous, peut-être qu'on n'arrive pas à se mettre à sa place... Mais on a pas fini d'en voir, Henri, je te garantis qu'on a pas fini de se faire chier avec elle !...

– Ah, bon Dieu !...

Il s'est assis sur un coin de la baignoire et sa chemise s'est tendue à craquer. Bientôt, il aura plus que des cheveux blancs, j'ai pensé, et je n'aimais pas penser à ça. Il me semblait que j'avais à peine eu le temps de faire ouf et pourtant j'avais déjà quarante ans. Par moments, on avait l'impression que la vie nous bafouait. À d'autres, on se disait qu'elle avait raison de le faire. Et le temps passait. Et une poignée de cheveux blancs sur le crâne d'un type vous clignait de l'œil ou vous rentrait dedans.

– Henri, je crois que ta première idée était la bonne. On n'a qu'à l'envoyer un peu chez sa mère, peut-être que ça lui fera du bien, tu m'écoutes ? Tandis que nous, elle est majeure, c'est comme si on entreposait des bâtons de dynamite, enfin tu vois ce que je veux dire. On ne peut plus s'occuper d'elle comme ça, l'air va devenir irrespirable pour tout le monde, je te jure que c'est vrai, Henri, ça ne va pas lui faire de mal de vivre un peu avec sa mère...

Il a pianoté du bout des doigts sur le rebord de la baignoire. J'en ai profité pour me tourner et me plonger la tête sous l'eau, puis je me suis épongé délicatement avec une serviette. Mon oreille était une espèce de petit oiseau avec les deux pattes cassées et une aile à moitié brisée.

— C'est normal, repris-je, nous quand on la voit avec un type, on se fait forcément du mauvais sang, tandis que sa mère, elle peut comprendre ce genre de choses, des filles ça peut discuter de ça en rigolant. Voilà où le bât blesse... Et puis, ça nous empêcherait pas de la voir, là y a aucun problème...

Je me suis approché de lui pendant que des gouttes d'eau dévalaient dans mon dos et sur mes épaules, et quelques-unes s'écrasaient par terre.

— Henri, est-ce que t'as envie qu'on remette ça dans moins d'une semaine ? Car tu sais qu'on peut pas échapper à ça. Mon vieux, est-ce que tu crois qu'on a trente-six solutions ?...

Il a levé les yeux vers moi. Bien sûr, je n'ai pas senti qu'il était au meilleur de sa forme, il était comme moi, il était fatigué et j'étais en train de lui demander de se briser un peu le cœur. Mais il a fini par hocher la tête.

— Tu as sans doute raison, il a fait. Ouais, tu as sûrement raison !...

4

J'ai souvent pensé qu'écrire des bouquins était ce qui m'avait évité de plonger après la mort de Betty. J'avais l'impression que mes livres ne servaient pas à rien, qu'ils me donnaient de nouvelles forces, et bien que ce ne fût pas l'avis de tout le monde, j'y apportais le plus grand soin. La manière dont j'écrivais exigeait une rigueur de chaque instant et pas mal d'oreille, il était hors de question de se laisser mollir ou de fermer les yeux sur quoi que ce soit. C'est le sort, j'imagine, de pas mal d'auteurs classiques, je veux dire ceux qui finissent par y sacrifier leur santé, car bien sûr on a rien sans rien.

Je suis resté enfermé avec mes corrections pendant trois jours d'affilée et je serais incapable de raconter ce qui s'est passé autour de moi. Gloria me faisait certainement la gueule, mais c'était une bonne chose, je pouvais travailler tranquillement, ratissant mes phrases une par une au peigne fin et limitant mes canettes de bière, l'esprit aiguisé comme un rasoir à deux lames afin de toujours trancher au plus près. Je refusais de me laisser distraire au moment des repas, je retournais dans mon coin armé de sandwichs et je reprenais mon boulot. Il n'y a pas tellement de choses qui vaillent la peine dans la vie d'un homme, il ne faut jamais manquer une occasion de se donner à fond.

Il était aux environs de minuit lorsque j'ai lâché la dernière page de tout mon bazar. Gloria était dans sa chambre et Henri avait mis la télé en sourdine, il était allongé sur le divan. J'ai eu envie de prendre un peu l'air. Je lui ai proposé de venir boire un verre avec moi et on s'est aussitôt retrouvés dans la rue, sur le trottoir désert. J'ai respiré un grand coup.

– Tu as l'air content de toi, il a remarqué.

Le fait est que je n'avais pas envie de pleurer, je lui ai souri carrément.

– Ouais, ça peut aller... j'ai dit.

Je venais de couper les derniers liens qui me rattachaient à ce bouquin et je me sentais presque neuf, jusqu'à ces rues que je connaissais comme ma poche et que j'avais pourtant l'impression de redécouvrir, j'avais envie de regarder dans tous les coins, j'avais peur d'en perdre une seule miette. De même qu'on ne meurt pas qu'une fois, il se trouvait qu'on revenait à la vie de temps en temps, et tout vous semblait doux, ne serait-ce que le chemin qui vous séparait du bar le plus proche. En réalité, plus rien ne vous tracassait.

— J'ai eu l'occasion de discuter avec elle, m'a expliqué Henri. Elle m'a dit qu'elle était d'accord.

— Parfait. Tout est parfait.

— Maintenant que c'est décidé, j'aimerais mieux qu'on ne traîne pas trop, hein, qu'est-ce que tu en penses ?...

— Je suis entièrement de ton avis. On y va quand tu veux.

— C'est comme qui dirait qu'on y est obligé, n'est-ce pas ?...

— Ouais !... Le chemin était tracé d'avance.

Peu de temps après, nous avons pris le taureau par les cornes. J'ai vérifié tous les niveaux de la Mercedes alors que le jour se levait à peine, puis je suis allé chercher la valise de Gloria et je l'ai foutue dans le coffre. Bien que nous ayons tous les trois un sourire tranquille sur les lèvres, l'ambiance était sinistre. Chacun de nous y perdait quelque chose dans l'histoire, mais on n'a jamais entendu dire que c'était tout rose ici-bas, et j'ai laissé le moteur chauffer un instant pendant que je tripotais les boutons de la radio. Heureusement il se préparait une belle journée, il n'y avait rien qu'un petit nuage blanc complètement paumé dans le ciel et je ne donnais pas cher de sa peau, il avait l'air abandonné, lumineux mais abandonné.

La ville était silencieuse, on s'est payé des rues entièrement désertes dans les premières lueurs du soleil levant, puis on s'est retrouvés sur la route. Marlène nous attendait. Henri lui avait passé un coup de fil la veille et j'étais content de la revoir, la route n'était pas si moche que ça, finalement. Notre dernière visite à la ferme remontait à sept ou huit mois, avant que Gloria ne nous fausse compagnie, et nous étions restés une quinzaine de jours pour profiter d'un automne qui n'en finissait pas, on avait pris de sacrées couleurs. J'en gardais un souvenir formidable. La ferme se trouvait juste à la sortie d'une petite ville pratiquement au pied des montagnes, là où commençait la forêt. Pour nous, ce n'était pas la porte à côté, et vers midi on s'est arrêtés dans un self. Il faisait chaud. Le départ avait été dur mais maintenant ça allait, Gloria piquait des frites dans l'assiette d'Henri et il rigolait. Au fond, il n'y avait rien de dramatique, ce n'était pas la mort.

Lorsque nous avons débouché dans la cour de la ferme, un drôle de spectacle s'est offert à nous. On a ouvert des yeux ronds et pour ma part, même si j'étais conscient de la merde que cela représentait, je ne pus rester insensible à la beauté féroce du tableau, à la puissance sauvage qui s'en dégageait.

– Oh, doux Jésus !... a soufflé Henri. C'est comme si le ciel avait envoyé un coup de poing sur la table ! !...

Une fois de plus, Henri avait trouvé la bonne image. Jour après jour, la poésie marquait des points si je ne m'abusais, il faut reconnaître que ces types-là donnent plutôt bon goût à la vie, ils ont le chic pour appuyer sur les endroits sensibles. Pour les autres, ce n'était qu'une saleté d'arbre qui s'était abattu sur le toit de la baraque, qu'est-ce que ça pouvait être de plus ?... Marlène est sortie sur le pas de la porte tandis que nous descendions de voiture avec nos auréoles sous les bras. Elle s'est avancée sous la véranda en refermant quelques boutons de sa chemise, elle semblait crever de chaud elle aussi.

– Hoouuuu !... elle a soupiré. Eh bien, on peut dire que vous tombez bien, tous les trois !...

Gloria a sauté d'un bond les quelques marches qui la séparaient de sa mère et l'a pratiquement soulevée dans ses bras. Henri s'est éloigné vers l'arbre qui s'était couché d'un seul bloc en travers de la maison. C'était tout à fait insolite, mais bien la pire des couilles au demeurant, les dégâts paraissaient importants au niveau du toit et une grosse branche avait éventré une des chambres du premier.

– Mais c'est incroyable !... Qu'est-ce qu'il s'est passé ? ! !... a-t-il grimacé.

Marlène a haussé les épaules en soupirant.

– Oh, je n'en sais rien !... Le vent, l'orage... on a été secoués toute la nuit, et puis il était à moitié mort, c'est de ma faute, ça me pendait au nez un jour ou l'autre.

Henri a regardé l'arbre des racines jusqu'aux branches, puis il l'a flatté d'une main :

– Eh bien, toi, dis donc !...

– Bon sang ! mes chéris, je me suis payé la peur de ma vie ! a poursuivi Marlène. J'étais couchée et j'ai bien cru que la baraque venait de voler en miettes.

– Tu m'étonnes, j'ai dit.

Il devait être 5 ou 6 heures de l'après-midi et on peut prendre ça comme on veut, mais je ne raconte pas d'histoire, la lumière était purement et simplement dorée et je n'éprouve pas la moindre honte à l'écrire, c'est ce qui fait la différence entre un auteur constipé et moi, c'est le signe de l'incroyable pureté de mon style qui laisse la plus belle part à la lumière et que d'aucuns n'ont pas manqué de comparer à du vif-argent. Ce n'était pas le moindre paradoxe de ce monde dégoûtant que de pouvoir s'illuminer par moments et c'est fait pour ça un écrivain, c'est fait pour ramasser tout ce qui brille. De mon côté je ne me gênais pas, ce qui amenait certains de mes lecteurs à me considérer comme un auteur éclairé, pour ne pas dire précieux. Marlène nous a pressé des fruits et on s'en est bu quelques-uns sur la véranda avec de la glace pilée, tout en discutant de choses et d'autres, et l'air avait un goût d'herbe chaude et de terre cuite.

— Et tes gars, ils n'ont pas essayé de dégager l'arbre ? a demandé Henri.

— Oh, je te signale qu'on est samedi, aujourd'hui. Je suis toute seule... Depuis ce matin, je suis en train d'arranger le poulailler, une grosse branche est tombée en plein dessus. Heureusement, j'ai presque fini...

Henri s'est balancé sur sa chaise en plissant des yeux, puis il a croisé ses mains sur sa tête.

— C'est moi qui prépare à manger pour ce soir. Ça vous dit ?... Je m'occupe des courses...

Nous avons pris le temps de souffler encore un peu, puis Henri et Gloria sont montés dans la voiture pour aller en ville. Le soleil allait bientôt disparaître derrière les bois qui se dressaient à une centaine de mètres de la ferme, mais le jour allait durer pendant encore un bon moment et j'ai proposé à Marlène de m'emmener faire un tour du côté du poulailler.

— Oui, mais viens d'abord jeter un coup d'œil sur la maison, m'a-t-elle répondu, viens voir ça...

Nous sommes montés au premier. Encore une que je n'avais jamais cherché à m'envoyer, mais j'ai grimpé les marches avec les yeux rivés sur ses hanches. Par certains côtés, son corps me rappelait celui de Betty et je me plaisais à imaginer qu'il avait la même odeur, parfois je me demandais si toute cette famille ne me rendait pas complètement marteau. Je me le demandais vraiment. Marlène avait le regard de quelqu'un qui a vu défiler pas mal de choses dans la vie, ce qui donnait à son visage un éclat particulier, une beauté légèrement tragique, et le pire de tout, elle le savait. Et elle s'en servait. Si vous n'y preniez garde, on ne pouvait plus donner très cher de vous. Ces filles-là, il fallait s'en méfier comme de la peste, mais c'était tout ce qui m'attirait. Ma politique en la matière, c'était de regarder sans toucher, et c'est une attitude dont je ne vanterai jamais assez les avantages à tous ceux qui veulent garder la tête froide. Cela dit, son jean la moulait comme une seconde peau et j'en pensais le plus grand bien, j'ai regretté qu'il n'y ait pas un maximum d'étages. Elle s'est arrêtée dans le couloir et m'a ouvert une porte.

– C'est cette chambre qui a tout pris, elle a soupiré. Je ne sais pas si tu vois le massacre...

L'impression générale était qu'on avait fait pousser un arbre dans la pièce et tous les morceaux de verre qui brillaient sur le sol semblaient terriblement amusés par la situation, c'est tout juste si on les entendait pas rigoler, s'ils envoyaient pas des étincelles. En regardant ça d'un autre œil, j'ai pu constater qu'il manquait une partie de la façade et que la fenêtre s'était volatilisée. Une branche d'une bonne taille avait sabré la chambre en deux, arrachant un morceau de toiture et découvrant quelques arpents de ciel bleu. Le lit était jonché de brisures d'écorces et de petites feuilles rabougries. Il flottait dans l'air un gémissement silencieux.

– Je m'aperçois d'un truc, j'ai dit. Ta chambre d'ami, tu sais, elle était dangereuse. Chaque nuit que j'ai passée sur ce lit aurait pu être ma dernière nuit. Est-ce que t'as pensé à ça ?...

– Eh bien... j'imagine qu'on ne meurt qu'une fois !...

C'était décidément une idée parfaitement répandue, particulièrement tenace et qui ne reposait sur aucune argumentation solide, surtout quand on sait qu'un pauvre chat de rien du tout, prenez la plus sombre épave de la plus infecte gouttière, même celui-là a au moins sept vies. À mon avis, c'était amplement suffisant pour mettre la puce à l'oreille. Moi, bien sûr, j'avais l'expérience de ces choses, je savais à quoi m'en tenir. J'ai jeté un dernier coup d'œil sur la pièce avant de sortir.

– Tu crois que c'est bon, pour un écrivain, d'être abattu par un chêne ?... j'ai demandé.

– Ben, ça dépend...

Le poulailler se trouvait juste derrière la baraque, à côté du hangar qui abritait le matériel agricole. Il restait toute une partie du grillage à remplacer, mais rien de très compliqué et c'était la température idéale pour bosser. J'ai empoigné les tenailles d'un cœur léger, Marlène le rouleau de fil de fer.

Tandis que l'ouvrage avançait, nous nous sommes laissés aller à une conversation totalement décousue, à l'image de cette journée et je pouvais goûter une fois de plus au délicat enivrement qui vous envahit quand vous vous trouvez en présence d'une femme qui vous botte. Il tombait à pic, ce poulailler, j'avais l'impression de faire la planche dans une baignoire de bain moussant. Puis, au bout d'un moment, nous nous sommes arrêtés pour fumer une cigarette avec une odeur de ferraille sur les doigts, on s'est assis contre la maison, le boulot était presque fini.

– Dis-moi... qu'est-ce que c'est que cette histoire avec Gloria ?... elle a lancé à brûle-pourpoint.

Je n'avais pas envisagé qu'elle pourrait me demander ça à moi. Je suis resté décontenancé pendant quelques secondes. J'ai fait semblant de bâiller.

– Oh... eh bien, c'est pas nouveau, tu sais... Il y a qu'elle n'est plus une petite fille...

– Ah oui, vous vous êtes rendu compte de ça, Henri et toi ?...

J'avais choisi de m'appuyer sur mes genoux

et de regarder droit devant moi en tortillant un brin d'herbe. Ça m'embarrassait d'avoir à parler de ça, j'ai cherché en vain le moyen de me défiler, mais le silence tout autour me clouait sur place.

– Disons que depuis un moment, on a du mal à suivre le rythme... Et puis Henri, il y a un truc qu'il n'a pas digéré, et peut-être que toi tu ne peux pas comprendre, c'est compliqué, tu sais, mais sa fille se barre sans prévenir avec un type...

– Merde, elle m'a coupé, mais sa fille comme tu dis, et je te signale en passant que Gloria est aussi MA fille..., est-ce que tu veux que je te dise quel âge elle a aujourd'hui ?... Tu ne crois pas qu'il charrie un peu ? ! !...

– Écoute, mais tu peux pas... enfin moi j'arrive à le comprendre, et puis tu m'as pas laissé finir... Moi j'ai vu sa gueule quand il a compris que Gloria n'avait pas filé avec le premier venu, mais avec... je sais pas comment on dit... avec un type qui vend des voitures...

Elle a attrapé un de ses genoux, l'a bloqué sous son menton.

– Bon Dieu... Cette histoire a au moins mille ans !...

– Ouais, mais il a une mémoire solide... Pourquoi... ça t'ennuie qu'on t'amène Gloria ?...

– Mais non, bien sûr que non, je suis très heureuse qu'elle soit là... Seulement j'ai peur qu'elle s'emmerde ici, elle a envie de sortir, de voir des gens, elle s'amusait sûrement mieux avec vous...

– Non, non, crois pas ça, ces derniers temps, on s'amusait plus du tout. Y a quelque chose qui ne collait plus.

Elle a tourné la tête vers moi, plissant légèrement les yeux, et elle s'était collé un vague sourire aux lèvres.

– Je ne comprends pas qu'on soit en train de

discuter de choses pareilles. Elle doit se demander pourquoi on lui fiche pas la paix et elle a parfaitement raison. Tu parles d'une histoire parce qu'elle a rencontré ce type ! Il arrive des choses un peu plus graves que ça dans une vie...

– Eh... Oublie pas qu'Henri se faisait un sang d'encre, on est restés sans nouvelles pendant des mois, on savait même pas où elle était...

Elle a eu un geste agacé.

– Évidemment, il s'y est mal pris. Moi je savais où elle était, elle m'avait tout dit et on se téléphonait régulièrement, tu ne crois pas que c'était plus simple ?...

– Merde, pourquoi tu nous as pas prévenus ?...

La réponse devait se trouver par terre, quelque part à nos pieds, elle a observé tout ce coin-là fixement, dans le style tout ce qui est en haut est en bas, et je me suis demandé si j'allais pas me lever pour aller chercher une autre bière.

– Tu sais, quand j'ai quitté Henri, Gloria était encore une petite fille, et quand le juge a décidé que c'était lui qui garderait l'enfant, comme on dit, j'ai bien compris ce que ça signifiait pour moi, j'ai mis des années et des années pour le comprendre. Oh bien sûr, je la voyais de temps en temps, mais Henri ne me courait pas après pour me donner de ses nouvelles !...

Elle m'a regardé à nouveau, que j'en avais les lèvres complètement desséchées tellement c'était brûlant.

– Ça s'est un peu arrangé depuis deux ou trois ans, elle a ajouté. Mais pour la petite histoire, il faut que tu saches qu'à la mort de mon marchand de voitures, comme tu dis, j'ai touché un bon paquet de fric et j'ai dit à Henri que je voulais m'occuper de Gloria, que j'en avais les moyens, mais il n'a rien voulu savoir, il m'a rigolé au nez et pendant des années, je la voyais quand il avait le temps et lorsqu'il y pensait. Tu vois ce que je veux dire ?

– Ouais, mais à mon avis, c'est normal. Tout se paye.

– Eh bien, c'était cher ! Très cher... tu vois, quand j'ai acheté cette ferme, je ne pensais pas qu'il me la ramènerait un jour, sinon j'aurais pris un appartement en ville. Qu'est-ce que tu veux qu'une fille de vingt ans fabrique en pleine campagne ?...

– Tu y es bien, toi.

– Oui, en vieillissant on a besoin d'air. Mais on n'est pas en train de parler de moi, moi j'ai presque quarante ans. C'est facile pour moi, je me sens moins excitée, j'ai envie de prendre mon temps...

Je savais de quoi elle voulait parler. Moi-même, à mesure que les années passaient, je me sentais de plus en plus tourné vers la contemplation, il fallait sans cesse augmenter la charge pour que mon sang ne fasse qu'un tour et d'une manière générale, je préférais éviter la cohue. La liste des choses qui valent la peine dans cette vie se réduisait de jour en jour, ça permettait de concentrer ses forces et de voir les trucs arriver d'un peu plus loin. Tout compte fait, ça me paraissait un bon âge, j'aurais été d'accord pour m'arrêter là.

Puis on a entendu la voiture qui s'amenait et les portières claquer. Ça nous a reposé les pieds sur terre. Marlène a secoué ses cheveux et s'est levée en riant. Il faisait toujours aussi bon, la lumière était toujours la même mais un charme, dirais-je, avait été rompu.

– Je voudrais avoir fini ça avant la nuit, elle a déclaré. On y va ?...

– Okay !

– Hé, je ne t'ai pas dit !... il y a un renard qui rôde dans le coin.

– Ah bon ?

Lorsque j'ai donné le dernier coup de pince, le ciel était tout rose. Gloria était venue nous rejoindre et je m'étais tapé tout le restant du boulot pendant que les deux filles discutaient, mais elle m'avait apporté une bière. On a balancé quelques poignées de grains à travers le grillage avant de partir. On a rangé les outils puis on a rejoint Henri dans la baraque. Il y avait une odeur agréable dans la cuisine. Henri était plié au-dessus de la cuisinière à gaz.

– T'as vu le ciel comme il est rouge ?... j'ai demandé.

– Comme si j'avais le temps de m'occuper du ciel... il a répondu.

Plus tard, lorsque nous sommes passés à table, nous avons pu constater qu'il n'avait pas menti. C'était tout simplement délicieux, le genre de truc qu'on ne mène pas à bon terme en bayant aux corneilles, une petite merveille sans nom comme il lui arrivait d'en inventer une lorsqu'il se trouvait bien luné. Rien de tel pour vous plonger dans une ambiance agréable, les filles tenaient la forme et le vin coulait. Dehors, le vent s'était relevé, pas bien fort, mais quelques bonnes rafales et on entendait l'arbre qui grinçait contre la baraque, couinant et gémissant tout au long de sa monstrueuse étreinte qu'on en levait par moments les yeux vers le plafond avec un sourire nerveux. La lampe au-dessus de la table se balançait légèrement et quelques petits machins venaient fouetter les vitres. On pouvait difficilement espérer mieux et moralement ça me fichait la chair de poule de me trouver là, avec eux, et de participer à l'euphorie générale, j'étais conscient de la place qu'ils m'avaient accordée et je me serais laissé tuer sur ma chaise plutôt que d'y renoncer. Mais quoi de plus naturel quand on connaît le prix des choses, ce serait tout de même un monde si à quarante ans on avait encore de la merde dans les yeux.

À la fin du repas, Henri s'est levé pour aller fouiller dans son sac, puis il a rapporté à Marlène son dernier bouquin de poèmes. Il s'était rien publié d'aussi formidable depuis vingt ans et il ne le savait pas, mais j'aurais pu en réciter des passages entiers. On s'est transportés au salon pour parler un peu de littérature et Marlène tenait le bouquin bien serré sur ses genoux pendant qu'Henri discutait. J'avais souvent eu l'occasion de remarquer qu'il exerçait un certain charme sur les femmes, surtout lorsqu'il leur parlait, et Marlène ne semblait pas mieux armée qu'une autre pour y échapper. Elle l'écoutait avec la plus grande attention. Je hochais la tête mais j'étais complètement largué. Toute la littérature du monde valait pas la peine que je fasse le moindre effort pour me secouer. J'avais le sentiment d'être assis tranquillement au fond d'un lac, sauf que je pouvais fumer une cigarette et que mon gin restait sec.

Parfois, je croisais le regard de Gloria et elle me souriait, elle me souriait comme ça lui arrivait de le faire avant cette malheureuse histoire, et j'en revenais pas, j'avais envie de me mordre une main pour marquer le coup, c'était vraiment une putain de soirée, je me sentais tellement bien que je rigolais tout seul, j'étais vautré dans un fauteuil et je levais mon verre en les regardant. La baraque continuait à gémir par instants, mais quelle baraque ?... Plus tard, je me suis enroulé dans une couverture et j'ai dormi sur le canapé, je leur ai dit que pour moi, c'était parfait, je voulais pas me lever trop tard, j'aime bien être debout avec le jour quand je débarque à la campagne, enfin j'essaye.

J'ai pris mon café tout seul, dehors. Le vent était tombé et le soleil n'avait pas encore grimpé derrière les arbres. Je sortais d'une douche à dix degrés, j'avais les idées claires. Je me suis mis à inspecter l'arbre couché en travers de la maison, j'y ai réfléchi en fumant une cigarette et en tournant tout autour, puis je suis revenu m'asseoir et je l'ai regardé encore un moment. Je suis un type qui aime bien réparer les choses. La plupart des écrivains que je connaissais mettaient un point d'honneur à ne pas savoir planter un clou, à telle enseigne que je me demandais s'il leur arrivait de se torcher le cul ou de se brosser les dents, si ça leur servait à quelque chose d'avoir toute une ribambelle de doigts. Pour ma part je n'ai pas pensé un seul instant à me coucher dans l'herbe dans le but de laisser filer mon âme vagabonde, j'ai traversé la cour et je suis entré dans la remise, empoigné par mon âme de gueux, je suis allé jeter un œil sur les outils.

J'ai attrapé la tronçonneuse et j'ai vérifié qu'elle marchait. Comme il était encore un peu tôt, je l'ai reposée à sa place. Le soleil venait filtrer à travers les planches et par moments, je m'éblouissais et je ne voyais plus rien. J'ai pu mettre la main sur une chaîne d'une bonne taille, je me la suis passée autour de l'épaule et après avoir repéré différents trucs, je suis sorti et je suis allé rendre visite au tracteur. Je suis monté dessus, je l'ai mis en route et on a filé jusqu'au pied de l'arbre tandis que le chemin poudroyait derrière nous.

J'ai arrimé la chaîne. Les autres devaient encore dormir car je n'entendais rien dans la maison. Je me suis bu un deuxième café pour leur donner une chance. Ce n'était pas rien comme arbre, c'était un machin qui devait faire dans les dix mètres avec un tronc de la taille d'une roue de voiture, c'était un sacré morceau, sans doute le plus vieux des alentours et ses épaules ne touchaient pas encore par terre, je n'étais pas au bout de mes peines. On s'est regardés une dernière fois dans les yeux, puis j'ai posé ma tasse et j'ai marché vers la tronçonneuse sans me retourner une seule fois. Tous les oiseaux du coin me suivaient des yeux.

À mon retour, j'ai trouvé Marlène dans la cuisine, en chemise et les jambes nues, en train de secouer un paquet de flocons d'avoine au-dessus d'un bol. Elle s'est arrêtée en me voyant. Elle a souri avant de retourner à ses petits flocons.

– Bon sang, te casse pas la tête avec ça... elle m'a dit gentiment. Je paye des types pour s'occuper de la ferme, ça attendra bien jusqu'à demain...

– Ouais, mais si ça ne t'ennuie pas, je vais virer cet arbre de ma chambre, c'est une affaire que je tiens à régler personnellement !

– Bon, okay... d'accord. Tu es chez toi ici.

Ça m'a fait d'autant plus plaisir qu'au fond, je ne savais pas bien où c'était, chez moi. Après la mort de Betty, je n'avais plus éprouvé le moindre attachement pour les endroits que j'habitais, je n'avais plus rien ressenti pour une baraque, et lorsque j'y songeais, je me rendais compte qu'il me manquait quelque chose, il n'existait pas un seul coin où j'aurais pu rentrer, rien qui ressemblât à la merveilleuse Ithaque, et j'avais beau me creuser, rien qui ne fût réellement ma place de quelque côté que je me tournais. Malheureusement, je ne pouvais rien y faire, il fallait que je m'arrange avec ça. J'ai remercié Marlène avant de grimper à l'étage, elle m'a demandé si je plaisantais.

La chambre était silencieuse, brutalement ensoleillée. Je me suis avancé jusqu'au lit et j'ai mis la tronçonneuse en route dans un petit nuage de fumée bleue et déchaînant un bruit d'enfer. J'ai commencé par m'attaquer aux petites branches les dents serrées et les yeux à moitié fermés à cause de la sciure qui volait dans les airs. Un sentiment de puissance tout à fait con pouvait se lire sur ma figure, mais j'étais tout seul et c'était ma chambre, défoncée, bouleversée, violée et aux trois quarts anéantie par ce démon d'arbre, j'étais plutôt parti pour me payer Moby Dick. Le vacarme des flots m'empêchait d'entendre quoi que ce soit mais j'ai parfaitement senti une main se poser sur mon épaule. Bien qu'il grimaçât d'une manière effroyable, j'ai reconnu Henri, il était torse nu et ses cheveux avaient pris un drôle de pli dans la nuit, on aurait dit que sa tête penchait à gauche.

– Mais qu'est-ce que tu fous ? !... il a gémi. Pourquoi tu ne prends pas une scie à main ? !...

– À cause des ampoules, j'ai dit.

Il s'est gratté un bras. Il était velu comme un singe, le corps d'une bête et l'âme d'un ange, si je veux viser au plus court.

– Tu es bien un sacré fils de pute, m'a-t-il dit en sortant.

Il m'a fallu une partie de la matinée pour dégager entièrement la chambre, grimper sur le toit et tronçonner toutes les branches qui gênaient, les balancer jusqu'en bas. Je prenais un certain plaisir à transpirer, à soulever des trucs dans mes bras, je me détraquais en clignant des yeux dans le soleil, j'avais les mains éraflées et je me payais du bon temps, le boulot avançait, je me sentais bien. Quand je m'approchais du vide, je voyais les trois autres en bas, installés sous la véranda, et il y en avait toujours un pour m'envoyer un petit signe et me demander si ça allait. Je leur disais que oui et que non, je n'avais besoin de personne, que ça ne servirait à rien. La vérité, c'est que j'avais envie d'être seul. Curieusement, plus je me démenais sur ce toit et plus mon esprit fonctionnait avec une acuité particulière, je ne tenais pas à ce que quiconque vienne me gâcher ça.

Je me demandais ce qui allait se passer, maintenant. Je me demandais à quel moment on allait basculer puisqu'on se trouvait au sommet de la vague. J'espérais qu'on aurait le temps d'en profiter un peu. Je suis un type que le bonheur rend triste, à ce qu'il paraît, mais qu'on ne s'y méprenne pas, les merdes ne me rendent pas joyeux. La force des liens qui nous unissaient engendrait du même coup une dimension dramatique que je ressentais parfaitement bien, tout déchaîné et souriant que j'étais sur mon bout de toit. Je savais que ça n'allait pas durer, nous avions foncé tête baissée dans un formidable piège, sans être foutus de réfléchir une seconde, et il était inutile de prêter l'oreille pour entendre le tic-tac de la bombe. En fait, à peine avions-nous posé un pied dans la cour de la ferme que le compte à rebours avait commencé. Mon seul espoir était que la mèche ne soit pas trop courte. Si j'avais pu revenir en arrière, je serais retourné jusqu'à mon banc, jusqu'à cette fameuse soirée, et je serais allé me promener ailleurs pendant que Gloria se faisait baiser, j'aurais fermé les yeux. Mais finalement, je ne sais pas si ça aurait changé grand-chose, je n'en sais vraiment rien. Il n'était plus question de rejoindre la rive, à présent, le courant nous avait déjà attrapés.

Lorsque j'en ai eu terminé avec le toit, lorsqu'il n'est plus resté le moindre morceau de branche à me mettre sous la dent, je suis redescendu dans la chambre et j'ai scié le tronc par petits bouts, jusqu'au ras de la façade, après quoi je me suis essuyé le front et les yeux dans mon tee-shirt, j'ai observé une minute de silence, le dos appuyé à la cloison. Je voulais me débarrasser de cette sensation de catastrophe inévitable avant de retourner en bas et pour ce faire, je me suis récité de mémoire ces bonnes vieilles paroles de Huang-Po : « Ne permets pas aux événements de ta vie quotidienne de t'enchaîner, mais ne te soustrais jamais à eux. Ainsi seulement tu atteindras la libération. » J'ai soufflé un grand coup, ça m'a fait du bien. Pour ma part, ça enfonçait les dix commandements haut la main, ça produisait un drôle d'effet sur moi, un peu comme si je m'éclatais une poignée de poppers sous le nez et que j'enfile une armure inviolable, je ne sais pas comment dire, mais un frisson me traversait et je me retrouvais aussitôt d'aplomb. Par bonheur, cette petite phrase est aussi facile à se procurer qu'un paquet de chips, je l'avais toujours sous la main.

Je les ai retrouvés tous les trois au pied de l'arbre. Les commentaires allaient bon train. Henri prétendait que le bout allait riper contre la façade.

— Et ta sœur !... j'ai dit.

— Ça ne peut pas échapper, il a répondu. T'as pas le compas dans l'œil.

Les filles n'avaient pas pris position, elles se tenaient par la taille en souriant, parfois on dirait des caricatures, mais c'est des trucs qu'elles font vraiment, peut-être que ça leur échappe, peut-être que ça remonte au fin fond de la nuit. Enfin elles ne sont pas toujours comme ça, et c'est dommage, c'est plutôt agréable de temps en temps.

J'ai regardé Henri dans les yeux puis j'ai ricané.

— Combien tu paries ?...

— AH ! AH ! il m'a lancé.

— D'accord... alors ouvre bien tes yeux !

J'ai mis le tracteur en marche et je leur ai fait signe de se pousser. D'après mes calculs, si je me plaçais un peu de travers et si j'envoyais la gomme, ça devait marcher. J'espérais simplement que la chaîne allait pas casser ou que je n'allais pas emporter la moitié de la baraque. Quand j'ai senti qu'un doute menaçait de m'envahir, j'ai lancé le tracteur en avant.

J'ai failli dégringoler de mon siège lorsque la chaîne s'est tendue. Un sinistre craquement a éclaté dans mon dos puis le sol a tremblé. J'ai arrêté mon engin, les filles ont applaudi tandis que je sautais à terre.

— BON SANG. IL S'EN EST FALLU D'UN POIL ! m'a crié Henri. JE TE JURE QUE T'ES PASSÉ À UN CHEVEU ! ! ! !...

— Je sais... Pourquoi voudrais-tu que j'aille gaspiller mes forces ?

Le soir venu, tout le monde était naze. Non seulement on avait nettoyé ma chambre et arrimé une bâche sur le toit, mais j'avais découpé l'arbre en rondelles. Henri et moi on s'était coltiné le merlin à tour de rôle pendant que les filles rassemblaient les petites branches. On avait passé une bonne partie de l'après-midi à transporter les bouts de bois et à les mettre en piles, traversant la cour en plein soleil et remettant au fur et à mesure quelques canettes au frais. On avait abattu un sacré boulot, mine de rien. Personne ne comprenait vraiment ce qui s'était passé.

Étant donné que j'avais commencé tôt le matin, c'était moi le plus sale d'entre tous et donc, le privilège d'utiliser la baignoire en premier m'était échu. J'étais harassé. Je me suis fait couler un bain tiède et je me suis glissé dedans. Ça ressemblait aux *Mille et Une Nuits*. Je n'ai pas eu besoin de fournir un effort particulièrement terrible pour fermer les yeux. Je les entendais vaguement discuter en bas.

— Hé, tu veux pas un peu de machin à la fraise ?

J'ai ouvert les yeux et j'ai vu Gloria qui versait un liquide rouge dans mon bain. Ça sentait le chewing-gum à la puissance dix et ça moussait.

— Ah merde... j'ai soupiré.

Elle a rebouché le flacon en rigolant.

— Ben quoi... ça sent pas bon ?

— Tu veux être gentille ?... j'ai demandé.

Elle est sortie, mais deux minutes plus tard, Henri se pointait.

— Holà... Mais t'es encore là-dedans ?...

– Ouais, j'attends d'avoir la peau des doigts toute fripée !

– Je fais des œufs. Tu en veux quatre comme moi avec du jambon ?

– Ouais, parfait.

Il s'est creusé les reins.

– Seigneur, tu parles d'une journée !... Je n'aurais jamais cru qu'on allait en abattre autant... On s'est vraiment bien débrouillés !

– Ouais, on peut parler d'une fameuse équipe.

Après Henri, j'ai eu la visite de Marlène, dans un style tout à fait différent. Elle m'a dit de ne pas me déranger, qu'elle se lavait les cheveux en vitesse. Elle avait enfilé un peignoir tout blanc. J'ai joué distraitement avec des petits paquets de mousse pendant qu'elle grimpait dans le bac à douche et tirait le rideau.

– Houuuu !... je suis morte.

– Ouais, moi aussi.

Elle a sorti un bras et le peignoir a atterri sur le sol. Son slip se trouvait au milieu, tortillé comme une bretzel. Elle a ouvert les robinets tandis que je me payais une érection dans le jus de fraise. Sans nul doute, la fatigue y était pour quelque chose, mais ça n'expliquait pas tout. Durant un instant, j'ai été saisi d'une envie de baiser à fendre l'âme. J'ai essayé de ne plus y penser. Mais elle a eu le temps de se rincer, de se sécher et de sortir que j'y pensais encore. Plus ça allait, plus j'étais certain qu'on marchait vers l'abîme. En attendant, je me suis rhabillé et je suis descendu manger un morceau avec les autres. La nuit était déjà tombée. Ça m'a fait penser aux jupons d'une jeune femme en deuil.

5

Quelques jours plus tard, en lisant le journal, j'apprenais qu'un de mes bouquins venait de recevoir un prix. Malheureusement, il n'y avait pas de détails, je ne savais pas s'il y avait du fric à la clé. J'ai failli me lever pour donner un coup de fil à mon éditeur, mais j'ai remis ça à plus tard, les autres étaient partis faire des courses et j'étais resté seul à la baraque, installé sur la véranda par un après-midi lumineux et tranquille, il n'y avait rien d'urgent. Je me suis penché en avant pour me servir un grand verre de citronnade. J'ai imaginé la tête de Betty apprenant que je venais de ramasser un prix et j'ai rigolé, elle m'aurait sûrement fait tomber de ma chaise en se jetant sur moi, ses yeux auraient brillé et elle m'aurait raconté qu'elle me trouvait beau. Chaque fois qu'on parlait de moi, j'étais content pour elle, je l'entendais jubiler dans mon dos quand elle n'attrapait pas la danse de Saint-Guy. J'avais de la chance en tant qu'écrivain. Plus je refusais d'interviews, plus il s'en écrivait sur moi. Moins je me montrais, plus on demandait à me voir. Jusque-là, je ne trouvais pas ça trop fatigant et mon attitude se révélait payante au bout du compte, je n'avais pas besoin d'en rajouter. Je savais aussi que je devais ménager mon souffle, car bien sûr, Betty me demandait plus que ça, elle voulait que je fasse le maximum, elle doutait de rien. Au moindre signe de faiblesse, elle m'aurait empoigné à bout de bras. Ça ressemblait étrangement à une course de fond, l'idéal pour un type qui a le cœur malade. Mais on doit prendre la voie la plus difficile quand on veut décrocher la Suprême Récompense, la route est longue jusqu'au Nobel de littérature pour l'ensemble d'une œuvre, il faut trouver sa respiration. Il me restait moins d'un an pour battre le record de Rudyard Kipling, j'avais encore mes chances. Qu'est-ce qui me disait que les types n'étaient pas en train de remplir les paperasses ?...

En attendant, les jours passaient et l'excitation des débuts était redescendue d'un ou deux crans, chacun prenait sa place après ce petit round d'observation. Mon idée à moi, c'est que nous étions déjà à moitié sonnés ou trop fascinés pour jeter l'éponge, ou pétrifiés par la beauté du vide. Ou alors peut-être que c'était moi qui déconnais. Mais quel piètre écrivain j'aurais fait si je n'avais pas senti un peu les choses, si je n'étais pas capable de reconnaître la poigne de fer du destin et son odeur de fauve. D'un autre côté, le moindre geste pour se sortir de là équivalait à soulever des tonnes, il ne fallait pas être grand clerc pour savoir que toute tentative était perdue d'avance. Bien sûr, on pouvait toujours se décider à tenter le coup, mais c'était simplement pour la beauté du geste.

Quand ils sont rentrés, j'ai donc coincé Henri un peu à l'écart, je lui ai tendu mon paquet de cigarettes :

— Alors, dis-moi... elles se sont bien passées, ces courses ?...

— Hum... je les ai attendues à une terrasse.

— Dis donc, elles ont l'air de bien s'entendre, toutes les deux... T'es pas de mon avis ?...

Il s'est épongé le cou avec un mouchoir. Il m'a souri en m'envoyant un regard vide.

— J'ai l'impression qu'elles vont drôlement bien s'en tirer sans nous, j'ai ajouté. On aura vraiment aucun souci à se faire une fois qu'on sera partis.

Son sourire s'est élargi, son regard s'est empli tout doucement tandis qu'une lumière chaude coulait sur nous. Il a touché mon bras.

– Ouais, bien sûr... il a fait. Bien sûr...

J'ai comme qui dirait dansé d'un pied sur l'autre pendant les quelques secondes qui ont suivi, j'ai enfilé mes mains dans mes poches.

– Bon... eh bien, on y va quand tu veux, j'ai dit. Tu sais, ça nous a fait du bien, on aura pris un bon bol d'air tous les deux...

Je devais être comme un type qui lui parlait d'un autre monde. Il m'entendait mais il comprenait rien. Il avait déjà été mordu par le vampire, ses yeux étaient presque blancs d'une certaine manière.

– Ouais... ouais, te casse pas la tête... il m'a rassuré. Pourquoi, tu as quelque chose d'important à faire ?...

– Non, c'est pas ça...

Son regard m'a transpercé et j'ai senti mes forces s'envoler, toute ma volonté s'étaler dans la poussière. Il a passé un bras autour de mon épaule, tandis que le vide s'installait dans mon esprit.

– Je te propose une chose, il a murmuré. On finit de décharger la voiture et je prépare deux litres de bloody mary...

Je me suis souvenu que les plus vaillants d'entre nous grimpaient à l'échafaud avec le sourire aux lèvres, je lui ai dit marché conclu.

Une nuit, le renard nous a tué sept poules. Personne a rien entendu et moi encore moins qu'un autre, car cette nuit-là, j'étais en train de baiser avec Marlène et ça m'avait rendu à moitié fou, je n'aurais pas entendu tous les dragons de l'enfer rugir au pied de la baraque, j'étais à des kilomètres de là, plongé dans la plus belle connerie de ma vie, caressant une cuisse comme les portes de Jérusalem, une joue collée sur sa fente et la cervelle complètement embrasée. J'étais saoul. Je ne cherche pas la moindre excuse mais ça s'est trouvé comme ça, disons que ça m'a facilité les choses, disons que j'ai évité d'en arriver à un point où j'allais me ronger les ongles et dormir en chien de fusil.

Nous avions bu plus que de coutume, surtout Henri et moi, parce que la soirée s'y prêtait et qu'il faisait extraordinairement bon dehors. La clarté du jour s'étirait sans fin. Nous discutions tranquillement de bouquins pendant que les filles faisaient rôtir des travers de porc sur un feu de bois, les machins étaient enduits de sauce tomate sucrée et pimentée, et les flammes étaient rouges comme le ciel. Sans vouloir en tirer de conclusion spéciale, c'était presque toujours lorsque nous parlions de littérature qu'on se faisait avoir, Henri et moi, on ne s'apercevait de rien et les verres défilaient. Ça devenait simplement de plus en plus dur de se lever et de trouver son chemin pour aller pisser. Le feu crépitait derrière lui et je voyais des flammes sortir de sa tête.

Je ne sais pas exactement ce qui s'est passé mais peu après la tombée de la nuit, Henri s'est engueulé avec Gloria. J'étais allé regarder le feu d'un peu plus près et il a fallu un moment pour que je m'arrache des braises et que je m'aperçoive que le ton était monté. J'ai songé qu'il était temps pour moi d'aller faire un tour. J'ai reculé de quelques pas dans l'ombre. Gloria criait qu'il n'y comprenait rien, tandis que de son côté Henri prétendait que ça le faisait vraiment chier de voir que sa fille n'avait pas trois grammes de cervelle. Marlène les fixait en pianotant sur un accoudoir de sa chaise. J'ai réussi à m'éclipser sans attirer l'attention, je n'ai pas mis le pied sur une branche morte et je ne me suis pas étalé de tout mon long. J'ai contourné la maison et je suis descendu jusqu'au ruisseau qui coulait à l'orée du bois. Je me suis plongé la tête dedans.

L'eau était fraîche. Je ne pouvais pas m'empêcher de penser qu'ils avaient choisi un drôle de moment pour s'engueuler. La nuit était tout à fait calme et la lune brillait dans le ciel pur le plus naturellement du monde, les odeurs étaient plus subtiles que dans la journée, je pouvais pratiquement sentir l'odeur de l'eau. Je me suis assis. Je suis resté un moment à l'écoute du monde, des fois qu'il me tombe une idée pour mon prochain roman, ou que j'attrape une pensée intéressante, ou qu'une image s'illumine dans mon esprit, mais il ne m'est rien arrivé de semblable malheureusement, c'est pas quelque chose qui marche à tous les coups. D'une manière générale, mon cerveau ne faisait jamais d'étincelles quand j'étais saoul. J'ai regardé l'eau couler. J'ai jeté des petits cailloux dedans histoire de participer à l'ensemble. Au moins pour les yeux, c'était reposant. Pour l'esprit, c'était une leçon à n'en plus finir.

Je suis retourné à la baraque en fixant des yeux l'herbe argentée. Chemin faisant, j'ai remarqué que les oiseaux continuaient à chanter la nuit et ça n'a pas manqué de me surprendre, je ne me rappelais pas y avoir jamais fait attention, ou alors à quarante ans on ne se souvenait plus de rien et il fallait tout réapprendre. J'étais saoul mais pas au point d'oublier la sereine tristesse qui accompagne toute une vie, ça voulait dire que j'avais encore les yeux en face des trous, que j'étais encore de ce monde. Il ne restait plus que Marlène sur la véranda et immédiatement, un léger brouillard s'est abattu sur moi, la terre entière s'est concentrée sur une surface de cinq ou six mètres carrés, en comptant la table et les chaises. Une petite voix m'a crié N'Y VA PAS!! Je me suis pointé en sifflotant, j'ai grimpé les quelques marches et je me suis assis à côté d'elle. La nuit était autour de nous comme une mer silencieuse et sans limites. C'est une sensation relativement fréquente qu'on éprouve à partir de quelques grammes d'alcool dans le sang.

– Ça y est, ils se sont calmés ? j'ai demandé.

Elle a passé une main dans ses cheveux, c'était tout à fait ce que j'aimais, c'était quelque chose qui m'excitait beaucoup chez une femme quand tout le reste suivait, c'était un geste très beau, très sensuel, vaporisant sous mon nez un nuage de gaz paralysant. Il fallait être en super-forme pour lutter contre ça. Elle a poussé un long soupir, mais à peine de quoi soulever une petite plume.

– Oh, je n'en sais rien... Enfin ils se sont couchés.

– Ouais !... j'en connais un qui va ruminer ça toute la nuit...

Elle s'est penchée d'un seul coup en avant pour attraper les cigarettes.

– Oh, bon sang, mais il est insupportable... Merde, je l'aime, tu sais... Je l'ai toujours aimé, comment veux-tu qu'on fasse autrement ?... Mais vivre avec lui, merde alors, vivre avec lui... Comment pourrait-on s'y prendre ?...

Je ne voyais pas ce qu'il y avait de si difficile à vivre avec lui, mais je ne voulais pas m'embarquer sur cette pente savonneuse. J'ai hoché la tête en croisant mes pieds sur la table.

– Y a un truc qui m'étonne chez toi, j'ai lancé. Je ne comprends pas que tu sois seule, pourquoi tu ne vis pas avec quelqu'un...

Elle a rigolé puis s'est débarrassée d'un petit machin qui volait autour d'elle.

– Et toi, pourquoi t'es seul, pourquoi t'as pas de nana ?... Hein ?...

J'en savais rien. J'ai haussé les épaules.

– J'en sais rien, j'ai dit. C'est comme ça...

– Eh bien, oui... c'est comme ça.

Je l'ai regardée un instant, puis dans un accès de lucidité phénoménal, j'ai cramponné ma chaise et je me suis levé.

– Je te laisse, Marlène, je suis vraiment trop crevé...

– Tu as raison. Moi non plus, je ne vais pas tarder.

Je suis monté dans ma chambre avec deux bonnes enclumes aux pieds. Les deux types qui travaillaient pour Marlène avaient réparé toute la partie abîmée et ça sentait le bois neuf et la résine de pin. C'était agréable de se coucher dans une odeur de bois, ça donnait l'impression de mener une vie saine. Comme il faisait un peu chaud, j'ai balancé mon tee-shirt dans un coin et j'ai ouvert la fenêtre. Dieu sait combien on a envie de respirer quand on a bu, je me préparais à aspirer tout un coin de ciel lorsque j'ai entendu un drôle de bruit sourd, on aurait juré un coup de poing dans une cloche ou quelque chose d'approchant avec un gant de boxe. Ça m'a étonné. Et pour tout dire, inquiété. Je suis allé jeter un œil dans le couloir. C'était le noir le plus complet, hormis un trait de lumière sous la porte de la salle de bains, et comme de bien entendu, je me suis avancé vers lui.

– Hé… je viens d'entendre un truc bizarre ! j'ai dit à la porte.

J'ai patienté une seconde puis je l'ai ouverte. Marlène était étendue sur le tapis de sol, en slip et soutien-gorge, elle tendait un bras vers le rebord de la baignoire pour essayer de se relever. Je me suis précipité vers elle. Je l'ai aidée à s'asseoir. Je lui ai envoyé des petites claques sur les joues tellement elle était blanche.

– Hé ! holà ! hello ! Marlène… Qu'est-ce qu'il t'arrive ?…

Je lui ai soufflé sur la figure, j'ai tapoté sa main.

– Hé, réponds-moi !… Dis-moi quelque chose !…

Elle a fait une horrible grimace puis elle s'est attrapé la nuque d'une main et a renversé la tête en arrière.

– Hooooooo !… elle a fait.

– Putain, j'ai dit, mais qu'est-ce que t'as foutu ?…

Elle s'est mordu les lèvres. Elle a fermé les yeux.

– Oh, bon sang... Je crois que je me suis fendu la tête, elle a grogné.

– Mais avec quoi ?...

– Avec quoi... J'en sais rien avec quoi... C'est en voulant me passer les jambes sous l'eau... J'ai glissé...

– Ça va ?... Tu peux te relever ?...

Je perdrais mon temps à essayer d'expliquer pourquoi je l'ai soulevée dans mes bras à ce moment-là, pourquoi je n'ai même pas attendu sa réponse et personne n'en saura jamais rien. Toujours est-il que je l'ai portée jusqu'à sa chambre et que de la tenir ainsi serrée contre moi, ça m'a ramolli les jambes. On s'est assis sur le bord du lit. C'était la première chose à ne pas faire.

– Montre-moi... Tu as mal ? j'ai demandé.

Elle avait une belle marque rouge à la base du cou. Elle ne disait plus rien, sans doute qu'elle était encore un peu sonnée. Je me suis mis dans son dos et j'ai massé doucement ses vertèbres avec mes pouces.

– C'est rien, j'ai dit. Ça va aller... c'est rien...

Pendant que j'y étais, je lui ai trituré aussi les épaules pour la décontracter, nous nous balancions légèrement tous les deux pour suivre le mouvement et je pouvais presque entendre les premiers plombs qui sautaient dans mon cerveau, et pendant une seconde, j'ai jeté un regard fou tout autour de la pièce, j'ai poussé un long cri silencieux.

– C'est rien, j'ai répété, c'est rien...

Sa peau était tellement douce, lisse comme un galet et chaude et profonde et tellement bandante pour tout dire que j'en grimaçais carrément, je chantonnais, je la berçais, je perdais complètement les pédales et je lui caressais tout le dos à présent, j'étais une espèce de kamikaze, je savais qu'il ne me restait plus assez de carburant pour revenir.

J'ai su avec certitude qu'on allait passer à la vitesse supérieure lorsque j'ai avisé une bouteille d'huile solaire sur la coiffeuse. J'ai eu le sentiment d'être giflé par une lanière de feu. J'ai attrapé le truc d'une main et j'en ai versé rapidement la moitié du flacon sur ses épaules. Je suis mort, j'ai pensé, c'en est fini de moi. J'avais les oreilles chaudes et tous les muscles tendus, douloureux, je me préparais à faire le grand saut.

L'agrafe de son soutien-gorge, je l'ai démantibulée si facilement que j'en aurais pleuré. L'huile dégageait un parfum sauvagement exotique qui imprégnait toute la chambre, et je faisais glisser ses seins dans mes mains en fermant les yeux, je les astiquais, je frottais les bouts contre mes paumes, je faisais tout ce qui me passait par la tête, je tendais l'oreille pour ne pas louper les petits bruits visqueux, je tressautais à chaque fois.

Son slip était d'un modèle particulier, avec deux attaches sur les côtés. Décidément, j'étais parti pour finir en miettes. Je me suis collé dans son dos et je l'ai embrassée dans le cou. Une partie de moi voulait s'enfuir, me suppliait, me maudissait, me traitait d'enfant de putain, mais je n'avais plus aucune force, je marchais vers ma croix sans me retourner, empoigné par les créatures de l'ombre. Je me suis arrêté de respirer. J'ai fait jouer les fermetures de son slip dans chacune de mes mains et je les ai décrochées en même temps. Le truc s'est renfrogné entre ses jambes. La chambre est devenue floue. J'ai croisé mes bras autour de sa taille pour reprendre mon souffle. Puis j'ai écarté ses cuisses et j'ai enfoncé doucement un doigt dans son vagin. À cet instant précis, je sais que j'aurais été capable de vendre mon âme au diable, ce que je dis est vrai, il faut croire que la petite feuille s'est posée sur chacun d'entre nous, que nous avons tous un défaut dans la cuirasse, une fente par laquelle peut se glisser la main du démon pour vous broyer la cervelle. Par moments, dans la vie, vous vous retrouviez pieds et poings liés, balancé au milieu d'une arène, et l'on attendait de vous que vous fassiez quelque chose, que vous luttiez au moins un peu, c'était vraiment une sinistre rigolade et votre souffrance comptait pour du beurre et rien que la lumière vous tétanisait. Quand je l'ai fait basculer sur le lit pour l'enfiler, j'étais un type déchiré, je savais qu'Henri n'aurait pas encaissé un truc comme ça, ni Gloria, chacun pour des raisons différentes bien sûr, et je me mettais à leur place, j'étais vraiment un beau salaud, peu importait de savoir si l'épreuve avait été au-dessus de mes forces, si j'avais eu la moindre chance de résister, peu importait de savoir jusqu'à quel point un homme est maître de ses actes, on s'en fichait pas mal de tout ça.

Un peu plus tard, empoignant mon engin d'une main, Marlène m'a glissé à l'oreille :

– Tu sais, il n'y a pas de place qui soit vraiment juste dans cette vie.

Au matin, donc, cette histoire de renard nous attendait. J'étais sur les genoux et sincèrement, je me payais une gueule de bois épouvantable, je m'étais mis des lunettes sombres sur le nez, le soleil me brûlait, on était là, près du poulailler, à regarder le trou que l'autre avait creusé sous le grillage, les poignées de plumes qui s'étalaient tout autour, à se gratter les joues. J'avais envie d'être seul, je les entendais discuter mais je ne comprenais rien à leurs histoires, je serais bien allé m'étendre dans le ruisseau, la tête reposant sur un tapis de mousse mordorée. J'avais la bouche tellement sèche que je n'aurais pas été fichu de coller un timbre. Henri m'a tapé sur l'épaule :

– Hé, réponds-moi… Est-ce que tu vois une autre solution ?…

– Non, non.

– Bon… Il va falloir acheter un piège.

– D'accord, j'ai aussitôt lancé. Je m'en occupe.

C'était l'occasion rêvée pour prendre le large pendant une heure ou deux sans avoir à me creuser la cervelle, sans chercher un prétexte à la con, j'ai eu l'impression que je me remettais à respirer tandis que je me dirigeais vers la voiture. J'étais sur le point de démarrer lorsque j'ai vu la portière s'ouvrir et Gloria s'installer à côté de moi.

– Hé… mais qu'est-ce que tu fous ? ? ? !!… j'ai demandé.

– Ben, t'es pas gentil… je viens avec toi.

– Écoute, c'est pas la peine…

Elle s'est penchée pour brancher la radio.

– Bon Dieu… pas trop fort, j'ai grimacé.

– J'ai deux ou trois courses à faire… Tu me reprendras en passant.

Je n'ai pas desserré les dents pendant tout le trajet, je n'ai pas tourné une seule fois la tête de son côté. Le soleil se faufilait dans l'ombre des arbres et un filet de sueur me coulait entre les épaules. Je n'avais qu'un coup d'œil à donner dans le rétro pour voir que Betty était sur la banquette arrière, le visage tourné vers la campagne qui défilait derrière la vitre, le front légèrement soucieux. C'était parfait, rien ne m'était épargné, c'était parfait.

J'ai largué Gloria au coin d'une rue. Nous avons convenu d'un endroit où nous retrouver et je lui ai cligné de l'œil avant de m'esbigner brutalement sur la voie express. J'ai garé la voiture à l'autre bout de la ville, histoire de marcher un peu. Je me suis baladé au milieu des gens. Je ne cacherai pas tout ce que cela pouvait avoir de rassurant pour moi, de vivifiant. Il était clair qu'il n'y avait pas que moi à me faire du souci, à marquer le pas sous les coups, la douleur était finalement le lot commun, je n'en croisais pas un seul qui ne portait pas sa croix, je les aurais tous embrassés si je ne m'étais pas retenu.

J'ai acheté un paquet de magazines et j'ai commandé des œufs sur une terrasse. Je n'avais pratiquement pas dormi, j'avais regagné ma chambre aux premières lueurs de l'aube et j'avais ouvert un œil toutes les dix minutes, incapable de trouver le repos. Sexuellement parlant, heureusement qu'une telle séance ne vous tombait pas dessus tous les jours, je sentais une espèce de caverne dans mon ventre et mes organes étaient à vif, bien que j'exagérasse quelque peu. J'ai avalé mes œufs ainsi qu'une bière fraîche et un sandwich au jambon, puis je suis allé acheter mon piège.

Je suis entré dans une vieille boutique avec tout un tas de trucs pendus au plafond et tout un pan de mur rempli de petits tiroirs en bois. Il y avait même une clochette au-dessus de la porte, ça devait dater de la guerre. Il y avait tellement de choses empilées dans tous les coins, jusque dans le milieu du magasin, qu'il vous venait une sorte de vertige, on se demandait s'il y avait quoi que ce soit au monde qu'on ne pût pas dénicher dans ce magasin, il vous prenait une sensation d'écrasement. Le type qui servait avait l'air très gentil, il était vieux, il souriait, il parlait tout doucement. Il était en train de s'occuper d'une bonne femme avec un petit chapeau de paille sur la tête, ils étaient tous les deux penchés au-dessus d'un grille-pain.

J'ai dit bonjour. Ils m'ont dit bonjour. La femme a demandé à voir un ouvre-boîtes électrique. Il faisait étonnamment bon dans cet endroit, presque frais, le soleil avait du mal à traverser la vitrine surchargée d'autocollants et les pubs en carton qui se dressaient juste derrière. Une bombe tue-mouches de la taille d'un sous-marin se balançait doucement au-dessus de la porte, suspendue par des fils de Nylon. La femme a reposé l'ouvre-boîtes en hochant la tête, puis elle a tourné le grille-pain dans tous les sens.

– Je ne sais pas... elle a dit. Ça fait des années que je suis habituée à manger des biscottes.

– Oui, bien sûr... je comprends, a répondu le vieux.

Il a souri à la bonne femme, puis à moi. Je lui ai souri aussi. Elle a fait tomber le prospectus qui accompagnait l'engin et je l'ai ramassé, je l'ai posé à côté d'elle.

– Oh, merci mille fois, jeune homme, a-t-elle gazouillé.

Bien évidemment, tout était relatif. J'avais toutes mes dents et je portais un Levi's, mais le poids du temps m'était tout de même tombé dessus. Je commençais à perdre mon souffle, je pouvais annoncer la pluie grâce à un rhumatisme dans le genou, mes yeux se fatiguaient plus vite en lisant, deux taches de rousseur étaient apparues sur mes mains. Je récupérais plus lentement, je voulais qu'on me foute la paix, je traversais plus souvent dans les clous, certains matins j'avais les yeux pochés, je ne me levais pas d'un bond, je pensais à ma vie, on entendait un craquement dans mon épaule quand je faisais un moulinet avec mon bras, je supportais de plus en plus mal le bruit. J'avais pratiquement perdu tout espoir, mon dégoût du monde l'emportait sur mon amour du monde, parfois je restais la journée entière sans prononcer un seul mot, ma mémoire ne remontait plus très loin dans mon enfance, je m'amusais d'un rien, j'avais déjà jeté un œil sur la profonde, la délirante, l'effroyable solitude qui vous étreignait lorsque vous alliez au fond des choses, les types qui parlaient trop me faisaient chier. Ça n'avait l'air de rien, mais c'était ce genre de détails qui vous mettaient dans la peau d'un type de quarante ans, sans oublier que maintenant je fonctionnais avec ma boîte de pilules. Le drame de l'histoire, c'est que ça n'irait pas en s'arrangeant, il n'y avait pas l'ombre d'un doute, je me demandais si ça donnait réellement un coup de frein que de s'appliquer régulièrement un masque avec des rondelles de concombre, si des gens en étaient contents.

Tandis que la femme retournait le truc dans ses mains en essayant d'imaginer une vie sans biscottes, le type en a profité pour me demander ce que je désirais, ce qui me ferait plaisir.

— Je voudrais un piège à renard, j'ai dit.

Il est allé me chercher ça dans le fond du magasin. La vieille s'était tournée vers moi et me regardait. Le ruban de son chapeau était orné de deux cerises artificielles et d'un épi de blé, et le peu de soleil qui pénétrait s'accrochait dessus. Finalement, l'autre s'est ramené avec le piège, il l'a déposé sur le comptoir en souriant.

— Oh, mais quelle horrible chose !... a déclaré la vieille.

Je me suis gratté le nez, puis j'ai demandé au type de me l'envelopper dans un morceau de papier.

— Vous savez, elle a enchaîné, ça ne les fait pas mourir, ils ont simplement la patte brisée. Est-ce que ce n'est pas la vérité, Georges, peut-on imaginer une agonie plus épouvantable ?...

Georges s'est passé une main sur le front.

— Oh, non... il a confirmé. J'ai bien peur que ce soit pire que tout...

J'ai allumé une cigarette dans un parfait silence, j'ai recraché la fumée au plafond.

— Ah ouais ?... Pire que tout ?... j'ai demandé.

Ils ont hoché la tête tous les deux. Il y a eu un énorme coup de frein dans la rue, mais ils ne m'ont pas quitté des yeux. Ma première idée, c'était d'embarquer le truc et de réfléchir après, quitte à balancer le paquet par la portière avant d'arriver. Mais ce n'était pas tellement glorieux. Je ne sais pas ce qui m'a pris, subitement, j'ai eu envie de faire un coup de charme.

– Bon... Eh bien finalement, j'en ai pas besoin de ce piège, j'ai annoncé. Je vais plutôt vous prendre le grille-pain.

Ils m'ont trouvé parfait. Ils se sont regardés d'un air entendu tandis que je mettais un pied au club des amis des bêtes. Il n'y avait pas une seule chaise pour s'asseoir dans le magasin. Je suis resté debout pendant qu'il me préparait mon paquet, mais je n'avais plus de jambes. Ce n'est pas toujours très facile de faire la différence entre la difficulté d'être et une mauvaise grippe, elles vous collent toutes les deux à plat. Au moment où je sortais, la vieille m'a rattrapé doucement par la manche :

– Je suis une fée..., elle a murmuré. Vous avez droit à un vœu, mon garçon...

– Faites que ce soit la grippe, j'ai marmonné.

Je me suis baladé un bon moment avant de revenir à des pensées plus douces. Puis j'ai repris la voiture et je suis allé récupérer Gloria dans le centre. Je l'ai retrouvée chez le marchand de glaces, dans le fond de la salle, au milieu d'une bande de rigolos de son âge, des types au visage lisse, des filles avec des yeux d'enfants et des corps de femmes, le genre persuadé que la vie est une partie de plaisir et qui ne se doutait de rien. Lorsqu'elle m'a vu arriver, Gloria s'est tournée vers son voisin d'à côté pour lui rouler une pelle. Je me suis arrêté et j'ai regardé le plafond en souriant intérieurement. Il était temps que j'arrête mes conneries, j'avais déjà amplement prouvé de quoi j'étais capable. Elle pouvait se faire baiser si elle le voulait, j'avais d'autres problèmes en tête, je ne savais même plus pourquoi je m'étais mêlé de ça. Enfin, je le savais, mais pour moi c'était de l'histoire ancienne, je venais de sortir de l'hôpital, je ne devais pas être complètement rétabli. Et puis il est courant qu'un type puisse commettre un acte complètement dingue à cause d'une femme, un truc dont on ne saurait le tenir pour responsable, qu'on pourrait comparer volontiers à un vent de folie.

J'ai attendu qu'elle en termine avec son copain tandis que les autres me détaillaient de pied en cap. Quand j'avais vingt ans, on nous disait faites jamais confiance à un type de plus de trente ans, moi j'avais envie de leur dire faites jamais confiance à personne, ou alors vous occupez pas de son âge, mais surtout venez pas pleurer. Je le pensais sincèrement. Ça tombait comme ça, parfois on a le goût de vivre, parfois on jette sur le monde un regard désenchanté. Gloria a repoussé doucement le gars sur le fond de la banquette et s'est tournée vers moi. Elle a joué à celle qui m'avait pas vu, elle m'a envoyé un regard brillant.

– Oh... tu es là ?...

– Ouais, on va rentrer.

– Comment ?... Tout de suite ? !... Mais je viens juste de retrouver des copains...

– Ouais, je sais, c'est pas marrant.

– Hé... assois-toi, je vais te commander une glace...

– Non, on a pas le temps... J'ai du boulot.

– Comment ça ?... Quel boulot ?... Pour une fois que je m'amuse un peu...

Je ne savais pas si elle s'amusait réellement ou si c'était simplement pour m'emmerder. Je n'avais pas envie d'y réfléchir. Je pouvais déjà lire sur la tête des autres que j'étais le dernier des rabat-joie.

– Bon, d'accord, j'ai dit. Fais ce que tu veux...

J'ai tourné les talons et je suis sorti. J'ai grimpé dans la voiture tandis qu'elle s'amenait en courant. Elle a claqué la porte à toute volée. Elle avait les narines pincées, elle sifflait comme un serpent.

– Calme-toi, je ne te force pas à rentrer. Et c'est pas une raison pour démolir ma voiture.

Elle m'a décoché un regard rempli de rage. Puis elle s'est tournée vers la porte, l'a ouverte en gardant la poignée cramponnée dans sa main et l'a reclaquée furieusement. On aurait dit qu'un avion venait de franchir le mur du son, j'étais étonné que le carreau soit encore debout. J'ai rien dit. J'ai mis le contact et j'ai déboîté en douceur.

Depuis le matin, j'avais compris que c'était une sale journée qui s'annonçait, les événements prenaient une tournure irrémédiable, la machine se détraquait pour de bon à ce qu'il semblait. J'ai pensé que je pouvais au moins essayer d'arranger les choses avec Gloria, ça ne me paraissait pas très compliqué. J'ai tendu un bras vers elle pour attraper son menton, mais elle m'a repoussé nerveusement.

– Bon sang, j'ai dit, tu ne vas pas te mettre à me faire la gueule, tu ne vas pas me faire ça ?...

Elle a allumé une cigarette. Elle regardait droit devant elle, le visage fermé, une grande tache de soleil sur les jambes. Le volant me glissait sous les doigts, il faisait chaud.

– Écoute, je ne sais pas très bien ce que je suis pour toi..., j'ai démarré.

Elle s'est tournée d'un bloc. Blanche et froide comme une pierre.

– C'est pas très compliqué, elle a lâché d'une voix grinçante. T'es le type qui baise ma mère.

J'étais en train de négocier une longue courbe tranquille. J'ai failli me foutre dans le fossé.

6

Deux jours plus tard, le ciel nous tombait dessus. Il est arrivé cette chose épouvantable. Épouvantable. J'ai pris une double ration de pilules, cette fois-là. On en a transpiré des gouttes de sang. Je me suis envoyé des grands coups de poing sur la poitrine, je me suis lamenté, j'ai grogné dans l'ombre, je me suis dit pourtant tu le savais qu'il ne fallait pas venir ici, tu savais qu'il allait se passer quelque chose de terrible, ça vous pendait au nez, tu avais senti qu'un orage s'abattrait mais tu n'as rien fait, le soir où tu as décidé avec Henri de ramener Gloria à sa mère, il aurait mieux valu que tu te fasses arracher une jambe.

Pourtant, l'idée de partir en pique-nique était une très bonne idée. L'atmosphère s'était sérieusement alourdie après ma petite conversation avec Gloria et il fallait sauter sur l'occasion de se détendre un peu, de s'installer à l'ombre et dans la sagesse des arbres. Je m'étais détraqué pendant deux jours avec cette histoire de poulailler, j'y avais laissé la peau de mes mains. Henri m'avait demandé si je n'étais pas un peu dingue avec mon renard et pourquoi je ne me mettais pas à la place des sept poules égorgées, mais je l'avais laissé dire. Je trouvais ça con, les poules, de toute façon. J'ai commencé à me creuser une tranchée au ras du grillage, d'environ cinquante centimètres de profondeur, à la pelle et à la pioche, et le tour du poulailler allait chercher dans les soixante mètres, et j'ai demandé qu'on me laisse tranquille pendant que je travaillais, que je voulais réfléchir à mon prochain roman. Rien de tel qu'une bonne suée pour chasser le chagrin, les ennuis, la misère, rien de tel que d'en chier un bon coup.

L'esprit du renard m'accompagnait et, au fur et à mesure que j'avançais, je déroulais du grillage dans la tranchée, je le fixais à la suite de l'autre et je rebouchais derrière moi, je tassais la terre en sautant à pieds joints. J'étais tout simplement ruisselant de sueur, je m'étais mis en caleçon sous le soleil et j'ai travaillé jusqu'à la fin du jour sans débander. Le soir, je suis resté planté comme un mort tout le long du repas et les autres ont trouvé ridicule de se crever de la sorte, mais j'avais ce que je voulais, j'allais bientôt m'écrouler de fatigue et tout le reste m'indifférait, plus rien n'avait d'importance. Je n'avais même pas faim. J'ai cru que je n'arriverais jamais à monter l'escalier. Basculant au-dessus de mon lit, j'ai eu la sensation de plonger dans un grand trou noir ou que ma tête venait de rouler dans le panier de la guillotine.

Le lendemain, au petit jour, j'y étais, avec deux grandes bouteilles d'eau minérale. J'étais d'attaque, j'avais collé des pansements aérés sur mes ampoules. La seule chose que je reprochais à ce boulot, c'est qu'il se voyait pas, c'était une tâche un peu sombre, pour ne pas dire ingrate, alors que j'aurais voulu élever un machin vers le ciel, leur montrer que c'était pas du chiqué, qu'il y avait de quoi être vraiment naze, le soir, que je n'avais pas envie de parler. Les poules venaient me voir travailler, les coqs restaient plutôt en arrière, on se serait cru dans un asile d'aliénés, les derniers sursauts de la création, au pays des abrutis complets. De temps en temps, quand je voyais personne, je balançais un coup de pelle contre le grillage et quelques plumes volaient. J'en profitais pour boire quelques gorgées d'eau et me passer une serviette sur le front.

Je m'étais collé à ce boulot dans l'espoir que l'effort et la solitude apporteraient une solution à tous mes problèmes, mais ce n'était pas le cas. J'étais incapable de mettre mes idées en place, je ne pouvais me concentrer là-dessus plus d'une minute d'affilée, je creusais et je piochais et je balançais des touffes d'herbe sans que la moindre lueur ne s'éveille dans mon esprit. Je me demandais vraiment ce que j'avais dans la tête pour m'être fourré dans un tel merdier, je devais faire un effort pour me persuader que je n'avais pas rêvé, j'avais du mal à croire que j'étais con à ce point-là, moi qui lorgnais sur les plus grands prix de littérature, moi qui étais l'espoir de ceci cela. En fait, j'étais tout juste bon pour creuser ma propre tombe, voilà la vérité.

Tout ce que ça m'a rapporté, c'est que j'ai pu éviter les autres pendant un bon moment. À ce que je voyais, Henri n'était au courant de rien et il prenait un air réjoui lorsqu'il m'amenait une bière, juste avant la tombée du jour, il trouvait que je me débrouillais bien et qu'on ne me voyait pas beaucoup, il ne savait pas quelle mouche m'avait piqué. Je le rassurais, je vidais ma canette appuyé sur le manche de la pelle, j'accueillais la pénombre avec un sourire d'enfant. Gloria m'évitait carrément et fuyait mon regard durant les courts moments que nous passions à table, tandis que Marlène était parfaitement décontractée, elle me parlait normalement, plaisantait et souriait de façon habituelle, que je m'en demandais si c'était bien la même, si c'était avec elle que j'avais fait le truc. Je finissais par bâiller, je m'enfonçais les doigts dans le fond des yeux et j'allais me coucher en traînant les jambes. Il y avait certainement un moyen pour désamorcer la bombe, mais le bruit de la minuterie me paralysait et chaque seconde me semblait être la dernière, seulement une autre suivait, puis une autre, et encore une autre, et rien ne se passait, et qu'est-ce qu'on attendait de moi au juste ? Que je leur construise un vrai palais à ces putains de poules ?

Le pique-nique est tombé un samedi matin. Le poulailler était fini et je ne m'étais pas levé très tard, mais j'ai été surpris de les trouver tous les trois dans la cuisine de si bonne heure, j'ai ouvert des yeux ronds.

— Espèce de veinard, tout est prêt ! a déclaré Henri. J'allais juste monter te chercher...

Le plus incroyable était le parfum d'humeur douce qui régnait, Gloria s'était même fendue de l'ombre d'un sourire devant mon air ahuri. Je suis resté sans voix.

— Tout ce qu'on te demande, a-t-il ajouté, c'est de marcher jusqu'à la voiture. On va t'expliquer...

On s'est pris des petits pulls pour quand la fraîcheur viendrait. Puis Henri s'est mis au volant et on a tourné le dos à la ville, on s'est enfoncés dans la forêt. Henri sifflait, un bras pendu à la portière, les filles discutaient à l'arrière, penchées sur un catalogue de maillots de bain, je pouvais à peine y croire, je fermais les yeux et je les rouvrais. Henri m'a envoyé son coude dans les côtes :

— Hé... j'espère que tu vas te réveiller, c'est plus le moment de dormir...

Je me suis mordu un bout de lèvre. Il ne serait pas dit que j'allais être le seul nuage de cette journée, j'aurais préféré sauter en marche plutôt que de gâcher cette matinée bénie. J'ai eu le sentiment de débarquer dans une clairière ensoleillée, tandis que la Mercedes filait à travers les sous-bois. J'ai replié une jambe sous mes fesses puis j'ai allongé mon bras sur le dossier d'Henri.

— Je t'avouerais que je finissais par en avoir plein le cul de ce truc, j'ai soupiré. Je suis content de l'avoir terminé.

Il s'est tourné vers moi, un bout de cigare éteint planté au milieu de la bouche, il m'a regardé en plissant les yeux, pendant qu'une manche de sa chemise claquait au vent.

— Oui. Je trouve que c'est une drôle de façon de réfléchir à un roman.

J'ai attrapé deux boîtes de bière à mes pieds. Elles étaient encore fraîches, je les ai dégoupillées.

— Ne parle pas de ce que tu ne connais pas, j'ai dit. Le roman c'est un truc physique, on a besoin de se dépenser.

— Ouais, ça ne m'étonne pas...

On allait s'en envoyer une gorgée quand Marlène m'a tapé sur l'épaule :

— C'est quoi, ce que vous buvez ?... C'est un truc interdit aux filles ?

J'ai balancé un sourire d'ange vers l'arrière, je leur ai passé la mienne pour commencer.

— Bon Dieu... j'ai l'impression que ce pique-nique démarre fort ! j'ai plaisanté.

Je garde un souvenir merveilleux de ces dernières heures que nous avons passées ensemble, je veux dire tous les quatre, Henri, Marlène, Gloria et moi. Sans doute que les événements qui suivirent lui ont donné une lumière particulière, un léger flou, enfin je ne veux pas me casser la cervelle, disons que c'est un souvenir très tendre, incroyablement doux. On avait garé la bagnole au bout d'un chemin et on avait marché pendant un petit moment avec les bras chargés de sacs. Il ne faisait pas trop chaud, le plafond était d'un vert translucide et chatoyant, on avait tous la dalle et j'étais le seul à ne pas avoir de short, ils ne m'avaient pas laissé le temps.

On s'est trouvé un coin formidable, un mélange d'ombre et de lumière, fifty-fifty, car il y avait celles qui voulaient bronzer et ceux qui ne voulaient pas. Nous nous sommes installés sur une herbe serrée comme mon poing avec des petites

fleurs sauvages et pas la moindre bestiole à tour-
noyer dans les airs, pas la moindre saloperie de
mouche. Nous étions en pleine forêt. Loin du
genre humain, avait précisé Henri en déployant
la nappe au-dessus de sa tête, loin de la laideur
du monde, il avait gloussé.

Ils avaient préparé des trucs excellents dont
j'ai oublié le nom, pas nécessairement compliqués
mais d'une saveur délicate, et on pouvait rajouter
de la mayonnaise si on voulait, Henri en avait
embarqué cinq tubes. J'étais envahi par un sentiment de paix invraisemblable. Bien sûr, ce
n'était pas encore le paradis, je pouvais saisir le
temps d'un éclair une lueur farouche dans le
regard de Gloria, bien sûr ce n'était pas la pureté
du Christ, mais on revenait de si loin que c'était
le jour et la nuit. J'étais devenu optimiste, je
voyais que les choses pouvaient s'arranger. Il
n'est pas resté grand-chose de tout le repas, on
a presque tout liquidé.

Puis on s'est étalés dans l'herbe, on a flem-
mardé en regardant le ciel et les oiseaux qui
passaient à travers les points lumineux, il fallait
se retenir pour ne pas soupirer d'aise, le coin
était totalement silencieux. J'ai fait un dernier
effort pour me dresser sur un coude et empoigner
une canette. Les autres semblaient plus ou moins
endormis. Je connais un moyen pour transformer
une bière ordinaire en flacon d'hydromel, mais
il faut déjà en toucher un peu. À la suite de
quoi, j'ai rendu mon dernier soupir.

J'ai été le premier à ouvrir un œil. Gloria
n'était pas là et les deux autres n'avaient pas
bougé de place. Il était environ 6 heures. Je me
suis assis et je me suis étiré longuement, j'ai
secoué la tête, puis je me suis allumé une cigarette, j'ai calé mes genoux sous mon menton. Il
faisait nettement moins chaud, un peu d'air frais
se dégageait de la forêt avec un léger goût de
champignon. Je me suis dit tiens, ce soir, c'est

moi qui vais leur préparer à manger, je vais leur faire des spaghettis à la crème et une salade aux noix.

– Il reste du parmesan à la baraque ? j'ai demandé.

Marlène a roulé sur le ventre, Henri a passé une main dans ses cheveux pour se recoiffer.

– Non... pas des masses, il a bâillé.

On s'est levés. Marlène a épousseté son short en tournant la tête vers son dos. On a entendu le coucou.

– Vous entendez ?... elle a dit. Demain on va avoir de l'orage... Où est Gloria ?...

J'avais soufflé un peu de buée sur mes lunettes, je les astiquais soigneusement dans un coin de mon tee-shirt, j'ai soulevé une épaule en la regardant :

– J'en sais rien.... Elle doit se balader par là...

– Remarque, ça dépend, il t'en faut beaucoup ? m'a demandé Henri.

– Deux cent cinquante grammes.

– Huummm... ça sera juste...

Marlène s'est éloignée de nous, elle s'est avancée vers les arbres.

– Gloria... Gloria ! elle a appelé.

Henri et moi nous avons rassemblé les affaires.

– Sinon, il y a un beau morceau de gorgonzola dans le frigo. C'est aussi bon...

– Ouais... t'as déjà essayé de râper du gorgonzola, toi ?

– GLORIA... GLORIA ! ! braillait Marlène.

– Tu vois, il a soupiré, nous, ça ne nous viendrait pas à l'idée d'aller se balader au moment de s'en aller. Ça, c'est les filles tout craché.

C'est à partir de là qu'on a pris un express pour l'enfer. On a commencé par gueuler tous en chœur, par piétiner les alentours avec les mains en porte-voix et on ne l'a pas vue arriver avec un grand bouquet de fleurs, le bec enfariné, on s'est regardés et tout doucement on a pressenti l'ampleur de la forêt. Le silence qui succédait à nos cris était de plus en plus profond, de plus en plus sombre, et on s'est mis à avoir les chocottes pour de bon, à pâlir d'inquiétude. On courait, on s'arrêtait, on soulevait une branche basse, on criait son nom, on jurait, on transpirait, on tendait l'oreille, on serrait les poings, et tout ce remue-ménage activait notre angoisse, on s'est retrouvés avec le souffle court et les sourcils mouillés. Henri s'est adossé à un arbre en se tenant le côté.

– Bon sang... si ça se trouve, elle s'est paumée ! il a grimacé.

J'ai levé les yeux en l'air, il nous restait un peu moins de deux heures avant la tombée de la nuit. On a continué à la chercher en se déployant à une cinquantaine de mètres d'intervalle, et tout en scrutant la forêt autour de moi, l'idée m'est venue qu'elle s'était tout simplement tirée, qu'elle avait claqué la porte. Plus j'y réfléchissais et plus je sentais que je tenais le bon bout, bien sûr, j'avais eu tort de penser que cette histoire allait s'arranger, ça ne pouvait pas finir autrement. J'étais pratiquement certain de ne pas me tromper, plus les minutes passaient et plus cette évidence m'envahissait, s'illuminait dans mon cerveau. C'était bien le style de Gloria, elle était capable de ça. Je me souvenais maintenant de ces coups d'œil étranges qu'elle me balançait à la dérobée tandis que nous mangions et discutions sur l'herbe. Mais j'avais nagé dans une telle euphorie durant tout le repas que j'étais resté aveugle. Maintenant j'avais les yeux ouverts. On pouvait toujours la ratisser, cette forêt, on pouvait bien passer la nuit à battre la campagne, à chercher, à s'égosiller, c'était du temps perdu. À l'heure qu'il était, elle avait dû rafler ses affaires à la baraque et elle allait sauter dans le premier train. D'une certaine manière, ça m'a rassuré. J'étais sur le point de leur livrer le fond de ma pensée lorsque Henri a poussé un beuglement terrible, un hurlement à vous glacer les sangs.

On a cavalé vers lui en touchant à peine le sol. Il a crié une seconde fois avant que j'arrive, un hurlement à faire trembler les feuilles. J'ai atterri près de lui en même temps que Marlène, nous sommes restés figés comme deux statues. Il tenait les affaires de Gloria dans ses mains, il y avait son short, son tee-shirt, son slip, et il avait dû effrayer les oiseaux en gueulant car on n'entendait plus rien, on s'est retrouvés noyés dans le silence, plantés au cœur de la forêt, dans une lumière un peu spéciale maintenant que le soleil se couchait.

Marlène lui a pris les vêtements des mains. Elle les a serrés contre elle et nous a tourné le dos. Henri était blanc comme la mort, il venait de prendre dix ans d'un seul coup.

– Oh, Dieu du ciel ! ! il a gémi.

Je me suis avalé deux pilules pour le cas où et j'ai vérifié que je pouvais encore bouger les mains. Il n'y avait pas beaucoup d'air à respirer dans le coin.

– OH, DIEU DU CIEL ! ! il a braillé.

Il a envoyé un coup de poing foudroyant dans un tronc d'arbre. Puis il a bondi sur Marlène et l'a saisie par les épaules.

– Écoute-moi !... Regarde-moi !... il a dit.

Il l'a secouée doucement. Je me suis rendu compte à ce moment-là que j'avais mes deux pilules coincées dans le gosier et j'ai dégluti péniblement. Elle a levé les yeux vers lui.

– Il faut que tu fonces à la voiture..., il a repris d'une voix sourde. Tu m'entends ?... Tu vas pouvoir conduire ?...

Elle s'est mordu les lèvres.

– Dépêche-toi !... Ramène tous les flics que

tu peux trouver, tu m'entends, fais vite ! !... Je veux voir grouiller toute une armée de flics dans cette forêt, JE VEUX QU'ILS SE MAGNENT LE CUL ! ! !

Il l'a pratiquement soulevée avec sa voix. Elle a porté une main à sa bouche avant de partir en courant. Il s'est avancé vers moi, presque tout son visage luisait de colère mais sa mâchoire pendait.

– Je le tuerai de mes mains, il a murmuré.

– Bon Dieu ! attends-moi une minute ! j'ai lâché d'une voix hystérique.

J'ai bondi en avant, j'ai filé comme un boulet de canon à travers les arbres et j'ai atteint la bagnole au moment où Marlène s'y engouffrait. J'ai envoyé un coup de pied dans la portière tandis qu'elle mettait le contact.

– PUTAIN !... ATTENDS ! ! j'ai gueulé.

J'ai pu voir sa tête derrière le carreau. Si je l'avais rencontrée dans la rue, je ne l'aurais pas reconnue, elle m'aurait fait peur. Je lui ai montré la paume de ma main puis je suis allé chercher ma lampe torche dans le coffre, ma grosse lampe noire étanche, celle dont je me séparais jamais, que j'aurais pas aimé vivre sans elle quand on voit tout ce qui peut arriver la nuit, alors qu'on vaut rien dans le noir, c'est comme si on arrachait les ailes à une mouche et qu'on la balançait par la fenêtre. J'ai saisi l'engin d'une main et j'ai refermé violemment la malle arrière. La Mercedes a démarré au quart de poil.

En quelques secondes, elle était déjà loin. J'ai vu les veilleuses s'allumer, les machins rouges. Mais il restait un peu de lumière, on en avait encore pour trois quarts d'heure, à vue de nez. J'ai repiqué un sprint en direction d'Henri. J'ai failli lâcher un couinement nerveux en arrivant près de lui, tant la pression de cette angoisse délirante était forte. Il avait une drôle de dégaine aussi, avec un pan de chemise qui sortait du short, ses longues jambes blanches et poilues.

101

On s'est mis en marche sans dire un seul mot, mais on s'est bientôt retrouvés en train de cavaler, braillant et hurlant comme des damnés.

Ce n'était pas une petite forêt de rien du tout, c'était une GRANDE forêt et il commençait à faire sombre. On s'est arrêtés à bout de souffle. J'en ai profité pour vérifier que ma lampe marchait. Henri s'est assis au pied d'un arbre, la tête renversée en arrière et si trempé qu'il brillait autant qu'un lustre. Je ne valais pas mieux. La lumière mourante du jour renforçait le sentiment d'impuissance totale qui nous étreignait. C'était ce qu'on pouvait imaginer de plus épouvantable que de n'avoir retrouvé que ses vêtements. Ces quelques morceaux d'étoffe avaient une signification si terrible qu'on ne pouvait y penser sans avoir un hoquet. Je me suis débarrassé d'un filet de sueur qui me coulait le long du nez. Nous étions d'autant plus crevés que le terrain était devenu difficile, ça montait et ça descendait, et on se crevait pour grimper d'un côté et de l'autre on freinait pour ne pas se casser la gueule. Henri s'est levé en grimaçant, puis on est repartis en balayant les fourrés avec le rayon de la torche.

On ne courait plus à présent, on ne pouvait plus courir. De même qu'on ne l'appelait plus à tout bout de champ, la fatigue nous calmait et on s'était saigné la gorge à force de crier. On a fait une nouvelle halte avant de traverser un ruisseau, on s'en est bu des litres avec les jambes qui tremblaient. Si je mourais pas après une course pareille, je mourrais jamais, je me suis dit.

– Mais bon Dieu… qu'est-ce qu'ils foutent ?… il a bredouillé.

Je n'avais aucune idée d'où on se trouvait. Il y avait bien deux heures à présent que Marlène avait disparu et pendant tout ce temps-là on avait foncé tête baissée à travers la forêt, sans regarder en arrière. Ça voulait dire qu'on était complètement paumés, enfin ça m'en avait tout l'air, sauf que ça c'était pas grave, ça c'était rien du tout. Je suis venu m'asseoir près de lui avec la bouche encore dégoulinante de flotte, je lui ai posé une main sur l'épaule.

– Peut-être qu'ils sont arrivés, j'ai dit. Peut-être qu'ils cherchent de tous les côtés...

Je me suis aperçu qu'il avait le poing en sang, toute la peau était arrachée sur le devant des doigts et des petits bouts pendouillaient. C'était un miracle que j'aie pensé à prendre la torche, mais finalement la nuit n'était pas d'une obscurité totale, il devait se trouver un morceau de lune dans le ciel, au moins de quoi balancer une giclée d'argent sur la cime des arbres d'où filtrait une clarté lugubre. Par endroits, le ruisseau bondissait et on était à moitié morts de fatigue. C'était bon, ça embrouillait l'esprit.

– JÉSUS !... MAIS JE RÊVE ! ! ! il a hurlé.

Il s'est levé d'un bond puis il a regardé autour de lui. Il s'est croisé les mains derrière la tête, les deux coudes en avant.

– Mais c'est pas vrai !... il a murmuré.

J'ai pris de l'eau dans mes mains et je m'en suis aspergé la figure. Malheureusement, c'était tout ce qu'il y avait de plus vrai. Je comprenais que ça lui paraisse incroyable, il y a des trucs qu'on ne peut même pas imaginer. Tout ce qui pouvait lui être arrivé, à Gloria, je ne voulais surtout pas y penser, je balayais furieusement ces images de mon esprit, j'essayais de faire le vide dans ma tête. Je me suis levé en reniflant. Je n'ai pas voulu le regarder.

J'ai fait danser la lumière de la torche dans les environs.

– Par là, tu crois ?... j'ai demandé.

On a déambulé dans cette forêt pendant des heures et des heures, sans croiser la moindre route ni le moindre chemin, à croire qu'elle recouvrait la moitié du pays et qu'on n'en verrait jamais la fin. Nous étions silencieux et tendus. Par moments, on s'écroulait cinq minutes, puis on repartait avec un bel acharnement dans un sens ou dans un autre, on ne se cassait pas la tête avec ça. Henri marchait devant la plupart du temps et je lui avais passé la lampe. Je restais dans l'ombre quand il s'arrêtait pour appeler sa fille, je baissais la tête quand sa voix s'étranglait, ça s'était produit plusieurs fois.

Nous étions en train de nous cramponner dans une sérieuse descente lorsque s'est rompue la seule branche que je tenais, une espèce de bras mort. Mon sang s'est glacé tandis que je partais dans le vide, j'ai cru qu'une grosse bouche noire m'aspirait. Mes jambes sont passées par-dessus ma tête et j'ai tournicoté dans les airs avant de me rétamer tout en bas. J'en ai eu le souffle coupé bien qu'ayant atterri sur un lit de mousse. Henri s'est porté à mon secours.

– Hé ? ? ? ? Ça va ?... T'as rien de cassé ?...

– Oh bon Dieu... putain de merde !... mais t'as vu ça ?...

Il m'a aidé à me relever et je me suis remué un peu pour voir si j'avais mal quelque part, mais j'avais rien, j'avais seulement un coude éraflé. On pouvait se remettre en route. J'ai levé la tête vers Henri pour lui envoyer le feu vert et j'ai trouvé devant moi un type livide, un fantôme grelottant qui grimaçait en silence. Ça m'a complètement cisaillé de voir ça.

– T'as froid ? j'ai demandé.

Il ne m'a pas répondu. Une franche humidité nous tombait sur les épaules dès qu'on ne bougeait plus. Sans compter qu'il était en short et qu'à son âge on devait se refroidir plus vite. Moi-même, j'avais la chair de poule. Je n'ai pas réfléchi une seconde de plus, je me suis baissé pour ramasser une branche morte.

– On va faire un feu, j'ai annoncé.

– Mais non… On n'a pas le temps…

Je l'ai regardé. Je l'aurais assommé s'il avait voulu partir, j'aurais voulu qu'il se voie.

– Si. On a le temps. C'est pas pour m'amuser.

Il était complètement naze mais son cerveau lançait toujours le même message, son cerveau était prêt à le mener au bord du gouffre.

– Il faut continuer, a-t-il dit d'une voix blanche.

Mais comme il restait planté là, j'ai eu le temps de rassembler un peu de bois sans le quitter de l'œil.

– On va se réchauffer en vitesse, ensuite on repartira.

Il a inspecté les alentours en frissonnant, tandis que je mettais le feu à une poignée de brindilles.

– Viens, amène-toi, j'ai dit.

Je suis allé le chercher. Je l'ai cramponné par un bras et on s'est assis près du feu. C'était le moment de reprendre des forces, c'était maintenant ou jamais. Il a planté un regard vide dans les flammes. J'ai allumé deux cigarettes puis je l'ai frictionné dans le dos. À ma montre, il était 2 heures du matin, 2 h 10. J'avais l'impression qu'on cavalait depuis des siècles.

– Écoute-moi… On devrait essayer de revenir sur nos pas, lui ai-je proposé tout doucement. On devrait aller voir comment ça se passe avec les flics…

Il a tourné la tête de l'autre côté, puis il a tapé le sol du poing, de façon méthodique, et ça n'a pas traîné. Il s'est mis à pleurer comme une fontaine, la tête pliée au-dessus des jambes. Je n'avais encore jamais vu quelqu'un pleurer de cette manière, j'en avais la gorge toute serrée, je me suis mordu les lèvres. J'étais accroupi près de lui et après chaque gémissement, je voyais gicler de ses yeux un vrai torrent de larmes. J'ai eu envie de lui mettre la main sur l'épaule mais finalement je me suis levé et j'ai balancé quelques bouts de bois dans le feu. Au train où ça allait, il pourrait mettre tout le devant de sa chemise à sécher. Si je pouvais faire quelque chose pour lui, c'était sûrement d'entretenir le feu.

Les flammes grimpaient au-dessus de ma tête lorsqu'il s'est calmé. On allait ressembler à des pommes cuites. Je me suis approché de lui et je lui ai refait le coup de la cigarette car au fond, quoi qu'il arrive, un homme ne peut pas rester très longtemps sans tabac.

– Tu sais... on doit être vraiment loin. On ferait mieux d'aller aux nouvelles, j'ai dit.

En temps normal, je me serais écroulé de rire. J'aurais ajouté mais bien sûr, mais comment donc, il n'y a rien de plus facile !... Alors que la vérité, la vérité c'était qu'on était perdus, pas simplement égarés ou noyés dans un dé à coudre, non malheureusement, c'était cent fois pire que ça, c'était la grande, la profonde, l'immense forêt, et l'on était encore plus petits que des aiguilles si l'on préfère l'histoire de la meule de foin. Comment aurais-je pu savoir, ne serait-ce que de quel côté il fallait se diriger ? Comment aurions-nous pu nous y prendre pour aller aux nouvelles ?... Je ne me souvenais pas avoir semé quoi que ce soit sur le chemin.

Je me suis assis à côté de lui. Le feu crépitait et les arbres dansaient tout autour de nous. Le temps ne s'était pas arrêté, il avançait par petites vagues. C'était une sensation très spéciale encore que fugitive, mais je n'avais pas la tête à prendre des notes, je ne pouvais pas m'occuper de ça. Il fallait que je réfléchisse, il fallait trouver un moyen pour sortir de cette forêt. Et ensuite on s'occuperait de Gloria. Mais sortir de là, avant tout. Nous devions prendre les choses dans l'ordre. Même dans mes cauchemars les plus terribles, je ne vivais pas des merdes pareilles. J'ai voulu échanger un regard avec Henri, quelque chose qui m'aurait fait du bien, et je me suis tourné vers lui. Il avait basculé sur le côté et le sommeil l'avait figé sur place, le visage grimaçant.

7

Il nous a fallu deux jours entiers pour nous tirer de là. Moi-même j'ai du mal à le croire. Quarante-huit heures à errer, à se traîner, à divaguer sous les arbres. Griffés, dégueulasses, crottés, à bout de forces et pratiquement désespérés vers la fin. Les jambes tremblantes de fatigue. Le jour tombait lorsque nous avons débouché sur une route. On s'est assis sur le bas-côté en attendant qu'une bagnole se ramène. On pouvait profiter d'un grand morceau de ciel, tout d'un coup. Ça nous a changé des branches.

Pour une fois, on a eu un coup de chance, la première voiture s'est arrêtée. C'était un jeune type qui conduisait. Notre allure ne l'a pas inquiété, il s'est mis à rigoler :

– Je parie que vous avez sauté d'un train en marche, il a plaisanté.

Je suis monté à côté de lui, Henri s'est effondré sur la banquette arrière. On a démarré dans les dernières lueurs du crépuscule, vers cette bonne vieille civilisation. J'ai expliqué au gars qu'on s'était perdus. Je lui ai demandé s'il n'avait pas une carte.

– Je parie que c'est une blague pour la télé, il s'est excité.

– Non, j'ai dit.

J'ai attrapé la carte et il m'a montré où on était. J'ai fait un rapide calcul puis je me suis tourné vers Henri.

– On est au moins à trente kilomètres de notre point de départ.

– Ouais... Pourquoi on ne roule pas plus vite ?...

– Hé, les gars !... Je parie que vous êtes pressés !...

Un quart d'heure plus tard, nous débarquions chez les flics. Ils étaient trois. Deux jeunes qui étudiaient les résultats des courses sur un bureau et un autre dans le fond, un grand entre deux âges avec la peau tannée et les cheveux grisonnants. Il tenait une canette dans une main et il s'apprêtait à mordre dans un sandwich de trois kilos. Nous, il y avait un moment qu'on n'avait rien mangé. Henri transpirait et mon mollet droit était au bord de la crampe.

– S'il vous plaît..., j'ai dit en baissant la tête.

– Hé, attendez... a fait le vieux. Vous êtes pas les deux types qu'on cherche dans la forêt ? !...

– Ouais... c'est nous.

Il a remballé son énorme sandwich dans du papier d'alu, s'est levé, s'est dirigé vers nous. Il est venu s'accouder sur le comptoir qui les séparait du public. Il a secoué la tête en nous observant, les sourcils levés :

– Ben vous... on peut dire que vous êtes pas très malins... il a soupiré.

Henri a reniflé tandis que je me pinçais une lèvre entre deux doigts.

– On peut dire que vous vous y entendez pour faire perdre le temps des gens, il a ajouté. J'ai passé toute ma journée dans l'hélico.

Henri se tenait tout raide comme un zombie, le poil hirsute, la chemise débraillée, le regard éteint. J'ai posé ma lampe torche sur le comptoir. Les piles étaient mortes mais j'avais réussi à la ramener.

– Tiens... j'ai la même, a remarqué le vieux.

– On a retrouvé Gloria ? j'ai demandé.

– Non, négatif. On a passé tout le coin au peigne fin. On a lancé un avis de recherche... Ouais... drôle d'histoire...

– Merde, mais c'est impossible !... a bredouillé

Henri. Mais qu'est-ce que vous avez foutu au juste ?...

L'autre s'est redressé derrière le comptoir, le front plissé.

– Non, attention... Là, j'ai peur que le chagrin vous égare... On a fait tout ce qui était possible...

– Ouais, très bien alors, bravo... je vous félicite ! a grincé Henri. Je peux donner un coup de téléphone ?

– Écoutez... Le prenez pas comme ça...

– Je voudrais téléphoner à ma femme... Oui ? je peux avoir un téléphone ?...

Le flic a hésité quelques secondes, puis il a attrapé un appareil qui se trouvait derrière lui et l'a posé sur le comptoir.

– Bon... allez-y...

Henri a empoigné le combiné. Il a composé le numéro dans un silence total :

– Allô !... Marlène... ?

– ...

– Oui... non... c'est rien... c'est rien... non, rien de nouveau...

– ...

– Oui... on y est en ce moment... Mais non... même nous, ils n'ont pas été fichus de nous retrouver... C'est vraiment des cons...

Les deux jeunes flics ont abandonné leur journal pour lever les yeux vers nous. Le vieux a claqué sa langue dans sa bouche. Ils ont une drôle de lumière dans les locaux de la police. Côté public, une clarté paralysante tombait des néons, une pluie d'aiguilles fines vous dégringolait sur la tête et j'ai repensé à tous ces kilomètres qu'on s'était envoyés, toute cette trouille et cette angoisse qui nous avait accompagnés, toute cette fatigue que je me trimbalais. Les dernières paroles d'Henri résonnaient encore dans la pièce avec une clarté stupéfiante.

Le vieux flic s'est tourné vers les deux autres en frappant dans ses mains.

– Allez ! hop ! il a lancé. C'est la nuit qui commence !... Collez-moi ça au trou !...

Ils ont bénéficié de l'effet de surprise. Et puis on était tellement lessivés, tellement meurtris, tellement maigres qu'ils nous ont soufflés comme des plumes, c'est à peine si on a eu le temps de gueuler, de brailler trois fois plus fort que des poulets qu'on égorge. Ils nous ont enfermés dans la cellule. Le vieux a fait sauter la clé dans sa main en regardant le plafond :

– Que devient la vie, si on n'y met pas les formes ?... il a demandé.

Jésus Marie, heureusement qu'il y avait un banc. Il ressemblait à la Paix Éternelle, tout large et silencieux qu'il était. Je me suis avancé vers lui.

– Vous allez voir ça ! !... J'ai relevé tous vos noms ! ! !... a crié Henri.

Il est resté pendu aux barreaux, le corps mollissant à la manière d'une pâte de guimauve. Je me suis assis. Pour lors, je n'avais plus une seule larme à verser sur quoi que ce soit, je n'en avais plus la force, je ne sentais plus rien. Et puis la cellule était propre, il ne faisait pas froid et on s'était plus ou moins sortis du pétrin. D'ailleurs, il n'est pas rare que dans la vie d'un homme, le plus sombre cachot soit accueilli avec un soupir de soulagement. Lorsque ça tourne à l'ouragan, rien ne vaut quatre murs bien solides. J'ai poussé un bâillement atroce, incoercible, totalement déplacé au regard de ce qu'on vivait.

On a passé un long moment dans un silence hagard, quasiment pétrifiés sur place, le cerveau bouillant mais tournant à vide. Puis un des jeunes flics s'est pointé avec des sandwichs et de la limonade dans des gobelets en carton. Mon estomac s'est tordu dans tous les sens. J'ai sauté de mon banc et le flic m'a passé les trucs à travers les barreaux. J'avais tellement de salive dans la bouche qu'en le remerciant, un filet de bave m'a coulé sur la lèvre.

– Heureusement qu'on n'est pas à la fois cons et sans cœur, il a plaisanté.

Henri était assis par terre, dans un coin, la tête appuyée dans un angle du mur, et son visage n'avait aucune expression. Je lui ai collé son sandwich entre les mains et j'ai posé la limonade à ses pieds. C'était un sandwich au jambon avec des cornichons et une tranche de tomate dans le milieu. Je l'ai adoré. La limonade était pleine de bulles, elle était fraîche, j'entendais les gaz grésiller et résonner dans le gobelet. Je l'ai aimée à la folie. Il devait être aux environs de 8 heures du soir. Je me suis allumé une cigarette et j'ai fait quelques pas dans la cellule. J'étais content de voir qu'Henri mangeait. J'ai accompli quelques exercices d'assouplissement en me cramponnant aux barreaux, je me suis massé la nuque puis j'ai appelé à l'aide.

Le vieux s'est amené au bout de cinq minutes, sans se presser, réajustant le dos de sa chemise dans son pantalon. Il s'est planté devant la cellule et m'a lancé un œil interrogateur :

– Et alors, qu'est-ce que c'est que ce cirque ?... il a demandé.

– Écoutez-moi... Je voudrais vous parler.

Il a pris un air renfrogné.

– Me parler... à moi... ? Mais demandez voir à votre copain si c'est bien utile de discuter avec des gens comme nous...

– Mais non, écoutez-moi... Justement je voudrais m'excuser, j'ai dit en baissant d'un ton. Je voudrais que vous acceptiez nos excuses...

– Des excuses ?... il a répété à voix haute.

J'ai jeté un rapide coup d'œil sur Henri. Il n'était pas réellement là. Il jouait avec son gobelet en carton, le roulant entre ses deux mains.

– Oui... tout ce que vous voulez..., j'ai chuchoté. Je suis vraiment désolé qu'il ait dit ça, mais je vous assure qu'il le pensait pas. Bon sang, je vous jure qu'on le regrette !...

Il s'est gratté derrière la tête pour me faire comprendre que ça lui plaisait bien, ce que je racontais, il avait envie que j'en rajoute une dose. Je n'aimais pas spécialement ça mais l'heure n'était plus à l'écoute de mes états d'âme. Je lui aurais serré la main s'il me l'avait demandé. Je l'aurais laissé me taper sur l'épaule sans bondir sur le côté. J'aurais reconnu sans aucune peine que j'avais mon compte.

— Soyez gentil, laissez-nous sortir... j'ai murmuré d'une voix étranglée. Cette histoire nous a complètement chamboulés, vous savez, je me demande comment on tient encore debout... Il retire tout ce qu'il a dit, je le connais bien, encore une fois, excusez-nous...

Il a levé les yeux en soupirant, comme un type qui se trouve trop bon, puis il a ouvert la cellule. Je suis allé chercher Henri, je l'ai attrapé sous les bras et je l'ai soulevé.

— Maintenant, je t'en prie... ne dis plus un mot, j'ai soufflé. Laisse-nous revenir à la baraque...

On est retournés dans la salle d'accueil et je l'ai aussitôt assis sur une chaise, de manière à ce qu'il reste planqué derrière le comptoir. Un des jeunes flics s'attaquait à une page entière de mots croisés tandis que l'autre essayait de faire tenir une règle en équilibre au milieu de son bureau. Le vieux regardait par la fenêtre en pianotant sur le carreau.

— Je dois quelque chose pour les consommations ? j'ai demandé.

— Non, ça va, laissez tomber, il a répondu.

J'ai entendu un cri de joie et pendant quelques secondes j'ai vu une règle se tenir tout debout sur un bureau.

— Tout à l'heure, j'ai appelé sa femme, a repris le vieux. Je lui ai dit que je vous gardais un moment et que je vous reconduirais. D'ailleurs, c'est bientôt l'heure de ma ronde... On a qu'à y aller...

À ces mots, j'ai compris qu'on faisait partie des élus et qu'on n'allait pas tarder à trouver la lumière, je veux parler d'un lit en l'occurrence, plonger dans la douceur d'un lit avec le crâne ouvert en deux, la cervelle tombant sur la descente de lit et roulant jusqu'au fond de la chambre, jusque sous une chaise. Je sentais qu'il ne pouvait plus rien nous arriver à présent, au moins jusqu'au lendemain. J'ai téléguidé Henri vers la sortie tandis que le vieux bouclait la ceinture de son revolver et qu'un des jeunes lui apportait son chapeau.

On l'a attendu deux ou trois minutes sur le trottoir, près de la bagnole au gyrophare. La rue était tranquille, les magasins étaient allumés. Un vent ultra-léger frissonnait dans la cime d'une rangée de marronniers comme une poignée de nanans. La nuit était tombée. J'ai baissé la tête sur mon tee-shirt et une bouffée de champignons m'est montée au visage, un mélange d'herbe, de sueur, d'écorce et de mousse, rien à voir avec le parfum forestier qu'on trouve en bombe, c'était une odeur mystérieuse et très banale à la fois, particulièrement forte. J'ai pensé à Gloria, mais sans l'associer à une vision d'horreur, j'ai juste pensé à elle d'une manière abstraite en voyant passer une fille de son âge sur le trottoir d'en face. Henri restait silencieux à côté de moi, les mains enfoncées dans les poches de son short et les sourcils froncés. Lui aussi était à bout de forces. On était les deux meilleurs écrivains du moment mais ça ne se voyait vraiment pas, les gens ne s'intéressaient pas à nous ou se fendaient d'un regard dégoûté, et les femmes seules accéléraient l'allure, les narines pincées, celles-là mêmes qui se seraient pendues à vos pieds dans une soirée littéraire, qui vous auraient tutoyé sur-le-champ.

Le vieux s'est enfin ramené et nous avons grimpé dans la voiture, moi à l'avant. On est sortis de la ville en roulant lentement. Personne n'a dit un mot. La voiture sentait le chien et le plastique refroidi. Le tableau de bord brillait comme une série de grottes miraculeuses. La radio grésillait, crachait par moments. Des liasses de papiers débordaient de la boîte à gants. Malgré ça, je n'étais pas certain de savoir où je me trouvais. Peut-être dans un aquarium ?

Le flic nous a laissés à l'entrée de la cour. Il a dit un truc que j'ai pas compris et j'ai répondu oui oui en claquant la porte. La baraque était éclairée. La porte d'entrée me semblait à des kilomètres. Il a fait demi-tour dans notre dos. Tandis que le bruit du moteur s'évanouissait, on est restés sans bouger, mais je ne saurais pas expliquer pourquoi. Puis, au moment où l'on se mettait en branle, la porte s'est ouverte et Marlène est sortie en cavalant. On s'est vite retrouvés dans ses bras, elle nous a attrapés tous les deux ensemble. Henri l'a serrée contre son épaule. Je me suis alors dégagé doucement et me suis tenu un peu en arrière, dans une ombre discrète et sourde.

En entrant, ils se sont dirigés tout droit vers le salon mais j'ai aussitôt bifurqué dans la cuisine. J'ai sorti un carton de jus de pamplemousse du frigo et je leur ai fait signe de loin que j'allais me coucher, que j'en pouvais plus. Avant de grimper l'escalier, je me suis envoyé une bonne rasade de jus.

Lorsque je me suis réveillé, le soleil tapait en pleine fenêtre et les oiseaux chantaient et gazouil-laient. J'ai tout d'abord grimacé en constatant qu'on m'avait roué de coups pendant la nuit, puis je me suis levé. Il n'y avait pas le moindre bruit dans la baraque. J'ai failli me trouver mal de plaisir quand j'ai fermé les yeux sous la douche et j'ai terminé à l'eau glacée.

Je suis sorti avec mon café et une cigarette

sous la véranda. Je me suis tiré une chaise à l'ombre. J'ai jeté un coup d'œil sur la forêt qui commençait à environ cent mètres de là, je l'ai observée d'une manière différente. La séquence de l'arbre qui s'était abattu sur le toit s'éclairait d'un jour nouveau. J'ai préféré regarder ailleurs. Le café était génial mais je me suis mis à penser à Gloria et j'ai eu la flemme de me lever pour rajouter un morceau de sucre. De toute façon, c'était inutile, j'aurais trouvé amer un bol de sirop d'érable.

Je ne savais pas du tout comment on pouvait se sortir d'une histoire pareille. Je n'étais pas du tout sûr que la douleur ne résistait pas au temps. Si j'en croyais mon expérience personnelle, il ne fallait pas trop compter là-dessus. Je me demandais ce qui allait se passer à présent. En tant qu'écrivain j'étais assez curieux de voir ça, mais personnellement, j'aurais donné n'importe quoi pour annuler la partie. Surtout que les choses pouvaient encore empirer, peut-être qu'on allait bientôt plonger au fin fond du cauchemar si on la retrouvait. Les tueurs, les tarés, les cinglés, c'était vraiment pas ce qui manquait.

Cette éventualité m'a complètement assommé, j'ai dû me prendre le front dans une main. Quels insupportables moments je me préparais à vivre avec les deux autres, ai-je pensé, ne serait-ce que se regarder, manger ensemble, écouter le silence, et attendre, et sauter en l'air au moindre coup de téléphone, j'en étais suffoqué d'avance, de la tête j'en ai dodeliné. Autant essayer de nager dans un champ de ronces ou s'avaler une boîte de clous. Incidemment, mon regard s'est porté sur la Mercedes. Elle était en pleine lumière. Ça m'a rappelé quelque chose, un jour que j'avais oublié de la nourriture dans le coffre. Si ça se trouvait, Marlène avait récupéré nos sacs et les avait oubliés, et ça devait fermenter là-dedans. Je voyais déjà le beurre étalé dans le fond. C'était peut-être une bonne occasion pour me remuer un peu, pour me rendre utile. Je me suis levé. Cette histoire de bouffe n'avait aucune importance mais je devais trouver n'importe quoi pour m'occuper. Je ne voulais pas faire face à cette journée, je voulais l'attaquer par petits bouts.

Il n'y avait pas de sacs dans le coffre, simplement les pulls que j'y avais fourrés en partant. Je les ai attrapés en me disant que j'allais commencer par les ranger, ça me donnerait le temps de réfléchir à ce que j'allais pouvoir fabriquer d'autre. Je les ai pliés sur mon bras et j'ai posé une main sur la tôle brûlante pour claquer l'ouvrant. Je l'ai retirée en vitesse. Je l'ai secouée dans tous les sens. J'étais encore sous le coup de la surprise lorsqu'un détail bouleversant s'est imposé à mon esprit. J'en ai eu le souffle coupé. J'ai vérifié que le coffre était bien vide. Je me suis précipité dans la bagnole et j'ai même regardé sous les sièges. J'étais si excité que je couinais. Puis je suis parti en courant et je me suis engouffré dans la baraque.

J'ai irrupté dans la chambre d'Henri avec mon paquet de pulls à la main. Je suis resté figé pendant trois petites secondes devant son lit avant de comprendre qu'il était vide. Puis j'ai filé jusqu'à la chambre de Marlène, grimpé sur une traînée de lave. Si je n'avais pas BIENTÔT les réponses à mes questions, j'allais faire cramer tout le pays ou me payer une attaque. À force de se triturer la cervelle, les écrivains deviennent des types fragiles, il y en a plus d'un qui a fini sur une chaise roulante, bavant toute la journée et se pissant dessus, le crâne en compote. Un écrivain, il faut toujours que ça exagère et il le paye au bout du compte, il suffit de se rendre à une soirée littéraire pour s'apercevoir que la plupart sont gâteux.

Ils dormaient. Henri était couché tout habillé

en travers du lit et Marlène avait tiré un drap sur elle. J'ai ouvert les rideaux d'un seul bond. Je les ai secoués brutalement tous les deux.

– Hé... réveillez-vous, RÉVEILLEZ-VOUS ! !...

Dès que Marlène a ouvert un œil, je lui ai agité mon bouquet de pulls sous le nez, je l'ai attrapée par un bras.

– Marlène, je t'en prie, réfléchis bien... c'est important..., j'ai démarré.

J'ai compté jusqu'à dix pour leur laisser le temps de retrouver leurs esprits. Henri s'est dressé sur un coude pendant que Marlène s'enroulait dans le drap. Ils m'ont fixé d'un air inquiet.

– Mais qu'est-ce que..., a lâché Henri.

– Attends..., je l'ai coupé. Attends...

C'était Marlène qui avait la réponse, je l'ai prise entre quatre yeux, j'aurais voulu être plus vieux de quelques minutes.

– Écoute-moi bien... j'ai articulé. Est-ce que tu as sorti des trucs de la voiture depuis que tu es rentrée ?... Réfléchis bien !...

Je crois que je l'avais hypnotisée, elle ne pouvait plus arracher son regard du mien. Elle a fini par secouer négativement la tête dans un silence d'azur. C'était le moment de prier.

– T'es bien sûre ?... j'ai demandé. T'es sûre et certaine que t'as pas sorti un pull du coffre ?...

– Mais qu'est-ce que..., a gémi Henri.

– Mais non... non, j'ai rien touché...

– TU AS PAS TOUCHÉ AU PULL DE GLORIA ? ? ! !...

Il y a des phrases qui ont la vie dure, qui peuvent rester pendant plusieurs secondes en l'air, un genre de poissons volants, et on a le sentiment que tout s'arrête, que les murs sont recouverts de plomb. Marlène a mis la main devant sa bouche. J'ai jeté les pulls sur le lit en soupirant. Je me suis claqué les cuisses, je me suis levé du lit.

– Mais bon Dieu, qu'est-ce que c'est que cette histoire de pull ? a grogné Henri.

Je me suis approché de la fenêtre pour jeter un regard sur le monde.

– Ça veut dire qu'on peut recommencer à respirer, j'ai annoncé.

Je pense qu'ils avaient compris toute l'histoire, mais il a quand même fallu que je leur explique, ils voulaient se l'entendre dire, j'ai l'impression.

– Eh bien, c'est pas très compliqué... me suis-je donc exprimé d'une voix claire, il y a qu'elle a tout simplement foutu le camp une fois de plus, voilà ce qu'il y a, et on s'est rendus à moitié dingues pour rien du tout !...

Ils étaient farouchement suspendus à mes lèvres, aussi blêmes que des fantômes débarquant d'un congélo.

– Je ne sais pas pourquoi elle s'est mise à poil, ai-je repris calmement, mais je peux vous raconter la suite... Son pull rouge, moi, si je le prends, il m'arrive déjà sous les fesses. Alors c'est pas le vent qui l'a emporté, il s'est pas envolé avec le Saint-Esprit, oh non ! C'est ELLE qui est venue le chercher, c'est pas le Père Noël...

– Mais tu crois que...

– Mais tu penses que...

– Écoutez, j'ai ajouté. C'est moi qui ai mis les pulls dans le coffre. Je sais qu'il y était. Et elle pouvait pas se trimbaler à poil. Alors on peut toujours le chercher, on est pas au bout de nos peines.

Henri a roulé sur le dos, les yeux tournés vers le plafond.

– Ah bon sang !... j'espère que tu as raison !...

Marlène hochait doucement la tête, se tordait la bouche.

– T'as été voir dans sa chambre ? j'ai demandé.

On a cavalé tous les trois au coude à coude dans le couloir. Malheureusement, elle n'avait pas bouclé ses valises, elles étaient toujours là et une bonne partie de ses vêtements jonchaient la pièce. J'ai senti le souffle du désespoir se pointer vers nous.

– Ça ne veut rien dire… j'ai grincé.

Pendant que les deux autres s'effondraient sur le lit comme des poupées de chiffon, je me suis activé dans la pièce. J'ai ouvert les placards, fouillé les tiroirs, balancé toutes ses affaires avec une certaine frénésie, une fureur sacrée. J'avais le film des événements dans la tête, je la voyais distinctement, je savais que je ne pouvais pas me tromper. Je m'apprêtais à retourner la chambre une nouvelle fois quand je me suis redressé subitement avec une barre en travers du front.

– Hé !… j'ai murmuré. Hé !… où est-il ce froc noir avec les boutons-pression à la cheville ?…

– Mais quoi ?… Lequel ?… m'a répondu Henri d'une voix faible.

Une excitation brutale me transperçait, j'étais en train de faire connaissance avec la chaise électrique. J'ai envoyé une poignée de tee-shirts valser en l'air.

– Seigneur !… Mais cette espèce de machin de clown que je lui avais acheté !…

Ce que disant, je leur ai aussitôt injecté un peu de ma flamme, après quoi ils se sont levés en moins de deux. Henri s'est mis à genoux pour regarder sous le lit. Marlène s'est penchée à la fenêtre pour vérifier que le truc ne séchait pas sur le fil. On a remué toute la chambre de fond en comble sans pouvoir mettre la main dessus.

– Et son sweat jaune… Je vois pas non plus son sweat jaune, a grimacé Henri.

– Bon ça va… Cherchons plus ! j'ai dit. Bientôt on va s'apercevoir qu'elle s'est embarqué une paire de tennis !…

Sur le coup, j'ai été saisi d'une telle fureur contre elle que je suis allé me calmer les nerfs derrière la maison, du côté du ruisseau. J'ai attendu de me trouver seul pour la traiter d'enfant de putain, ramasser quelques pierres et les balancer dans la forêt avec une joie sourde et libératrice. Pour finir, je me suis assis au soleil avec les pieds dans l'eau et j'ai respiré profondément. Je me suis caressé les bras.

Au bout d'un moment, j'ai souri. Ça ne m'était pas arrivé depuis plusieurs jours et tous les muscles de mon visage s'en sont mêlés, j'ai souri comme un parfait idiot, clignant des yeux dans la lumière avec une barbe de trois jours, aussi gracieusement qu'un imbécile heureux. J'étais bien obligé de reconnaître que c'était une sacrée fille. J'aurais donné très cher pour la tenir et lui en coller une bonne, ça ne faisait aucun doute, mais j'éprouvais une réelle admiration pour son tempérament, pour cette facilité qu'elle avait de passer aux actes. Étant d'une nature essentiellement liquide, j'ai toujours été impressionné par le feu.

Plus tard, j'ai retrouvé les deux autres et nous avons mangé une salade sur la véranda et quelques fruits. L'ambiance était sérieuse mais nous nous étions tout de même libérés d'un horrible poids. Henri avait un beau pansement propre autour de la main, Marlène les lèvres légèrement colorées. Nous nous sommes naturellement posé bon nombre de questions insolubles à son sujet, la discussion a duré une bonne partie de l'après-midi, mais aucun de nous n'écoutait vraiment, on avait simplement envie de parler d'elle, d'une manière ou d'une autre. Il fallait qu'on se débarrasse l'esprit des images les plus noires, des trucs sous lesquels on avait tremblé, des machins classés X et remplis de sang.

Le jour déclinait lorsque je me suis levé pour aller chercher des esquimaux dans le frigo. Nous nous les sommes sucés avec des soupirs de convalescents. Puis les deux types qui travaillaient pour Marlène sont venus nous voir à la fin de leur boulot pour je ne sais plus quelle merde au sujet du tracteur et nous les avons invités à boire un coup avec nous, ça les faisait marrer de discuter avec deux écrivains, ils se poussaient du coude. Mais ils sont tombés d'accord pour trouver qu'il fallait de tout pour faire un monde et j'ai rempli de nouveau les verres, juste de quoi assommer un bœuf. On les a regardés enfourcher leurs vélos et tourner au coin du chemin tout en terminant les olives et fumant sous le ciel rose. On se sentait presque bien maintenant. Je me suis fichu torse nu pour savoir la douceur de l'air. Marlène s'est verni les doigts de pieds et Henri a fermé les yeux.

Lorsque nous n'y vîmes plus rien, nous rentrâmes, et en file indienne, direction les fauteuils. J'ai allumé la télé pour continuer à me nettoyer le cerveau et par miracle, on est tombé sur une séquence de pub, c'était pratiquement le bonheur total, toute la connerie humaine rassemblée dans un dé à coudre, il y avait rien de plus reposant, rien de plus rassurant que de pouvoir vérifier qu'il y a toujours plus con que soi. Je les haïssais cordialement tous ces gars-là et je n'avais pas envie d'y réfléchir, c'était physique, ces choses-là ne se discutaient pas. Je les haïssais mais j'étais bien content qu'ils soient là, ils donnaient une bonne idée du monde dans lequel on vivait. S'envoyer une page de pub, c'était perdre tout espoir et s'enfoncer dans la contemplation du vide. Il nous faut bien ça de temps en temps.

Comme elle redescendait de sa chambre, Marlène nous a annoncé qu'il lui manquait de l'argent. Elle souriait en disant ça, à l'idée que sa fille n'avait pas filé sans un rond dans la poche. Pour ma part, je n'en ai pas été surpris le moins du monde, j'ai continué à descendre ma bière. Je commençais à reprendre sacrément pied sur terre, à présent, on avait presque retrouvé une ambiance normale. C'était bon de souffler. Et en plus de ça, il aurait fallu donner des interviews, se montrer à la télé et courir dans les boîtes ?... Mais bon sang, comment aurais-je fait ? Est-ce que la vie me laissait cinq minutes ?... Ça me rendait malade de voir que d'autres y arrivaient, je n'y comprenais rien. Sur l'écran, un type prétendait que nos rêves pouvaient se réaliser.

Le divan sur lequel j'étais allongé, les bras croisés derrière la tête, avait été taillé exprès pour moi. J'avais seulement calé un petit coussin derrière ma nuque et je pouvais regarder tout droit dans la télé en décalant légèrement la pointe de mes bottes. Je me sentais comme un moteur tournant au ralenti dans le petit matin, sous un soleil frileux. Marlène nous a apporté des trucs à manger, sur des plateaux, et c'était la première nuit tranquille qui s'annonçait après tout ce qu'on avait pu en chier, on n'a pas eu honte de se faire servir, on a trouvé ça fantastique. Ces deux journées d'errance dans la forêt nous pesaient péniblement sur les épaules, je n'aurais pas voulu me battre avec une mouche. On a regardé pendant un petit moment un film japonais mais on ne voyait que la moitié des sous-titres et c'était une sombre histoire. Marlène nous a annoncé qu'elle allait se coucher, je l'ai entendue bâiller dans mon dos.

Henri et moi, nous sommes plutôt restés cloués sur place, sauf quand je me suis levé pour ramener des bières, c'était moi le plus jeune. Une force invisible contrariait nos moindres gestes. En tirant sur la languette, Henri s'est envoyé un jet de mousse sur le ventre. Il n'a pas sursauté, il s'est contenté de secouer la tête.

— Malgré tout, il reste quelque chose..., a-t-il dit d'une voix tranquille. Il reste la douleur d'un père.

Il a levé sa bière vers moi, les yeux baissés. Un type a poussé un cri dans le film et la tête d'un samouraï a volé dans les airs.

— Quand ta fille te fait un coup comme ça, il

a soupiré, tu te demandes ce que tu as foutu dans la vie...

D'un mouvement de la main, je l'ai averti qu'il déraillait. Mais autant pisser dans un violon.

– Tu vois, a-t-il ajouté, je n'ai été capable de garder ni la mère ni la fille. Est-ce que ce n'est pas un signe ?... Est-ce que ce n'est pas quelque chose que je porte en moi ?...

– Ouais, ça doit être une malédiction... j'ai ricané.

– Non, je ne plaisante pas...

– Bon Dieu, moi J'ESPÈRE que tu plaisantes !...

– Non... Personne peut comprendre.

– Écoute, il y a des filles comme ça. C'est même pas la peine d'essayer. Toi, tu n'as rien à voir là-dedans, il faut bien te fourrer ça dans le crâne. Rien n'est de ta faute. Tu sais que j'ai connu ça avec Betty...

– Comment peux-tu dire que rien n'est de ta faute, comment tu peux dire un truc pareil ?...

Je me suis levé pour éteindre la télé qui crachait sans plus donner d'image. J'ai mis un peu de musique pour meubler le silence. J'avais tellement la trouille de devenir un écrivain à la mode que j'écoutais plus du tout de rock, je me passais que du country, ça me fatiguait un peu moins les oreilles et c'était une musique qui ne vieillissait pas, ce qui ne gâtait rien ainsi qu'on peut l'imaginer. Je suis allé m'asseoir à côté de lui.

– Tu te souviens, lui ai-je demandé, un jour tu m'as dit qu'il ne fallait pas les prendre trop jeunes... Ben, je crois surtout qu'il ne faut pas les prendre trop vivantes si on ne veut pas avoir de surprises, si on ne veut pas se retrouver tout seul...

– Oui... Mais comment faire ?...

– Oui... Je sais bien... Peut-être que tu as raison, après tout, peut-être que nous, le prix qu'on doit payer, c'est de tomber sur des filles comme ça. C'est le style de femme qui nous fait vibrer, on n'y pourra jamais rien. Peut-être que ces filles-là sont fabriquées exprès pour les écrivains, pour leur apprendre un peu à vivre...

– Hum... Et le bon Dieu en a mis DEUX dans mon panier, a-t-il soupiré d'un ton rêveur. Je crois que j'ai eu droit à la totale.

On s'est levés pour aller chercher de nouvelles bières dans la cuisine. J'ai ouvert le frigo et Henri en a tiré un paquet de six. Puis nous sommes retournés nous asseoir.

– Tu vois, il a repris, je suis encore sous le coup de la savoir vivante, je n'arrive pas à me mettre en colère après elle. Ce sera sûrement pour demain, j'ai l'impression.

– Tu sais une chose... On en a bien bavé dans cette forêt maintenant que j'y pense...

– Ah Seigneur !... J'en ai rêvé toute la nuit. Ce matin, en me rasant, j'ai trouvé de la résine dans mes poils. Je suis presque obligé de faire un effort pour y croire totalement.

– Bon Dieu... quelle folie !... Tu sais que je nous voyais mal barrés... Encore un jour ou deux et je te bouffais la jambe.

– Et par-dessus le marché, se retrouver en taule... Non, mais c'est insensé ! !

On avait juste gardé une petite lampe allumée dans un coin, ce qui veut dire qu'on n'avait pas de lumière en pleine figure et que les deux tiers de la pièce baignaient dans l'obscurité. Un rayon de lune se promenait dehors, dans la cour, traversant le ciel dégagé.

– On peut dire que la route est longue et difficile, a-t-il marmonné en buvant un coup. Plus difficile que longue... N'empêche que je n'arrive pas à avaler ce qu'elle m'a fait.

– Mais qu'est-ce que tu racontes... Ce n'est pas un truc entre elle et toi. C'est ELLE, c'est Gloria TOUTE SEULE ! C'est pas pour t'emmerder qu'elle a filé dans la nature, c'est parce qu'elle est comme ça.

– Hum... Ce n'est pas aussi simple que tu crois... Tu comprends, sa mère n'était pas là, Marlène n'était pas avec nous, c'est moi qui ai changé chacune de ses couches, qui me suis envoyé des milliers de kilomètres de la baraque jusqu'à l'école, quand ce n'était pas les visites médicales ou les promenades au bois. J'étais là quand elle marchait à peine et qu'elle se cassait la figure, j'étais là quand elle s'attrapait toutes les maladies d'enfant et lorsqu'elle a eu ses règles, j'étais là quand elle soulevait son tee-shirt devant la glace pour voir si sa poitrine poussait et qu'elle soupirait. J'étais là, tout seul avec elle. Ça m'a pris deux fois plus de temps. Elle n'avait pas le droit de me refaire un coup pareil, non je ne l'accepte pas...

– Tu sais ce qu'il nous faudrait, pour toi et moi... Une machine à revenir en arrière... On pourrait reprendre les choses au bon moment.

– Tu veux dire une machine pour retourner dans le ventre de ma mère ? ? !...

8

Mon bouquin est sorti deux mois plus tard, à la fin de l'été. La presse normale n'en a pas parlé mais j'ai raflé tous les premiers prix sur les machins périphériques et on ne parlait plus que de ça dans certains milieux. Mon éditeur prétendait que c'était très bon, que j'allais devenir célèbre, mais que malheureusement, le fric ne suivait pas encore, il fallait que je sois patient. Le fric m'avait fait chier pendant quarante années de ma vie et il y avait belle lurette que ma patience était à bout, de toute manière. Mon seul rêve, c'était d'être mensualisé et ne plus jamais me casser le tronc avec ça, ne plus jamais voir la tête de mon banquier. À l'autre bout du fil, il m'assurait qu'il le comprenait très bien mais qu'on ne pouvait raisonnablement pas envisager cette solution dans un avenir très proche.

– Écoutez-moi, pour résumer la situation, je dirais que c'est gagné. Mais ce n'est pas vraiment joué, vous me suivez ?...

Eh bien, je faisais de mon mieux, d'autant plus que mon dernier chèque se trouvait déjà largement entamé. Voir ma tête dans les journaux ne m'avait jamais coupé la faim.

De son côté, Henri avait reçu de l'argent pour la vente de son dernier livre, sauf que la poésie n'allait jamais chercher bien loin, elle couvrait rarement les frais. Enfin, c'eût été toujours bon à prendre, mais nous en avions discuté tous les deux et il avait passé cet argent à Marlène en attendant que la ferme soit vendue. Je n'oublierai jamais la vague de chaleur qui a traversé le pays le jour de son déménagement, le vent brûlant qui vous soufflait dans la figure comme un séchoir à cheveux. C'était presque alarmant, on avait rempli le frigo de grandes bouteilles de flotte. Et on avait roulé la nuit. La Mercedes plus une grosse camionnette qu'on avait louée. Par moments, la route avait fondu, et le lendemain, on s'était coltiné les paquets avec quarante degrés à l'ombre dans sa nouvelle baraque, sans parler des meubles.

On l'avait installée puis on était rentrés chez nous, on avait retrouvé une maison sans femme, sans fille, sombre et silencieuse. On en avait profité pour respirer un peu et reprendre nos petites habitudes. J'avais commencé à réfléchir au prochain truc que j'écrirais, et quand ça me prenait, j'alignais quelques phrases dans un carnet, je notais une image dans l'attente de la révélation du tout. Il fallait que je laisse mon esprit vagabonder, que je sois ouvert au moindre signe, en deux mots j'avais besoin de calme pour ce genre de boulot. Dieu sait comme les messages du ciel sont délicats et fragiles et dans quel recueillement sacré un auteur doit assister à la naissance de son roman. Il valait mieux qu'il n'y ait pas de femmes dans les parages durant cette période, ça rendait les choses plus faciles. Et rien n'est jamais facile avec une femme.

En revanche, Henri ne me gênait pas du tout. Il ne déclenchait rien de particulier en moi lorsqu'il me frôlait ou lorsqu'on se rencontrait sous la douche, lorsqu'il décroisait les jambes et se levait dans le contre-jour de la fenêtre. Sans oublier que nous étions plus ou moins de la même partie. Il ne me dérangeait pas dans mon travail. Il sortait. Je pouvais rester allongé sur le canapé tout l'après-midi. Puis quand je me retrouvais avec une bière entre les mains, je comprenais qu'il était rentré.

Parfois, je ne foutais rien du tout. Le ciel me répondait par un silence de mort et je tournais en rond sans recevoir la moindre goutte. Il m'arrivait de penser à Marlène et à Gloria, Gloria dont nous étions toujours sans nouvelles, Marlène que je n'avais plus touchée une seule fois, si bien que j'ai pu avoir la confirmation que même en leur absence elles nous perturbaient. Je ne savais pas ce qu'on pouvait y faire.

Certains jours, je sentais qu'il était inutile d'insister et je laissais tomber. En vérité, ça arrivait assez souvent, je me trouvais nez à nez avec un roman capricieux et je ne voyais pas encore où il voulait en venir. Je devais m'armer de patience. J'allais me balader ou je sortais bouquiner dans mon petit morceau de jardin, planqué de la rue par une gerbe de laurier-rose, la tête à l'ombre et les jambes au soleil. Même lorsqu'il n'y avait personne à la maison, nous nous couchions assez tard, Henri et moi, nous passions une partie de la nuit dehors, sur nos chaises longues, et il était difficile de se lever avant midi. Pour la plupart des voisins, pour les commerçants du coin, nous avions l'air de nous la couler douce, d'avoir la belle vie, alors qu'écrire des livres est un travail de forçat. Sans compter les heures de présence. Et il n'y avait ni samedi ni dimanche. Il ne faut jamais perdre de vue qu'un écrivain couché sur une chaise longue est avant tout un type qui travaille. Beaucoup de personnes ne le comprennent pas et sont trompées par les apparences, d'où la difficulté d'obtenir des crédits longue durée dans les magasins alentour.

Nous n'en étions pas encore là mais je ne nourrissais aucune illusion, je savais ce qui nous attendait. Réunir une poignée d'amis, le soir, nous rapprochait encore plus vite du gouffre. Enfin pas des amis mais des gens qu'on connaissait, et ça nous coûtait la même chose. Par moments, il semblait que la seule réalité de ce monde fût l'argent, et cette constatation m'arrachait des soupirs et me choquait profondément. Un écrivain devrait pouvoir se sentir l'esprit incroyablement libre, alors que je me traînais mes problèmes de fric comme un boulet. Quand j'entendais que des types tiraient à cinq cent mille, ma gorge se serrait.

Je ne parlais pas de mes prévisions à Henri, je ne lui parlais de ça que lorsque tout allait très mal et que je ne pouvais pas m'y prendre autrement. Je ne voulais pas l'ennuyer avec ces problèmes d'argent, je n'en voyais pas la nécessité. Depuis que nous étions rentrés, il n'avait pas prononcé une seule fois le nom de Gloria et, bien qu'il fît des efforts pour rester d'humeur égale, je savais qu'il était profondément blessé et qu'il pensait à elle. C'était beaucoup plus grave que la dernière fois, lorsqu'elle avait fichu le camp avec Éric. Quelque chose était brisé en lui, d'une manière définitive, et rien ne pouvait

128

y changer quoi que ce soit. Je n'allais pas le secouer pour lui montrer la dernière note d'électricité.

Et puis la ferme pouvait se vendre d'un jour à l'autre. L'avenir n'était pas aussi sombre que je le pressentais. Marlène se marrait quand je lui racontais que j'avais été plombier, à l'époque où j'étais encore un génie méconnu, elle voulait que je lui donne des détails.

— Ne rigole pas, je lui disais, il se peut qu'un de ces quatre je reprenne mon chalumeau pour échapper à la misère. Comment veux-tu que je m'en sorte avec un chèque tous les six mois... Je n'ai pas de comptable.

Elle me rassurait et je n'y pensais plus pendant quelques jours, jusqu'au moment où une facture quelconque atterrissait dans ma boîte. Je n'avais pas besoin de l'ouvrir. Je traversais simplement la rue et j'entrais chez Marlène.

— Tu vois, je lui disais tout en mettant le feu sous la cafetière, tu vois, ce qui me fait un peu peur, c'est que le monde a forcément changé en six ans... Je ne sais même pas si on se sert encore de la filasse... J'en sais rien, peut-être que je suis complètement dépassé.

Marlène s'y entendait pour vous redonner le moral. Au départ, lorsque Henri m'avait annoncé qu'il lui avait trouvé une petite baraque en ville, mais pas dans n'importe quelle ville, et JUSTE EN FACE DE CHEZ NOUS, je n'avais pu m'empêcher de me crisper et de remonter les jambes dans mon fauteuil. Contrairement à eux, ça ne me semblait pas du tout une idée formidable, c'était comme de conduire le loup dans la bergerie. Mais je n'avais pas de raisons avouables pour m'y opposer. Elle s'était donc installée et les premiers jours, j'étais resté planqué derrière le rideau de ma chambre, à guetter la petite baraque d'en face, racontant à Henri qu'il ne fallait pas me déranger, que je sentais venir un chapitre délicat. Je ne savais pas ce que je craignais au juste. Peut-être qu'après tout ce qui nous était arrivé, je me payais une overdose de femmes. J'y pensais sérieusement.

Puis au fur et à mesure que les jours s'écoulaient et voyant que le ciel était toujours bleu et clair, je me suis détendu progressivement. Pour finir, je suis allé la voir et elle s'est comportée avec moi comme si de rien n'était, elle m'a demandé si j'avais trouvé de bons trucs pour mon roman. J'ai été forcé d'admettre qu'elle était plus intelligente que moi. Le soir même, elle nous a invités à dîner, Henri et moi, et on s'est ramenés avec des fleurs et un moka.

Il ne m'a pas fallu longtemps pour retourner complètement ma veste et comme nous la quittions sur le pas de sa porte et traversions la rue pour rentrer chez nous, j'ai soufflé à Henri c'est bien qu'elle soit là, c'est vraiment une chance. Il y avait une vingtaine de mètres entre les deux baraques et au bout d'un moment, si l'on imagine toutes nos allées et venues, le sol s'est mis à briller à cet endroit-là, c'était surtout visible le soir, sous un rayon de lune, un petit chemin argenté qui traversait la rue d'un bout à l'autre, de chez elle à chez nous.

Tous les gens que nous connaissions, elle se les était rapidement fourrés dans la poche. Il y avait de mauvaises langues pour raconter qu'elle nous servait de mère, de femme et de fille, mais les gens sont tellement cons, leur esprit est si puant que je ne m'étonnais plus de rien. Le monde était à feu et à sang mais comment en aurait-il pu être autrement ? Au fond, je haïssais les gens, ils ne m'étaient pas indifférents. Je les haïssais dans l'ensemble pour tout ce qui m'entourait, et bien que certaines personnes vaillent le coup, on ne les rencontrait pas à tous les coins de rue.

Cela dit, les connards n'avaient pas tout à fait

tort, Marlène représentait beaucoup pour nous deux. D'ailleurs, trop de choses nous unissaient pour qu'il en fût différemment, mais ça ne voulait pas dire qu'elle nous appartenait, non, malheureusement pas. Elle avait tenu à mettre les choses au point assez vite, nous avait prévenus qu'elle voulait garder son indépendance.

– Bien sûr... il n'y a que dans ces conditions que ça peut marcher, avait répondu Henri.

– On ne l'imaginait pas autrement... m'étais-je empressé d'ajouter.

Jusqu'au soir où elle est sortie sans nous prévenir. On s'était pointés à la tombée du jour avec une bouteille et la boîte de dominos, mais sa porte était fermée à clé et on avait cogné dessus pendant cinq minutes. Puis, on s'était regardés sans prononcer un seul mot et on avait rebroussé chemin. On venait de comprendre ce qu'elle avait voulu dire. On ne s'est pas couchés très tard cette nuit-là. Pour ma part, je m'étais allongé tout habillé sur mon lit, sans lumière, et je m'étais répété pense à ton roman, c'est la seule chose qui compte, pense à ton roman mon petit gars. Mais de la merde.

Lorsque j'avais l'occasion de me retrouver seul avec elle, j'avais forcément envie de la baiser, je ne pensais même qu'à ça. Seulement j'étais parvenu à un âge où l'on se souciait du prix à payer pour le sexe et, ne craignant pas de me mettre à dos les baiseurs et les connasses, j'avouerais que je n'avais pas du tout l'intention de payer le prix fort. Pas une deuxième fois. J'étais déjà, et à cause de ça, en partie responsable de la disparition de Gloria, il était temps d'arrêter les frais. Je me tenais donc à carreau et ça ne nous empêchait pas de plaisanter, et rigoler, et nous balader bras dessus, bras dessous, et par moments, je me demandais si je ne rêvais pas, je l'aurais embrassée. J'étais vraiment très heureux que nous ayons pu nous en sortir de cette manière, tous les deux, et c'était grâce à elle. Moi, je m'étais comporté comme le dernier des cons. Aussi, lorsque sa présence m'étourdissait un peu trop, je me levais et je sortais me balader en fumant une cigarette. Je trouvais un bon prétexte. Mais je n'aurais pas été surpris qu'elle sache de quoi il retournait vraiment.

L'automne approchait. Déjà les premières feuilles tournaient de l'œil sur les branches et les soirées fraîchissaient. L'été partait en miettes.

Depuis quelques jours, mon inspiration était en carafe mais je le prenais sereinement. J'avais l'expérience de ces périodes où l'on est capable de rien et où l'on se demande à quoi bon. À mon avis, il était impossible d'y échapper. Plutôt que de passer la journée à sucer mon stylo ou rester pendu au téléphone, j'avais nettoyé le jardin, taillé la haie et remplacé la toile des chaises longues. Le travail manuel m'apportait toujours un certain réconfort dans ces moments-là, une sorte de paix intérieure.

Je me sentais étrangement disponible, j'aurais pu faire cadeau de mon temps pratiquement à n'importe qui. C'est Charles qui en a profité. Charles, celui qui gagnait largement sa vie en écrivant ses saletés de bouquins. Seigneur Jésus, c'était vraiment le monde à l'envers. Enfin, toujours est-il qu'il s'est pointé un après-midi tandis que j'arrachais de la mauvaise herbe. J'ai pu me rendre compte que l'argent ne faisait pas le bonheur, il avait l'air sérieusement emmerdé.

— Dieu merci !... Tu es là...

— Ouais, comme tu vois !...

Il a sorti un mouchoir de sa poche pour se tamponner le front. Pourtant on ne sentait pas la chaleur, sans doute qu'il avait couru. Il a essayé de m'envoyer un regard tragique.

— J'ai besoin de ton aide, il a gémi.

– Je regrette, mais si c'est pour t'écrire une préface...

– Non, je rigole pas. Vera V... sera dans l'avion de 18 heures et je devais aller la chercher !...

Ce pauvre Charles en tremblait presque d'émotion. Tout le monde connaissait Vera V..., son dernier livre tournait autour du million d'exemplaires et sa photo traînait un peu partout. C'était pourtant très mauvais. Je sais ce qu'on va penser, mais je n'exagérais pas, du reste Henri était de mon avis, il ne s'agissait pas d'une pure jalousie de ma part. Il existait heureusement quelques vrais écrivains dans ce pays, une bonne poignée, je me sentais d'autant plus à l'aise pour balayer toutes les merdes. J'ai dit que les bouquins de Charles, je les balançais par la fenêtre, eh bien, lorsqu'un livre de cette femme tombait à mes pieds, je ne me baissais même pas pour le ramasser, et si je le pouvais, je marchais dessus ou je l'envoyais glisser sous un fauteuil mine de rien. Il ne faut pas se gêner pour adopter une attitude saine avec certains livres, il faut refuser de se laisser emmerder et se débarrasser de ces machins-là sans sourciller. Un mauvais livre, c'est encore plus pénible qu'un lendemain de cuite.

Comme je ne répondais rien, il est venu s'accrocher à mon épaule et il a poursuivi sur un ton confidentiel :

– Mon vieux, elle arrive tout droit de la capitale... Nous allons travailler ensemble sur un truc énorme...

– Une nouvelle encyclopédie ?

– Je t'en prie, ne sois pas toujours en train de plaisanter... Nous allons préparer un numéro spécial pour un grand hebdomadaire féminin...

– C'est génial !...

– Oui... Tu te rends compte ?... Enfin voilà, il m'arrive une tuile... Il faut absolument que tu m'aides... Je ne pourrai pas y aller et ceux que j'ai pu joindre...

J'ai enlevé de la terre noire qui s'était glissée sous mes ongles puis j'ai attrapé le paquet de cigarettes qui dépassait de sa chemise.

– C'est d'accord, j'ai dit. Je m'en occupe.

Il a poussé un soupir de soulagement et s'est laissé choir sur une chaise :

– Ah bon sang !... je respire !...

Puis il s'est relevé aussitôt.

– Donc, je compte sur toi... Il faut que je file en vitesse, tu imagines tout ce que j'ai à faire !...

– Oui, mais je n'en ai...

Il n'était plus là. J'ai entendu le bruit de sa course puis une portière claquer.

– ... qu'une vague idée, j'ai achevé.

Il me restait largement le temps. Je suis allé me prendre une douche et enfiler un tee-shirt propre. J'ai retrouvé Henri à quatre pattes au milieu du salon, en train de trier des papiers. Il les étalait par petits tas autour de lui.

– Tu peux me montrer les derniers ? je lui ai demandé.

Je ne le voyais jamais écrire et pourtant le tas augmentait régulièrement, à croire qu'il ne s'arrêtait jamais et qu'il ne dormait pas la nuit. Il avait commencé il y a dix ans. Aujourd'hui, il pouvait aligner environ trois mille poèmes, pratiquement une pleine valise. Je ne pouvais pas en dire autant.

Je lui ai tourné le dos pour les lire, assis sur un bras du canapé.

Lorsque j'en ai eu fini avec le dernier, j'ai fermé les yeux pendant quelques secondes, puis je me suis tourné vers lui et je lui ai rendu ses trucs.

– Alors, ça te plaît ?... il a demandé.

– C'est pas le mot, j'ai répondu.

J'ai marché vers les bières alignées dans le bas du frigo tout en lui expliquant l'histoire de la fille dans l'avion.

– Ça te dit rien de venir avec moi ?... j'ai proposé du fond de la cuisine. Tu veux pas sortir un peu ?...

– Hum... à ce qu'il paraît, c'est une mangeuse d'hommes, il a rigolé.

– Et tu crois qu'elle peut s'en envoyer deux comme nous ?...

Il y eut un court instant de silence, puis je l'ai vu apparaître dans l'encadrement de la porte. Il rigolait plus.

– Toi et moi, il y a longtemps qu'on ne fait plus le poids, il m'a annoncé.

Il fallait une demi-heure pour aller à l'aéroport. Nous sommes partis en avance, car là-bas ils avaient un bar avec une vue imprenable sur la campagne, les aloès, les cailloux, les eucalyptus, et le type du bar nous connaissait. Il faisait bon, nous avons roulé tranquillement avec les carreaux ouverts et un petit vent tourbillonnait derrière nos têtes, tandis que le paysage avançait en pleine lumière.

Nous avons grimpé sur de grands tabourets.

– Alors, mon petit Georges... Quoi de neuf ? j'ai demandé.

Si j'avais écrit autant de lignes que ce type-là avait essuyé de verres, j'aurais pu me reposer jusqu'à la fin de ma vie. La longue mèche qui lui tombait sur le front était la tristesse incarnée. Il a jeté son torchon sur son épaule en bâillant :

– Putain de vérole ! je tiens plus sur mes quilles !... il a soupiré.

Georges avait son franc-parler, mais il n'employait jamais un ton vulgaire pour s'exprimer, ça le plaçait au-dessus de bien des gens. Quand on le connaissait, il servait les Martini-gin dans des verres à Coca.

– Tu veux un tabouret ? a proposé Henri.

– Non, chierie, j'y ai pas droit.

Il y avait peu de monde. Des types avec leur

attaché-case, des chats, des petits chiens dans des paniers, des femmes plantées près de leur mari, quelques enfants calmes, et il se dégageait un lourd sentiment de détresse du tableau, renforcé par l'heure tiède et brumeuse de cette fin d'après-midi.

– Tu nous servirais pas à boire, Georges ? j'ai demandé.

On a discuté avec lui jusqu'au moment où l'avion a entamé une boucle au-dessus du terrain et un léger courant a parcouru l'assistance, un murmure a suivi, les gens se sont mis à bouger. Il nous restait juste assez de temps pour en boire un deuxième.

Cinq minutes plus tard, j'abandonnais Henri au bar et je cavalais vers le hall d'arrivée. Je me suis aperçu que je l'avais loupée, mais je l'ai retrouvée du côté des bagages, plantée devant le tapis roulant. Elle ressemblait à une actrice de cinéma, je ne sais plus laquelle, environ quarante ans, une sorte de beauté brutale et glacée, tout à fait l'opposé de mon genre. Ces gens-là sortaient très peu de la capitale. Elle portait une espèce de tenue de safari, Dieu sait ce qu'elle s'imaginait.

– Bonjour, j'ai dit. Charles a eu un empêchement et il m'a envoyé à sa place...

Elle m'a jeté un bref coup d'œil puis s'est de nouveau concentrée sur le tapis roulant.

– Mais qu'est-ce qu'ils fabriquent avec les bagages ? a-t-elle lancé sur un ton exaspéré.

Par expérience, je ne me fie jamais à une première impression, je laisse toujours aux gens plusieurs chances. Je n'ai pas fait de commentaires. J'ai croisé mes mains dans mon dos et j'ai attendu.

C'était un gros sac de voyage en cuir, un bagage splendide. Lorsqu'elle l'a attrapé, j'ai voulu l'aider.

– Non, laissez..., elle m'a dit. Je me débrouille toute seule.

Elle a glissé la sangle sur son épaule.

– Bon, eh bien, allons-y…, a-t-elle ajouté. Ce coin-là, je l'ai assez vu.

Je l'ai pilotée jusqu'au bar pour récupérer Henri. J'ai fait les présentations pendant qu'elle regardait ailleurs.

– Vous voulez boire quelque chose ? a demandé Henri.

– Non, je ne bois jamais. Je n'en ai pas besoin. Je serais très heureuse si l'on sortait d'ici, je trouve qu'on étouffe…

Elle portait tout un tas de bracelets en or, des gros modèles, et elle a brillé dans le soleil couchant, tandis que nous marchions vers la bagnole sans dire un mot. Henri s'est installé d'autorité à l'arrière. Je me suis demandé si elle ne souriait jamais. Je l'ai observée tranquillement derrière mes verres noirs pendant qu'elle me tendait son sac. J'ai eu l'impression que cette femme avait envie de se battre avec tout le monde.

J'ai roulé doucement pour qu'elle puisse apprécier le paysage, la puissance de ce coin désertique, les nuances de couleurs, la végétation tendue et la fierté sublime qui s'en dégageait. Elle avait plaqué ses pieds contre ma boîte à gants et noué ses cheveux en arrière à cause du vent. Pour tout dire c'était presque une jolie fille, mais quelque chose en elle donnait envie de se sauver en courant.

– J'imagine que l'enfer doit ressembler à ça…, elle a soupiré.

Nous n'étions pas rentrés en ville depuis trois minutes qu'elle a remis ça :

– Seigneur !… Mais c'est vraiment le bout du monde, ici. Comment peut-on vivre aussi loin de tout ?…

Henri m'a tapé sur l'épaule :

– Bon, arrête-moi par là… Je vais descendre.

J'ai accroché son regard dans le rétro.

– Non mais tu plaisantes…, j'ai grogné.

Je me suis garé en double file à la hauteur d'une station de taxis. Je suis allé prendre le sac de Vera V… dans mon coffre et je l'ai transvasé à l'arrière d'une Volvo rouge. J'ai donné l'adresse de Charles au chauffeur. Vera était déjà sortie de ma voiture, elle avait tout compris. Je ne me suis pas donné la peine de lui maintenir la portière du taxi ouverte. Je lui ai rien dit. Je suis remonté dans la Mercedes et j'ai démarré.

– Moi, je l'aurais larguée à un arrêt de bus, a décrété Henri.

– Je sais, j'ai dit. Je suis trop gentil.

Ce soir-là, Marlène a dîné avec nous et j'étais en train d'empiler les assiettes dans le lave-vaisselle lorsque le téléphone a sonné. Henri continuait de trier ses feuilles et Marlène était plongée dans le *Yi king,* je suis allé répondre. C'était Charles. Il semblait tenir la forme.

– Sincèrement, je ne sais pas ce que vous lui avez fait, mais elle vous a trouvés formidables…

– Oui, c'est difficile à expliquer.

– Ça vous dirait de passer dans un moment ?…

– Écoute, je te dis pas oui…

– Le frigo est noir de champagne.

– … mais je te dis pas non. Je te rappelle.

Nous y sommes allés après avoir pesé le pour et le contre. Nous avons pensé qu'il y avait peut-être une chance pour qu'elle se soit calmée et nous connaissions le champagne de Charles. Dehors, la température était douce.

La plupart des gens se trouvaient dans le jardin, le verre à la main et la parole facile, prêts à s'embarquer pour la nuit. Certains ont levé leurs verres lorsque nous avons déboulé, les autres je les ai notés.

Charles avait les pieds à dix centimètres du sol. Il est venu vers nous en volant, l'œil allumé. Il a embrassé Marlène en la serrant puis s'est placé entre Henri et moi et nous a attrapés par les épaules, c'était tout ce que j'adorais.

– Dites-moi, vous deux, savez-vous qu'elle ne vous avait pas reconnus ?... Bon sang ! cette histoire est totalement divine !...

Je me suis laissé entraîner, les yeux dans le vague, je pensais tout à fait à autre chose. Il n'y avait pas si longtemps, nous avions vécu la même scène, sauf que c'était Gloria que Charles avait embrassée et serrée dans ses petits bras, et j'ai eu le sentiment d'avoir tourné en rond et d'être revenu sur mes empreintes. Je me demandais si je devais en tirer une leçon quelconque ou m'avancer tout droit vers le buffet. J'avais déjà remarqué que la vie se ruminait.

Lorsque j'ai abandonné ma réflexion, Vera V... se tenait debout devant moi. Je ne voudrais pas exagérer et prétendre qu'elle souriait carrément, mais son visage s'était nettement détendu. Elle avait échangé sa tenue de safari contre un truc plus civilisé, un fourreau de soie noire fendu jusqu'à mi-cuisse. De mon côté, je portais un tee-shirt d'un blanc immaculé.

– J'étais certaine de vous avoir déjà vu quelque part, elle a démarré. Mais j'étais fatiguée et puis, vous portiez des lunettes...

– Ce sont des photos qui datent de cinq ou six ans, j'étais plus jeune...

– Non... Non vraiment, je ne trouve pas...

– Croyez-moi sur parole, j'ai affirmé.

Par-dessus son épaule, j'ai repéré l'endroit où se tenaient les bouteilles. Je me suis excusé et je lui ai filé entre les doigts. Malheureusement, j'avais dû l'accrocher quelque part et je l'ai traînée à ma suite. J'ai attendu dignement qu'on me serve un verre pendant qu'elle me regardait.

– Charles vous a parlé de nos projets ?

– Oui, enfin très vaguement.

Le type préposé aux bouteilles était une sorte d'étudiant qui avait réussi tous ses examens. Un sourire de bienheureux flottait sur ses lèvres, qu'il en oubliait de s'occuper de moi. Vera, en revanche, ne me lâchait pas.

– L'idée de départ est un numéro entièrement consacré à moi. Mais j'aimerais y ajouter quelque chose…

– Diable…

Je venais justement d'empoigner deux verres et une bouteille de champagne, et l'étudiant couinait mentalement en déshabillant Vera des yeux.

– Oui, elle a enchaîné, je voudrais prendre les dix meilleurs auteurs de cette génération… D'ailleurs, ils sont tous d'accord.

Tandis qu'elle me parlait d'elle, son regard a pris une clarté étrange et sa voix est devenue brûlante. Beaucoup d'écrivains sont atteints par cette maladie-là, et cette saloperie incurable continue de ravager nos rangs. J'espérais de tout mon cœur que ce n'était pas quelque chose qui s'attrape.

– Allons nous asseoir, elle a proposé. J'aimerais vous parler…

C'était une soirée plutôt chic. Les gens se tenaient bien et discutaient des toutes dernières nouveautés. Il ne se passait rien d'intéressant, aussi l'ai-je accompagnée dans le fond du jardin et nous nous sommes assis sur ce banc que je connaissais bien, celui d'où l'on avait une vue sur la ville tout entière. Celui sur lequel je m'étais retrouvé quelques mois plus tôt, lorsque j'étais tombé sur Gloria et l'autre abruti. Je ne saurais dire pourquoi, mais cette soirée était empreinte de nostalgie, et Vera qui voulait me parler de Littérature alors que mon âme soupirait. Mais existe-t-il quelqu'un d'assez malin pour éviter tous les pièges ? J'ai l'impression qu'on ne peut pas tout le temps lutter.

Je n'étais pas un fanatique du champagne mais j'en ai servi deux grands verres. Elle a refusé le sien d'un geste agacé. Ça ne m'a nullement contrarié, j'étais là pour m'en occuper. Elle s'est allumé un cigarillo luisant comme une petite barre de métal. C'était génial. Si elle avait sorti une pipe, je lui aurais embrassé les mains. Elle m'a soufflé un peu de fumée sous le nez en prenant une pose de femme intouchable.

– Écoutez-moi…, elle a déclaré. Vous faites partie des dix jeunes écrivains que j'ai choisis…

Voilà comment ça se passait dans le Monde des Lettres, un jeune écrivain était un type de quarante ans. Dans la vie, il commençait à perdre ses cheveux, mais ça ne gênait personne. Voilà ce que c'est qu'un vieux pays.

– Dites-moi… Vous m'écoutez ?

– Oui, bien sûr.

– Je vois une grande photo en page centrale, quelque chose de très fort.

– Hum… c'est une bonne idée !

– Moi au milieu. Et vous tous autour de moi.

La ville s'étendait à nos pieds et la contrée s'étalait sur des kilomètres avant de se confondre avec la nuit vers la ligne d'horizon. Tout était grand, silencieux et tranquille, et l'autre qui la ramenait avec son projet dément.

– Je porterai une longue robe noire, a-t-elle continué d'une voix frémissante. Vous serez vêtus de costumes blancs…

– Parfait !

– Oui. Une ambiance très sobre, très dépouil-lée… Qu'en dites-vous ?…

– Ça me rappelle ces photos d'école… J'aime bien l'idée du costume blanc, mais il faudrait nous rajouter une casquette à rayures sur la tête, bien enfoncée jusqu'au ras des oreilles.

Elle s'est levée brusquement, juste au moment où j'apercevais une étoile filante. Elle s'est avancée de trois pas puis a jeté son cigarillo sur la ville. Je n'aime pas refuser quand on vient me demander quelque chose, sauf lorsque ma vie en dépend. Elle s'est tournée doucement vers moi, armée d'un sourire empoisonné :

– Je n'ai qu'un coup de fil à donner et ce soir même, j'en aurai trouvé cent pour vous remplacer...

– Ça dépend dans quel domaine.

– Ne croyez pas ça... Ce ne sont pas les écrivains qui manquent.

– Non, c'est le talent qui manque.

Elle a soupiré, croisé ses mains, regardé le ciel, secoué la tête :

– Seigneur Dieu ! Vous êtes vraiment insupportable !...

J'ai sifflé mon verre d'un air songeur. Peut-être avait-elle raison, peut-être étais-je réellement insupportable. Pourtant Dieu m'est témoin que ce n'était pas ce que je recherchais, mais j'étais le seul juge de mes actes et par conséquent je pouvais me tromper. Pour être franc, l'aversion que m'inspiraient la plupart des livres n'était pas très catholique, je m'en rendais bien compte. Ni la passion que j'éprouvais pour certains autres. Tout cela avait un petit côté ridicule et dérisoire, mais je n'y pouvais rien, j'étais comme ça et je devais me débrouiller avec les moyens du bord. Ce n'était pas la moindre de mes contradictions que de pardonner la connerie des gens dans la vie mais pas dans les bouquins. Un homme doit toujours essayer de se préserver un coin où il peut venir se reposer en paix.

Elle est revenue s'asseoir à côté de moi avec une moue contrariée :

– Enfin, vous est-il venu à l'idée que nous devions aussi savoir nous vendre ?... Nous ne sommes plus au XIXe siècle...

– Ouais, je sais.

– Et pour toute une nouvelle génération d'écrivains...

– Ah bon Dieu, laissez-moi tranquille avec ça... Il n'y a pas de nouvelle génération d'écri-

142

vains, tout le monde le sait. L'époque ne se prête pas à ça. Maintenant si vous voulez vraiment faire quelque chose de formidable, vous voyez ce type, là-bas ?...

Du menton, j'ai désigné Henri qui se tenait à une vingtaine de mètres de là, grimaçant dans la flamme d'un briquet, tandis qu'il rallumait un bout de cigare de deux centimètres.

– ... eh bien, les dix que vous avez choisis, il les vaut à lui tout seul !

Elle a balayé ma proposition d'un petit bruit sec et impatient produit par le bout de sa langue :

– Mais non... Il n'est pas question de poésie...

J'ai récupéré mon verre, la bouteille, et je me suis levé.

– Et alors quoi, merde... j'ai dit calmement. Qu'est-ce qu'elle a, la poésie ?...

Je me suis éloigné d'elle avec l'esprit fatigué, le monde pesait véritablement des tonnes et j'avais les jambes molles. Je m'étonnais toujours de la manière dont on pouvait tenir sans se retrouver écrabouillé. Je suis revenu dans la lumière et Charles m'a agrippé au passage, surgissant de derrière un arbre :

– Belle fille, non... ?

– Hum...

– Alors... Comment est-ce que ça s'est passé, vous deux ?...

– Charles, je ne te répondrai qu'une seule chose :

> « Même devant Sa Majesté
> l'épouvantail n'enlève pas
> son chapeau tressé. »

9

– Bon Dieu ! !... Mais tu t'imagines la gueule que tu vas avoir ? ! !...

– Eh bien quoi, j'en ai pas trente-six ! C'est toujours la même. Tu crois que je ne suis pas capable de poser pour une photo ?...

– Non mais tu te vois avec les neuf rigolos, plantés en costume blanc derrière cette folle ? !...

– J'ai fait des trucs autrement plus durs que ça dans ma vie... et cent fois moins payés.

– Mais de quoi tu te mêles ?... Est-ce que je t'ai dit qu'on était emmerdés avec le fric ?... Est-ce que j'ai parlé de ça ? !...

Il s'est enfoncé les mains dans les poches en souriant :

– Tu t'excites pour quelque chose qui n'a aucune importance, tu le sais bien...

– Nan, ça me fait vraiment mal au cul...

Par-dessus le marché, il pleuvait. J'avais oublié ce qu'était un ciel gris et le ruissellement infernal de la pluie dans la gouttière principale qui menaçait à chaque orage de s'effondrer. Je sentais que ma journée était gâchée. Betty, si j'avais posé pour cette photo-là, elle m'aurait tué sur le coup.

Cette histoire me tapait tellement sur les nerfs que je ne me sentais pas capable d'en discuter. J'ai attrapé mon ciré et je suis sorti en claquant la porte.

Le temps de traverser le jardin, j'ai compris que j'allais commettre une erreur. Il tombait des gouttes grosses comme le poing et bien que je sois resté un type sain et amoureux des choses de la nature, je me voyais mal déambuler sous un tel déluge malgré tout le bien qu'on en disait pour la peau. J'ai bondi à l'intérieur de la Mercedes. Je me suis essuyé les yeux. J'ai pianoté sur le volant pendant quelques secondes avant de démarrer.

Il faisait chaud et moite, et l'orage me rendait nerveux. Je suis remonté vers le centre-ville. Dès que j'ai ouvert un peu les yeux, j'ai repéré Marie-Ange qui poireautait à la hauteur d'une station de taxis complètement déserte. Ah ! ah ! je me suis dit. Le hasard n'existe pas. Je me suis garé le long du trottoir dans une gerbe d'eau et je lui ai ouvert la porte. Elle a cavalé vers la voiture avec un grand sac de papier posé sur la tête.

– Houuu ! mais c'est dantesque ! Je le crois pas un orage pareil !...

– Grimpe, j'ai dit.

J'ai tendu la main vers elle comme si je venais de trouver l'unique solution à tous mes problèmes. Marie-Ange n'était pas une fille qui se compliquait la vie avec le sexe. Elle avait les dents saines et mes bouquins elle ne les avait pas lus, bien qu'elle prétendît le contraire. C'était d'elle dont j'avais besoin.

– Eh bien, c'est une veine !... m'a-t-elle confié en souriant.

Je pensais à un coup de chance fabuleux, presque surnaturel. Ayant eu l'occasion de baiser à deux ou trois reprises avec elle, en toute camaraderie, une bonne partie du chemin était déjà parcourue. Je me suis senti tout à coup de meilleure humeur. Avant d'actionner mon clignotant, j'ai jeté un regard attendri sur ses bas Nylon.

Tout le long du chemin, pour rentrer jusque chez elle, l'orage a redoublé et nous avons discuté des derniers potins de la ville. Elle m'a parlé des soldes. Elle venait justement, disait-elle, de s'acheter un petit truc assez marrant. Ce détail m'a particulièrement intéressé dans l'état où je me trouvais. Il ne m'a pas fallu cent sept ans pour l'amener à comprendre que je crevais de soif et que j'acceptais d'aller boire un verre chez elle.

– Pourquoi pas ?... j'ai dit. On sait jamais par quel bout les prendre, des journées pareilles.

Je n'ai jamais été très à l'aise avec ces filles qui considèrent qu'une séance de baisage n'est rien d'autre qu'un exercice d'hygiène physique. J'ai l'impression qu'un mur nous sépare, qu'il n'y aura jamais l'ombre d'une intimité entre nous. Je ne leur trouvais rien d'emballant, si belles fussent-elles, mais je n'étais pas aveugle au point d'en ignorer les avantages. C'était différent, voilà tout, déroutant comme un fruit sans noyau. Le plus chiant, c'est qu'elles ne vous donnaient rien.

Histoire de ne pas me pointer les mains vides, j'ai acheté deux timbales de mousse au chocolat chez le pâtissier du coin, puis je l'ai rattrapée dans l'escalier et je lui ai collé au train. Il faisait sombre et ses bas brillaient. Je devais me retenir pour ne pas respirer d'une manière étrange.

– Que dirais-tu d'un thé au citron ? elle m'a demandé.

– Oui, mais te casse pas la tête...

Je me suis laissé aller sur un fauteuil de mousse qui, sexuellement, était d'une mollesse presque insoutenable. Tandis qu'elle s'affairait dans la cuisine, j'ai croisé mes mains derrière la tête et j'ai poussé mon premier sourire de la journée tout en observant la pluie qui dégringolait sur la baie vitrée. De belles filles habitaient de beaux duplex et des écrivains étaient là pour se les envoyer. La vie était une franche rigolade. Fort heureusement, je comptais parmi les privilégiés. Lorsqu'il s'agissait de tomber les filles, l'écrivain arrivait en bonne position, juste après les pilotes de course, les chanteurs et les acteurs de cinéma.

Elle a posé le plateau fumant sur la table basse et s'est assise en face de moi, toute souriante, alors que la fièvre me gagnait.

– Tu es au courant que Vera V... est en ville ? elle a lancé.

J'ai hoché la tête, puis je me suis occupé de déballer mes timbales de chocolat pendant qu'elle remplissait délicatement les tasses.

– J'ai failli passer l'autre soir, chez Charles, elle a poursuivi.

– Bah, tu n'as rien loupé. Personne n'avait la forme.

J'ai plongé mon doigt dans ma barquette de mousse et je l'ai sucé lentement en la regardant fixement. Elle était en train de me parler d'une expo de photos.

– Il faudra que j'aille voir ça, j'ai soupiré.

J'ai pris un air pensif, puis j'ai replanté mon majeur dans le chocolat et je l'ai nettoyé de petits coups de langue rapides, désinvoltes.

– Au fait, je ne t'ai pas dit, mais je me suis inscrite à des cours de chinois.

– Mais non, je n'en savais rien...

Cette fois, j'ai renversé ma tête d'écrivain sur le dossier et j'ai sucé mon doigt enrobé comme s'il me descendait du plafond, tous les muscles du cou tendus. J'aurais eu neuf sur dix dans un concours de sex-appeal, pourtant elle ne s'est pas jetée sur moi en bondissant par-dessus la table. J'ai repris une position normale pour boire mon thé. Parfois, il n'y a rien de plus dur au monde que de ne pas être Paul Newman. Surtout lorsque le temps est pourri.

– Alors, tu écris en ce moment ? Tu sais que j'ai entendu parler de toi à la radio...

– Ah bon ? Non, j'écris pas vraiment... mais j'y travaille. C'est pas le plus facile, tu sais, et personne ne peut m'aider. Je finis par me sentir plutôt seul...

– Oui, j'imagine...

– Tu vois, je ne pourrais pas te dire le plaisir que j'ai de me trouver avec toi, je n'en serais pas capable.

Elle a rigolé. Je m'en suis voulu de la désirer à ce point-là, je ne me trouvais plus en position de force et le chocolat avait du mal à passer. Elle a reposé sa tasse de thé et j'ai pu voir son corsage se tendre tandis qu'un éclair géant traversait le ciel.

– Tu veux que je te montre ce que j'ai acheté ? Tu me diras ce que tu en penses...

– Bien sûr, on a tout le temps...

Elle a disparu après m'avoir envoyé un clin d'œil désarmant, puis le tonnerre a grondé. J'aurais voulu être fatigué et pouvoir m'endormir sur place, sombrer dans un sommeil profond et vide, loin des rêves. Je me suis allumé une cigarette puis j'ai arraché le filtre avec mes dents. Le ciel était d'un gris à vous dégoûter de tout. Je me suis frotté la figure dans les mains.

Lorsqu'elle est enfin apparue, j'ai failli m'étrangler. J'en aurais versé des larmes sur ma condition d'homme si je ne m'étais pas desséché d'un seul coup, si mon cerveau n'avait pas pris feu. J'ai éprouvé une vague de tendresse pour la terre entière puis j'ai croisé les jambes et je me suis tenu les genoux pendant qu'elle s'avançait vers moi.

Tout ce que l'on pouvait en dire, c'est que ça brillait, que c'était court, ouvert sur le devant et envahi de rubans, ça faisait très mal, c'était à mi-chemin entre le sous-vêtement et une pilule d'acide, et ça se resserrait étrangement autour de la taille, ça donnait l'impression de coller à la peau.

– Mais c'est QUOI ? !... j'ai articulé.

Elle s'est plantée juste devant moi et j'ai serré mes genoux comme un étau, dans les mâchoires de mes mains.

– Eh bien, c'est ce qu'on veut... elle a répondu d'une voix douce. C'est quelque chose qu'on peut garder à la maison...

D'une certaine manière, j'allais me trouver

mal. Je venais de me rendre compte que cette chose qu'elle portait se terminait à la manière d'un short et flottait tranquillement autour de la cuisse avant de s'enfoncer entre les jambes. J'ai imaginé ce que ce serait de glisser une main là-dessous en s'arrêtant tous les trois millimètres et la caresse du tissu sur le dos des doigts, j'ai imaginé tout ce qu'on pourrait tirer de ce machin-là.

– Bon sang, quel orage affreux !... elle a murmuré.

Elle s'est assise à califourchon sur mes jambes, alors que quelques minutes plus tôt je n'y croyais plus. J'ai appuyé ma tête entre ses seins. J'ai senti sa main se refermer sur ma nuque. Ensuite on a dégringolé sur la moquette.

On s'est arrêtés à peu près en même temps que la pluie. Nous nous sommes levés puis nous sommes partis en discutant vers la douche.

– Vous n'avez toujours pas de nouvelles de Gloria ?...

– Non, mais dans le fond, j'y crois plus beaucoup... J'espère qu'elle est bien où elle est.

– Et Henri ?

– Eh bien, tu le connais, il ne dit rien... Mais il ne s'en remettra jamais complètement...

– Tu veux te servir du gant de crin ?...

– Non, non, ça va, je te remercie.

Pendant qu'elle se frictionnait énergiquement, je me suis planté le jet sur la tête et j'ai fermé les yeux.

Il faisait presque nuit lorsque nous sommes passés dans la cuisine. Le ciel était violet foncé. J'ai ouvert la fenêtre pour respirer l'air du dehors, tandis qu'elle m'expliquait que ça lui donnait faim à chaque fois, qu'elle aurait dévoré une montagne. Je me suis assis en face d'elle pour la regarder manger. Il y avait un côté très sain chez cette fille, presque enfantin, son corps était une belle mécanique. Et elle était intelligente aussi. Sans doute que j'étais un peu compliqué.

Au fond, ma vie était un triste chaos. La seule femme que j'avais vraiment aimée était morte. Avec Marlène, je me trouvais dans une impasse totale. Gloria s'était plus ou moins enfuie à cause de moi. Et je n'étais pas toujours certain de mon talent d'écrivain. Je me demandais si j'atteindrais un jour le but. Jusque-là, je n'avais rien prouvé. J'étais tout juste bon à critiquer une fille qui ne faisait pas d'histoires. J'ai grignoté un petit truc avec elle pour me faire pardonner. Je suis tombé sur une biscotte sans sel.

Pour finir, je l'ai déposée quelque part en ville. Elle m'a embrassé sur les joues et avant qu'elle ne descende, on a décidé qu'on se téléphonerait. J'ai regardé s'éloigner la seule éclaircie de ma journée le long d'un trottoir mouillé. Il était 8 heures du soir. J'ai stoppé un peu plus loin à une station et j'ai demandé qu'on me change mes balais d'essuie-glaces.

J'en ai profité pour aller me boire une bière en face. Je me sentais reposé, physiquement et moralement, mais d'une vacuité consternante. J'ai eu l'impression que la bière me tombait au fond des pieds. Nous étions quelques-uns assis derrière le comptoir. Assis avec nos problèmes.

Quand je suis rentré à la baraque, Henri était en train de préparer un gâteau.

— C'est pour les types comme toi, il a déclaré. Pour les sales caractères.

Je me suis amené près de lui, j'ai jeté un coup d'œil par-dessus son épaule.

— Tu mettras pas un peu de crème au milieu ?

Il s'est avéré plus tard que ce gâteau n'était pas pour moi et que je n'allais même pas y toucher, mais sur le moment, ça m'a fait plaisir et j'ai raconté à Henri où j'avais passé l'après-midi.

— Tu as eu raison... J'espère que ça t'a calmé.

Il était en train de rouler la pâte. Il pesait dessus de tout son poids, on aurait dit un géant écrasant une armée de lilliputiens. Je me suis servi une bière et j'ai regardé par la fenêtre. Contrairement à l'un de ces bruits qui couraient, je ne buvais pas comme un trou. J'avais le malheur de descendre trois ou quatre bières dans la journée et les gens s'imaginaient que j'étais un écrivain alcoolique. Tout le monde confondait la bière avec mon sang. C'était comme pour les femmes, il suffisait qu'il m'arrive deux ou trois aventures sexuelles pour qu'on aille raconter que je baisais tous les jours. Il circulait une drôle d'image de moi. Une espèce de singe en rut avec le nez rouge, je suppose. Moi qui avais eu plutôt moins de filles que les autres et qui parfois buvais de l'eau à table. Est-ce que je méritais de passer pour un écrivain déglingué ?... Le jardin scintillait sous les gouttes de pluie. C'était de la Carlsberg en boîte, une longue de cinquante centilitres, bleu métallisé.

– Un de ces quatre, ils nous demanderont de poser en caleçon, j'ai dit. Ou on nous verra à la télé en train d'essayer de reconnaître un yaourt et on viendra nous demander quel truc on a choisi pour se laver le cul.

– Toi tu es encore jeune, tu as encore quelque chose à défendre...

– Il faut bien résister quelque part, tu crois pas ?... Enfin moi, ça m'aide. J'ai besoin d'avoir un peu de respect pour ce que j'écris.

– Pourquoi, tu n'as pas confiance en toi ?... Tu t'intéresses encore à l'opinion des gens ?...

– Hé, mais si je trouve qu'un truc est vraiment con, pourquoi j'irais chercher plus loin ?... Qu'est-ce que ça va m'apporter de trouver des raisons ou des excuses à n'importe quoi ?...

– Eh bien, disons... un certain détachement !

Je me préparais à lui répondre, mais l'arrivée de Marlène a brisé mon élan. Elle transportait un plat recouvert de papier d'alu.

151

– Tu veux pas être gentil de m'allumer le four ? m'a-t-elle demandé. C'est encore chaud, dépêche-toi...

J'ai obéi sans dire un mot, puis je les ai laissés et je suis allé me planter devant la télé. J'ai pris des nouvelles du monde et comme d'habitude, ça n'allait pas très fort, l'impression générale était d'habiter un grand corps pourri, sauf que les cours de l'or se maintenaient et que le type nous souhaitait un excellent week-end. Mentalement, j'ai envoyé un pavé dans le poste. Ce qui m'énervait, c'était de ne pas comprendre l'attitude d'Henri. Cette histoire ne lui ressemblait pas du tout. Ce n'était pas le malheureux chèque que lui proposait Vera V... qui expliquait quoi que ce soit. J'étais certain qu'il s'agissait d'autre chose.

Peut-être espérait-il la baiser ?... Pourtant, il y avait sûrement un autre moyen. Ou bien cherchait-il à épater Marlène ?... Il fallait compter avec cette force qui les précipitait l'un vers l'autre, bien qu'une force plus grande encore les séparait irrémédiablement. Mais je n'y croyais pas trop, je pensais que de ce côté-là, il n'avait plus rien à prouver, et Marlène avait passé l'âge de s'exciter pour une photo dans un journal. Alors, qu'est-ce qu'il branlait ?

Sur le coup, j'ai eu envie d'être seul. J'aurais aimé pouvoir éteindre toutes les lumières et m'installer dans le silence comme je le faisais autrefois, regarder la nuit défiler par la fenêtre sans essayer de comprendre quoi que ce soit au monde. Mais je les entendais rire à côté et une odeur de lasagnes commençait à flotter dans les airs. Je me suis levé pour aller ouvrir, quand on a sonné à la porte, mais Henri m'a devancé. C'était Vera V... et Charles. J'ai compris que le gâteau ne m'était pas précisément destiné. Aussi leur ai-je demandé de m'excuser, j'ai raconté que j'étais mort et je suis allé me coucher.

Quelques jours avant la fameuse photo, Vera V... s'est foulé le poignet en basculant d'une chaise de jardin. Elle venait de faire un grand geste et je l'ai regardée partir en arrière avec soulagement. Je ne suis pas allé la relever, d'autres s'en sont immédiatement chargés.

« Seigneur Dieu ! Je sens que je vais avoir une crise de nerfs !... » a-t-elle déclaré tandis que le médecin lui prenait la main dans une bande et une bonne partie de l'avant-bras. Elle devait avoir mal, mais la colère l'emportait sur le reste. Charles grimaçait à côté d'elle. Quand elle se raclait la gorge, Charles toussait. En littérature comme partout ailleurs, une petite poignée d'individus décidait de la pluie et du beau temps.

J'ai souri et je m'apprêtais à lancer une remarque venimeuse, mais Marlène m'a pincé le bras.

– Voyons, laisse-la tranquille pour une fois. Ne sois pas toujours après elle...

Il m'était pourtant difficile de faire autrement, depuis deux semaines, je la voyais partout, elle passait pratiquement toutes ses journées à la maison. Toute la ville était au courant qu'elle adorait Henri et Marlène. Tout le monde savait que ça n'allait pas très bien entre elle et moi. Il ne pouvait pas s'écouler une journée sans qu'elle trouve quelque chose pour m'exaspérer.

Par exemple, je sais préparer le thé. Je ne me sers pas de machins en sachet et je n'utilise pas l'eau chaude du robinet. Je dose mon thé consciencieusement et je verse l'eau avec précaution, pas comme la dernière des brutes. Je ne soulève pas non plus le couvercle de la théière toutes les dix secondes pour voir où en sont les choses. Je sais exactement lorsque mon thé est prêt, le moment précis où il va donner le meilleur de lui-même. Eh bien, lorsqu'elles sont en train de bosser en bas toutes les deux et que Marlène m'attrape un bras au passage, c'est moi qui vais m'occuper du thé. Moi qui le leur apporte, moi qui emplis les tasses. Marlène me sourit pendant que l'autre me sert son inévitable grimace. Elle m'a tout fait. Elle le trouve trop infusé ou pas assez infusé ou elle prétend apercevoir un cheveu à la surface. Ou alors elle l'oublie volontairement sur un coin de la table. N'a-t-elle pas pris certaines fois un air innocent pour demander si c'était celui de la veille que j'avais réchauffé ? Je ne lui ai rien répondu à cette pauvre conne.

Bien sûr, ce n'est qu'un exemple, mais une journée en compagnie de cette fille aurait pu me donner de quoi écrire un livre entier sur le comportement d'une emmerdeuse. Sans vouloir remuer le couteau dans la plaie, il faut bien reconnaître que les trois quarts des écrivains sont des individus plutôt chiants. Quand ils sont pas carrément bons à rien. Dans ce domaine, Vera battait aussi tous les records. Marlène trouvait que j'exagérais, mais est-ce que j'exagérais alors que j'avais pu constater que cette fille était capable de bousiller une chaise longue au lieu de la déplier gentiment ?

« Et toi, tu n'as jamais rien cassé, tu ne t'es jamais mis en colère ?... » m'avait répondu Marlène en riant après que je lui eus montré ce qui restait de la chaise, quelques morceaux de bois et de toile déchirée, pratiquement méconnaissables.

– Moi, ça ne m'est jamais arrivé de me battre avec UNE CHOSE, avais-je grincé en levant les yeux au ciel. Je n'espère pas arracher un cri à une table !

Je voyais encore la scène. J'étais planqué derrière le rideau de la cuisine et j'observais Vera dans le jardin. J'attendais qu'une merde de pigeon lui tombe sur l'épaule. Parfois, j'essayais de m'imaginer ce qui lui passait par la tête. Elle se tenait immobile, les poings sur les hanches, et regardait une de mes chaises longues pliée sur le gazon en prenant un air inquiet, comme s'il se fût agi d'une créature de l'autre monde. On avait envie de lui dire que ça ne mordait pas, qu'il n'y avait aucun danger.

Nous étions seuls à la baraque, comme cela se trouvait malheureusement quelquefois. Marlène et Henri étaient partis en ville avec un paquet de feuilles à polycopier sous le bras et j'avais traînaillé dans ma chambre, l'unique endroit de la maison où elle ne mettait jamais les pieds. Je m'étais d'ailleurs bien expliqué là-dessus lorsqu'ils avaient décidé de transformer la baraque en quartier général, j'avais regardé Vera dans les yeux.

– Qu'on soit bien d'accord... Je veux voir personne dans ma chambre !

Elle avait eu ce petit rire que je détestais.

– Sois sans crainte, avait-elle murmuré. Tu ne risques pas de m'y rencontrer...

Jusque-là, elle avait tenu parole.

Je me demandais ce qu'elle fabriquait. Il faisait bon, la matinée était calme et je ne m'attendais pas à voir un vent de folie balayer le jardin. Quelques moineaux s'étaient posés sur la haie. Brusquement, elle s'est penchée en avant et elle a empoigné une chaise longue. Je n'avais encore jamais entendu parler d'un être humain incapable de déplier une chaise longue. Pour commencer, elle a secoué l'engin dans tous les sens et les oiseaux ont filé. J'ai vraiment ouvert des yeux ronds. Quand je dis secouer, je ne veux pas parler du geste qui ferait s'agiter un mouchoir sur le quai d'une gare ou s'égoutter une petite cuillère sur le rebord d'une tasse, non ce que je veux dire, c'est qu'on avait l'impression qu'elle essayait de se débarrasser d'un chien enragé. Je l'entendais parler à la chaise longue dont le bois grinçait. J'étais hypnotisé. La partie qui servait à reposer les jambes s'est soudain dépliée et lui a claqué les genoux. Elle a tout lâché en poussant un rugissement terrible.

Je me suis caressé le menton. Je n'aurais pas donné ma place pour tout l'or du monde. Elle a envoyé un coup de pied dans la chaise. Puis un autre. Puis elle l'a ramassée de nouveau et l'a manipulée de la façon la plus étrange qui soit sans s'arrêter de gémir, transformant cette pauvre chaise en casse-tête insoluble. Je ne comprenais pas par quel miracle elle ne s'était pas encore coincé un doigt, ça me paraissait impossible. Je n'envisageais pas qu'elle puisse passer à une vitesse supérieure. Mais je me trompais.

Un vieux s'était arrêté sur le trottoir pour profiter du spectacle. Il la regardait en souriant, les mains croisées dans le dos. J'aurais aimé lui adresser un petit signe, seulement Vera l'a repéré au même instant. Elle a grogné en brandissant la chaise dans sa direction. Il a bondi en arrière avant de traverser la rue. Moi-même, je me suis reculé derrière le rideau. Il s'est installé un silence de mort autour d'elle. Sa respiration saccadée me parvenait distinctement.

Je priais pour qu'Henri et Marlène s'en reviennent de leurs courses et la surprennent à ce moment-là, livrant bataille à une chaise longue. J'aurais pu leur expliquer que je ne savais pas laquelle des deux avait commencé. Mais les événements se sont précipités. Vera a soulevé la malheureuse au-dessus de sa tête et, s'accompagnant d'un cri de bûcheron, l'a fracassée sur le sol. Le bois était sec, il s'est brisé en plusieurs endroits. Malgré tout, elle s'est acharnée. Chaque fois qu'elle la cognait par terre, un morceau de la chaise disparaissait dans le ciel.

Tout de même, il a bien fallu que je sorte. Les débris s'étalaient sur un rayon de plusieurs mètres et elle tenait encore à la main un morceau de bois avec deux mètres de toile à rayures à l'autre bout. Je n'ai pas remarqué qu'elle eût un air embarrassé, ou gêné, ou désolé, ou quoi que ce soit.

– Ne t'inquiète pas. Je vais la remplacer…, a-t-elle sifflé entre ses dents.

Je me suis contenté de secouer la tête en regardant autour de moi. Je ne voyais pas ce que j'aurais pu lui DIRE. Comme je tournais les talons et tentais de penser à autre chose, elle a ajouté :

– Eh bien quoi !… Ce n'est pas la fin du monde !

En dehors de ça, leur travail avançait. J'avais parfois l'occasion de jeter un coup d'œil dessus et force m'était de reconnaître que l'ensemble prenait une certaine allure. Tout s'était décidé un soir, quelques jours après l'arrivée de Vera, lorsque Marlène avait déclaré qu'elle était capable de réaliser une maquette de journal. Vera lui avait décoché un regard brillant.

– Oh ! ma chérie, mais en es-tu certaine ?…

– Sûre et certaine. J'ai suivi des cours, quelque temps après avoir divorcé.

Lorsqu'elle prononçait ce mot-là, « divorcé », Henri blêmissait.

– Mais c'est magnifique ! s'était exclamée Vera. Je t'engage sur-le-champ !

Elle jubilait. Non contente d'arranger ses affaires, elle avait trouvé une nouvelle occasion pour m'emmerder. Sans compter que j'allais devoir la supporter tous les jours. Le seul avantage que j'en tirais était qu'elle réglerait la note de téléphone. Ce n'était pas énorme.

Pourtant, nous en étions arrivés à un point où j'hésitais à m'acheter un pantalon. Et mon éditeur était reparti en voyage. J'avais beau me répéter qu'aucune autre chose que mon futur roman n'avait d'importance, je me laissais parfois aller à des visions lugubres, je ne pouvais pas m'en empêcher. J'attendais avec impatience la

vente de la ferme. Finalement, Marlène en tire-
rait un bon prix, mais bien sûr, le fric arriverait
à un moment où je n'en aurais plus besoin. Le
monde est ainsi fait. J'ai eu l'occasion de discuter
de ce problème avec les écrivains que Vera avait
invités pour le Grand Truc, la fameuse photo.
Mais je n'en ai pas trouvé un seul qui connût
ce genre d'ennui.

C'est moi qui fus chargé d'aller les chercher
à l'aéroport. Je n'avais pas eu le courage de
refuser, ayant peur de briser définitivement ma
carrière, de tous me les coller à dos. Mon éditeur
m'avait déjà prévenu qu'une partie de la critique
littéraire préparait ma mise à mort, aussi devais-
je éviter d'en rajouter. Certains écrivains allaient
tranquillement leur chemin tandis que moi, on
me lançait des fleurs et des pierres. J'aurais bien
voulu savoir pourquoi.

Bref, j'avais loué un minibus et j'étais arrivé
suffisamment en avance pour m'installer au bar.
Je m'étais vissé une casquette à visière transparente et bleue sur le crâne car c'était une matinée
ensoleillée, et je portais mes lunettes noires ainsi
qu'un tee-shirt sans manches qui avait appartenu
à Betty. Durant les quelque dix-huit mois qui
avaient suivi sa mort, j'étais pratiquement resté
enfermé, le cul sur une chaise. J'avais écrit un
roman et un recueil de nouvelles mais j'avais
perdu la forme, mes muscles avaient fondu, je
m'étais ramolli. Lorsque je m'en étais aperçu,
je m'étais infligé deux heures de gymnastique
tous les matins, dès que je sautais du lit, et
j'avais regrimpé la pente tout doucement. J'avais
pu constater que les muscles étaient plus difficiles
à retrouver qu'à perdre, ce qui n'était qu'une
injustice supplémentaire. À présent, je n'y consa-
crais plus qu'une heure le matin, de manière
relativement suivie, simplement histoire de me
maintenir dans de bonnes conditions, histoire de
pouvoir encore profiter de la vie le jour où je

serais riche et perpétuellement en vacances. Depuis mon accident cardiaque, je faisais attention de ne pas trop forcer, mais je me remuais quand même et bien que je sois resté à des kilomètres derrière S. Stallone, je tenais sur mes jambes et j'avais les bras musclés. Je savais que je ressemblais plus à un travailleur de force qu'à un écrivain. D'où mon entêtement à répéter qu'un écrivain EST un travailleur de force.

Donc, quand les gars sont arrivés, aucun d'eux n'a fait le rapprochement entre moi et l'écrivain mystérieux dont les journaux parlaient. Je devais comprendre un peu plus tard qu'un écrivain mystérieux n'est rien d'autre qu'un type qui n'habite pas la capitale et qui n'a pas envie d'y mettre les pieds. Je les ai rassemblés dans le hall avant de les embarquer vers la sortie. Le soleil semblait les rendre joyeux. Je n'étais pas de mauvaise humeur moi non plus. J'ai roulé tranquillement sur le chemin du retour. Je tenais pas à les envoyer dans le ravin, décapitant ainsi et d'un seul coup la Nouvelle Littérature de mon pays.

– C'est formidable, ils sont tous venus !... m'a soufflé Vera tandis que Charles les installait dans le jardin, sous des parasols, et distribuait les rafraîchissements.

– Mais bon sang, avait-elle ajouté, est-ce que tu vas traîner cette fichue casquette toute la sainte journée ? !

– Ben oui, moi je ne suis pas comme eux, j'ai besoin de me protéger la tête !

Apparemment, après une vingtaine de jours, mes rapports avec Vera n'avaient pas changé. Nous ne laissions ni l'un ni l'autre passer une occasion de nous accrocher, mais ça devenait une habitude, pour ne pas dire une espèce de jeu. En réalité, j'avais fini par oublier qu'elle écrivait si mal et même si je réaffirmais qu'elle était chiante comme pas deux, je lui reconnaissais certaines qualités et je n'étais pas très loin d'éprouver une sorte d'amitié pour elle. Il nous arrivait de discuter normalement de temps en temps. Il est vrai qu'au bout d'un moment, la véritable nature des gens remonte à la surface. Personnellement, je n'étais pas un saint.

Je me tenais un peu à l'écart, sur le côté de la maison, j'étais en train de rêvasser lorsqu'une voix désagréable m'a fait sursauter :

– Hé, dis donc, toi !... Tu me parais assez dégourdi, approche-toi !...

Ce type portait un pull jaune poussin. Appelons-le Machin dans la mesure où un procès est si vite arrivé. Par la suite, j'ai rencontré bon nombre d'écrivains et j'ai serré la main à des gens formidables, mais Machin reste toujours présent dans ma mémoire, il représente tout ce qui me dégoûte le plus comme écrivain, et aussi comme individu. Je veux parler d'un type qui se complaît dans sa merde intérieure et qui soigne son image malgré la saleté de son âme. Je l'avais vu quelquefois à la télé, au cours d'émissions littéraires, et j'avais pu remarquer son air suffisant et sa vulgarité avant de me lever pour couper le son. Ce type-là, je n'aurais jamais commis la folie de lui tourner le dos.

– Je dois aller récupérer mon sac dans le bus. J'ai besoin de me raser.

Il a mimé la scène, convaincu depuis le début qu'il s'adressait à un débile mental. Je l'ai accompagné sans dire un mot.

– Dis donc, tu as une sacrée casquette ! Tu pourrais pas me montrer la salle de bains ?

Je l'ai conduit dans la baraque, au premier. Je repensais en particulier à une émission où il avait démoli un type de manière tout à fait injuste, simplement pour s'amuser et parce que l'autre se défendait très mal. Car Machin connaissait l'art de la réplique sans appel, de la flèche empoisonnée, c'était ce qu'il convenait d'appeler un gars brillant. Bien sûr, c'était loin d'être suffisant pour faire de lui un écrivain à peine valable. Mais il créait l'illusion. Les chances de rencontrer un homme de talent derrière un type brillant sont pour ainsi dire nulles. Au fond, il n'est pas impossible que je ressente un peu d'amour pour les gens quand je vois la répugnance que m'inspirent certains autres. Le plus drôle, c'est qu'au lieu de le planter là et d'aller respirer ailleurs, je suis resté près de lui à écouter ses conneries, comme si j'avais reçu un coup de poignard dans les reins, à moins que je ne fusse un de ces types fascinés par la laideur.

Je lui ai indiqué du doigt la prise électrique et il m'a envoyé un clin d'œil. Il me prenait sans doute pour l'un de ses admirateurs. Son sourire me faisait mal, il m'asséchait la bouche, il luisait. Il m'a questionné sur l'emploi du temps de la journée et je lui ai dit ce que je savais. Je le transperçais du regard mais ça ne servait à rien derrière mes lunettes.

– Alors toi, tu es chauffeur de bus, c'est ça ?...

– Ouais, je suis intérimaire.

– Eh bien, au fond, tu as la vie belle...

Sa peau était lisse et rose, et le rasoir laissait une ombre bleue sur son passage.

– Et sais-tu dans quel coin cette pauvre cloche de Vera a décidé de nous emmener ?

– Cette « pauvre cloche » ?...

Il a rigolé et je me suis raidi, tandis qu'il me décochait un nouveau clin d'œil.

– Écoute, il a grimacé, garde ça pour toi, mais cette fille n'a absolument aucun intérêt pour moi, si ce n'est qu'elle m'offre un week-end à la campagne et un peu de publicité. D'une certaine manière, je lui donne l'occasion de servir à quelque chose...

Un voile noir m'est tombé sur la tête. Sans réfléchir, je lui ai balancé un direct dans l'estomac. Son rasoir s'est brisé sur le sol. Puis j'ai attrapé mon poing dans une main et tandis que

Machin se pliait en deux, je l'ai redressé d'un violent coup de coude en pleine figure. Il a amorcé une sorte de saut périlleux arrière avant de disparaître derrière les rideaux de la douche. J'y avais mis tout mon cœur, j'aurais pu me péter le bras en deux.

Pour finir, Vera avait abandonné l'idée des costumes blancs. Le bus était plein à craquer. En plus des écrivains, il y avait Marlène, un photographe plus deux ou trois personnes qui étaient parvenues à grimper au dernier moment. L'ambiance était décontractée. Henri s'était endormi à côté de moi, le menton appuyé sur la poitrine, et je prenais les virages délicatement pour ne pas trop le secouer, nous filions sur une petite route déserte, certains d'entre nous vers la postérité.

Parmi les endroits que nous lui avions montrés, Marlène avait choisi une carrière de pierre. Quelques blocs avaient été taillés puis abandonnés sur place, on se demandait ce qu'ils allaient devenir.

— Tout le monde descend ! j'ai dit.

Je me sentais un peu triste. Je crois que ça venait de ces pierres taillées et oubliées dans ce décor sauvage, mais je n'ai pas voulu pousser plus loin.

— Mais où est Machin ?... Quelqu'un a-t-il vu Machin ? ? ! ?

Tout le monde était en place. Les écrivains étaient grimpés sur les pierres et Vera était assise au premier plan. C'était elle qui demandait ça. Le photographe se grattait la tête. Tout le monde s'est regardé.

— Mais bon sang ! nous n'attendons plus que lui ! ! !...

À mon avis, ils pouvaient toujours l'attendre. Je me suis allumé une cigarette, à l'ombre d'un arbre. Puis Vera s'est levée brusquement et s'est dirigée vers moi. Elle m'a regardé dans les yeux.

– Non, pas question, j'ai dit.

Elle a tourné la tête d'un côté puis de l'autre, les narines frémissantes. Elle a cassé une petite branche de mon arbre et s'en est claqué la main.

– Merde, tant pis pour lui, j'ai ajouté.

Les écrivains sautaient de leurs pierres et Marlène sortait des bières fraîches du minibus. C'était une bonne idée. Mais Vera se mordillait les lèvres et restait plantée devant moi.

– Écoute, qu'est-ce que ça peut bien faire qu'il soit là ou pas ? Je le trouvais pas spécialement photogénique…

– Mais tu ne comprends pas !… Il me faut DIX écrivains derrière moi. Tout est déjà préparé. DIX écrivains… autant de doigts qu'on en a dans les mains !

– Prends le photographe, j'irai appuyer sur le bouton.

Un petit sanglot étouffé s'est bloqué dans sa gorge. Elle a jeté un regard éperdu autour d'elle avant de reposer les yeux sur moi.

– Tu me fais tout rater, elle a dit. Toi et ton orgueil d'écrivain.

Je lui ai rien répondu. J'ai observé Henri qui s'envoyait une bière en plein soleil avec ses cheveux dorés.

– Tu vois, elle a ajouté, je pensais que je pouvais te demander quelque chose…

Sur ce, elle est allée rejoindre toute la bande. J'ai voulu me lever pour me servir une bière mais une petite fourmi venait de grimper sur mon pied. J'ai attendu qu'elle se barre en suçant une herbe.

Lorsque les autres ont repris leur place, je me suis joint à eux, je suis monté sur une pierre carrée. Vera m'a couvé des yeux. Mon point faible, c'est que je ne suis pas écrivain vingt-quatre heures sur vingt-quatre, et le reste du temps je ne suis rien du tout, je suis une place forte abandonnée. Le photographe s'est redressé.

– Hé ! dites voir... Est-ce qu'il pourrait pas retirer sa casquette ? ? !...

J'ai pas bronché.

– Ça ne va pas. Il a le visage TOUT BLEU !

Vera m'a regardé. Ils m'ont tous regardé. J'étais assoiffé. Au bout de quelques secondes, j'ai arraché la casquette de ma tête, je l'ai serrée, je l'ai étranglée dans mes mains. Tout le monde a souri.

– Et les lunettes ?... Il pourrait pas enlever ses lunettes...

– Là, je préfère mourir !... j'ai grincé.

Et un filet de sueur enragé a glissé sur ma tempe.

10

Finalement, la vingtaine de jours que Vera passa parmi nous eut de multiples conséquences. Je regarde aujourd'hui l'inexorable enchaînement des faits avec une terreur émerveillée.

Juste avant son départ, Vera donna quelques coups de téléphone et Marlène fut embauchée par le journal du coin comme assistante à la mise en pages. Henri toucha son chèque et engagea un détective, un type qu'il avait trouvé dans l'annuaire téléphonique. Et Machin écrivit les pires trucs sur moi, par exemple que j'étais à la littérature ce qu'une nappe de mazout est au bleu de l'océan. D'autres lui emboîtèrent le pas et le critique d'un magazine de bande dessinée parlait de me botter le train, tout simplement. C'était à se demander jusqu'où ils iraient. Je pouvais m'attendre à être réduit en bouillie et passé au chinois dans un journal de cuisine.

« Lorsqu'un auteur déclenche les haines et les passions, disait Henri, c'est plutôt bon signe... »

Bien sûr, il n'était pas à ma place. Depuis le début, écrire avait été la source de tous mes ennuis et d'une certaine manière, le jour où j'avais pris un stylo, j'avais causé la mort de Betty. Si c'était une route, elle était longue et difficile, et je n'en voyais jamais la fin. La plupart des personnes à qui j'en avais parlé trouvaient que l'Écriture était une aventure merveilleuse. Eh bien, j'attendais de voir ça. Peut-être qu'il n'y avait qu'un mauvais moment à passer et que je traînais un peu. Comment savoir ? J'avais l'impression de m'avancer au milieu d'un champ de mines.

C'était tout à fait évident sur la photo. S'il y en avait un pour s'envoyer une grimace épouvantable, pour avoir l'air complètement idiot, c'était bien moi. Henri et Marlène m'ont dit que j'exagérais, mais ils se sont empressés de tourner la page. La plupart du temps, ce sont les amis qui vous balancent dans le vide.

Dans le courant du mois, j'ai cru trouver la solution à nos problèmes de fric. J'ai répondu à une petite annonce qui proposait du travail à domicile pour des personnes sérieuses. Aucune connaissance particulière n'était exigée, excepté une certaine adresse manuelle et un minimum de rapidité. Trois jours plus tard, je recevais un carton d'une bonne taille. Marlène était au journal et Henri et moi étions seuls à la maison. Henri me relisait tout haut *Les Pâques à New York,* lorsque le colis est arrivé. « Dic nobis, Maria, quid vidisti in via ? » – La lumière frissonner, humble dans le matin.

J'ai ouvert le carton sur la table.

– Qu'est-ce que c'est ? a demandé Henri.

– Un cadeau du ciel, j'ai dit.

J'ai retiré la paille qui recouvrait le dessus et je suis tombé sur un stock de petites figurines en plastique rouge terminées par un pic, des petits lutins, ces trucs qu'on plante sur les bûches de Noël. Des milliers et des milliers, enchevêtrés les uns dans les autres. C'était comme s'ils GROUILLAIENT.

« Dic nobis, Maria, quid vidisti in via ? » – Des blancheurs éperdues palpiter comme des mains.

– Je peux en prendre un ? a demandé Henri.

Il l'a enfoncé dans l'une de ses boutonnières. J'ai repéré trois pots de peinture sur le côté et une lettre d'explication : « NOIR pour les yeux. BLANC pour la barbe. DORÉ pour les chapeaux. »

– Ça, c'est un truc à s'abîmer la vue.

– Mais non, j'ai dit, c'est juste pour nous dépanner.

Il a ronchonné mais on s'y est mis. On a tout viré sur la table et j'ai vidé le carton au beau milieu.

– Il y en a beaucoup, tu crois ?

Il y avait une montagne de petits bonshommes rouges.

– C'est difficile à dire... Dix mille... Cent mille ?...

Au début, quand j'ai constaté à quelle vitesse je parvenais à marquer les deux points des yeux, j'ai pensé que l'affaire était dans la poche. Henri s'était équipé de ses lunettes de lecture et attaquait les barbes derrière moi.

Dans le milieu de l'après-midi, on s'est accordé vingt minutes de repos. Je commençais à loucher et le blanc dégoulinait sur les doigts d'Henri. J'ai bu ma PREMIÈRE bière de la journée, la plus douce, la plus tendre, la plus innocente.

– Je viens de calculer une chose, m'a déclaré Henri en me regardant par-dessus ses lunettes. Pour que ce soit tout juste rentable, il faut en sortir un toutes les deux secondes, entièrement fini, pendant huit heures d'affilée.

On a contemplé tous les petits machins éparpillés sur la table et je lui ai posé une main sur l'épaule.

– Ne te laisse pas avoir par la rigueur glacée des chiffres, lui ai-je murmuré.

Henri a craqué vers la fin de la journée. D'une pichenette, il a balancé son petit dernier à travers la pièce sans même attendre qu'il fût sec, l'accompagnant d'un « Putain, que le diable t'emporte !... » Des deux mains, il s'est écarté de la table. Après ça, je n'avais plus un poil de force, plus un gramme de volonté. Mais j'ai continué seul pendant encore deux ou trois minutes. Puis je me suis effondré tandis que le jour baissait.

« Dic nobis, Maria, quid vidisti in via ? »
– L'augure du printemps tressaillir dans mon sein.

Il me semblait que j'allais traîner cette malédiction toute ma vie. Le monde était infiniment cruel avec moi et les malheureux dans mon genre. La société ne vous jugeait qu'en fonction de votre capacité à décrocher un boulot et à vous y cramponner comme un chien enragé. Faute de quoi vous n'étiez qu'un pâle crétin, un pauvre dégénéré, une sorte de fou. Mais quelle plus grande folie pouvait-on imaginer que de passer sa vie derrière un bureau ? Quel plus grand mensonge pouvait-on se faire à soi-même que de bâtir son existence sur du vide, uniquement parce qu'une majorité de connards vous y contraignait. Alors que la seule chose vers laquelle doit tendre un individu normal, c'est la liberté, pas la prison à vie, et les neuf dixièmes des boulots aujourd'hui sont pires que des cachots humides, puant la pisse et la désolation. La vie n'était pas si effrayante que ça pour qu'on veuille s'enfermer à double tour.

Je repense par exemple à ce type qui désirait me botter le train. Il écrivait un peu plus loin, et sur un ton de reproche, que je passais ma vie à ne rien faire. Mais qu'est-ce qu'il entendait par là ? Assurément, le pauvre malheureux ne connaissait pas toute la richesse de ma vie, pas plus que l'incroyable difficulté qu'il y a justement

à NE RIEN FAIRE, ce qui est évidemment une
attitude qui engage et investit l'individu tout
entier. Et bien sûr, je ne lui en veux pas, j'ai
même cru remarquer qu'il avait une petite mèche
blanche sur le crâne et j'espère que ce n'est pas
de ma faute.

Enfin quoi qu'il en soit, je n'avais jamais
envisagé pouvoir consacrer trente ou quarante
ans de ma vie à un boulot sans âme, sans intérêt,
pour ne pas dire mortellement chiant, uniquement pour avoir le droit de prétendre je suis
ceci ou je suis cela, voici la maison que j'habite,
voici ma voiture, voici l'adresse de ma banque,
voilà ma femme, voilà mon patron, voilà la place
que j'occupe dans cette vie. J'aimerais ajouter
voici mon revolver. Je n'ai jamais eu honte des
« petits boulots », comme on dit, ils ont été pour
moi la source d'expériences formidables, infiniment variées et, d'une certaine manière, les com-
pagnons de ma liberté. Je n'ai jamais été un
« paumé » ou un « zonard », malgré ce que des
gens en ont pensé. Même dans les pires circons-
tances, j'ai toujours éprouvé de la fierté pour
ma vie. Aujourd'hui encore, je regarde ces types
allergiques à l'encasernement général comme des
animaux sacrés, on devrait s'écarter de leur
chemin quand on les croise dans la rue.

Pour en revenir à ce problème d'argent qui
me préoccupait, je venais de voir ma solution
miracle tomber ridiculement à l'eau. Je me
suis levé en soupirant et j'ai viré toutes ces
horreurs de ma vue, j'en ai rempli un sac poubelle. Chaque fois que je me retrouvais dans
une de ces situations alarmantes, ce n'était pas
la bonne volonté qui me manquait, mais à coup
sûr l'imagination. J'aurais pu passer des nuits
entières à me torturer l'esprit pour découvrir de
quelle manière je pouvais GAGNER du fric comme
tout un chacun, sans qu'il me vienne la plus
misérable petite idée intéressante ou le moindre

truc qui vaille le coup. Malgré tous mes efforts, je ne parvenais pas à aborder le problème froidement, à y réfléchir calmement pendant plus de trois minutes. Mon esprit s'envolait invariablement dans un sens ou dans un autre et je ne m'en apercevais pas, ou seulement une heure après. Ça me mettait en rage. Je sortais de ces vaines et douloureuses tentatives complètement lessivé.

– Tu veux que je te continue ma lecture ?... m'a proposé Henri.

– Non, j'aimerais que tu m'en lises certains des tiens.

Il n'acceptait que très rarement. La plupart du temps, il m'envoyait balader, mais cette fois il ne s'est pas fait prier. Je me suis délicieusement installé pendant qu'il allait chercher ses trucs, j'ai balancé mes tennis à l'autre bout du pays. J'étais très excité, à cause de la pénombre et du silence total qui régnaient dans la pièce, je n'aurais pu espérer une ambiance aussi parfaite. J'ai tiré sur le fil du téléphone pour le débrancher. Henri allait me lire ses poèmes. Ce n'était plus le moment de penser à ces ahurissantes histoires de fric. J'ai regardé le plafond en souriant. Adieu, monde cruel et mesquin, adieu, pauvres petites misères pitoyables de ma vie !

Lorsque Marlène est rentrée, j'étais proprement crucifié sur le divan, le souffle court, la gorge serrée. J'aimais tellement ce qu'écrivait Henri que ça me faisait mal, pourtant je le suppliais toujours de continuer. Je n'arrivais pas à savoir si ce genre de plaisir ne venait qu'avec l'âge, mais il me semblait que ça allait en augmentant et je ne me souvenais pas avoir éprouvé de tels sentiments à l'époque où j'avais vingt ans, quand je pouvais rester plusieurs jours sans manger et sans dormir, l'époque où je me croyais plongé dans un monde merveilleux.

« Oh ! mes chéris, je suis morte !... » nous a

déclaré Marlène, s'effondrant dans un fauteuil, les deux bras en croix. Je remarquais au passage que la poésie n'était pas la seule à crucifier les gens. Depuis une semaine, elle quittait le journal assez tard, le soir. Je lui laissais la voiture. Le type qui travaillait avec elle était tombé malade, et voyant que Marlène s'en sortait bien toute seule, la direction tardait à engager un remplaçant. La pauvre ne tenait plus debout, mais le job lui plaisait. J'aimais cet air fatigué qu'elle avait, les traits de son visage plus marqués. Allez savoir d'où me venait ce goût morbide... Je ne trouvais rien de plus bandant au monde que ce pâle sourire qu'elle m'envoyait tandis que je lui servais un verre. J'en répandais la moitié à côté.

On essayait de la persuader de manger un morceau et tantôt elle acceptait, tantôt elle buvait son verre et on la regardait traverser la rue, cherchant la clé dans son sac, et quelques secondes plus tard on voyait la lumière dans sa chambre, au premier. Le temps qu'on referme la porte et qu'on échange deux mots en se dirigeant vers la cuisine, sa lumière s'éteignait. On s'arrêtait une seconde devant la fenêtre.

– Hum... elle était encore crevée, ce soir...
– Ouais... elle aura pas eu la force de se démaquiller !...

Je me rends parfaitement compte, aujourd'hui, à quel point nous lui rendions la vie compliquée. Et par-dessus le marché, je ne connais pas d'exemple de femme qui se soit retrouvée avec DEUX écrivains sur le dos, et chacun sait que ce ne sont pas les types les plus drôles, les plus faciles à vivre. Malgré tout, elle n'en laissait rien paraître et semblait s'arranger de cette drôle de vie. D'un côté, il y avait Henri et cet amour qui refusait de mourir mais que plus rien ne pouvait faire avancer. De l'autre, il y avait moi et ma merveilleuse tendresse, c'est-à-dire rien de particulièrement exaltant. Sexuellement parlant, je suis le premier à reconnaître que c'était un peu léger. Et bien qu'il soit communément admis de nos jours qu'une femme puisse éprouver les mêmes désirs qu'un homme, cette idée ne venait même pas nous effleurer. Une telle innocence eût été adorable à l'âge où nous portions des culottes courtes. Pas après des dizaines et des dizaines d'années.

Nous avons attendu le week-end pour lui changer les idées. Nous l'avons emmenée à cinquante bornes de là, au bord d'un lac, et nous avons mangé dans un restaurant avec les pieds pratiquement dans l'eau. Nous avons été aux petits soins pour elle. On s'est payé les meilleurs vins. Au moment de régler la note, j'ai signé un chèque.

Un peu plus tard, le soir, alors que je m'étais attelé à mes comptes, j'ai constaté que je venais de poser un malheureux pied sur les sables mouvants de mon découvert bancaire. « Eh bien, nous y voilà ! » me suis-je dit. « Nous y voilà enfin ! » Marlène avait voulu se coucher tôt et Henri et moi étions seuls. Il était en train de dévisser la monture de ses lunettes. Je me suis levé et je me suis avancé vers lui.

— Qu'est-ce qui se passe ?... j'ai demandé.

— Y a un verre qui bouge.

— Dis-moi... Ça m'arrangerait si on mettait ton chèque sur mon compte... Ça me donnerait un peu d'oxygène...

— Le chèque de Vera ?...

— Eh bien, oui, le chèque de Vera... Mais tu sais, c'est juste pour me laisser le temps de reprendre mon souffle. Je ne veux pas de cet argent, je te le rendrai. D'ailleurs, il n'est pas impossible qu'à l'heure où je te parle mon éditeur soit en train de me signer un chèque...

Il s'est enfoncé un doigt dans l'oreille et l'a secoué énergiquement. Je me suis demandé pourquoi il mettait un temps fou à me répondre.

– C'est que, vois-tu... Merde, franchement tu tombes mal !...

– Ouais, mais tu les connais dans les banques, ils n'ont pas les nerfs très solides !...

– Non, c'est pas ça... Mais ce fric, je ne l'ai plus.

– Comment ça, tu l'as plus... Tu t'es acheté une concession à perpétuité ?

– Eh bien... j'avais un truc personnel à régler...

– Qu'est-ce qu'il t'arrive ? Tu as des ennuis ?...

– Non... j'aurais voulu pouvoir t'aider.

– Bah, ce n'est pas encore dramatique... Ne parlons plus de ça.

– Si tu m'avais prévenu plus tôt...

– C'est chiant pour tes lunettes ?

– Non, c'est un machin à resserrer.

J'ai profité que la soirée était calme et d'avoir l'esprit clair pour travailler un peu. Depuis un moment, j'écrivais directement à la machine, j'avais fini par succomber au charme de sa compagnie et j'aimais bien voir les lignes lui sortir du ventre une par une, j'avais le sentiment d'avoir son approbation.

Au bout d'une heure, j'étais tellement absorbé dans mes réflexions que je n'avais pas remarqué qu'Henri se tenait à côté de moi. Sa voix m'a fait sursauter :

– Hum... c'est une bonne page ! m'a-t-il dit en se tripotant les cartilages du nez. Il faut reconnaître que tu as un certain sens du rythme.

– Oui, c'est encore heureux, je me casse assez le cul pour ça.

Il s'est allumé tranquillement une cigarette, en restant planté là. Il a envoyé une longue bouffée au plafond. J'ai compris que j'avais le temps de me lever pour prendre quelque chose à boire dans le frigo. Je suis retourné à ma chaise. C'était une boisson parfumée avec des fleurs de houblon. Et Henri n'avait pas bougé d'un pouce.

– Eh bien, de deux choses l'une, j'ai attaqué. Ou tu me le dis, ou tu me le dis pas, mais décide-toi avant que le jour se lève. Je voudrais travailler encore un peu.

Il s'est assis sur un coin de ma table en hochant la tête. Il devait se demander comment il allait m'amener ça. Finalement, il a choisi le chemin le plus court.

– J'ai payé quelqu'un pour retrouver Gloria. On s'est mis d'accord sur un forfait.

Sur le coup, j'ai cru qu'on venait de m'arracher tous les cheveux, j'ai été stupéfié. Mon regard a glissé sur le sol et j'ai contemplé fixement une brûlure de cigarette sur la moquette.

– J'avais besoin de cet argent, tu comprends... C'était inespéré.

J'ai posé mon verre sur la table. Je me suis redressé. Je me suis enfoncé les deux mains dans les cheveux et je me suis attrapé le crâne. J'ai poussé un soupir capable de soulever la baraque.

– Putain de Dieu, Henri... mais putain de Dieu ! ! !...

On s'est regardés. Il y avait une telle force, une telle assurance, une telle résolution dans ses yeux que j'ai failli en baver d'envie. Ça le rendait très beau, une beauté farouche, certes, mais la seule qui puisse résister au lessivage des ans. Je me suis ressaisi en une fraction de seconde, car enfin ce n'était pas nouveau pour moi, je savais qu'il était un personnage hors du commun et lorsqu'il le fallait, je rendais mon esprit imperméable, le temps était passé où il me désarmait d'un seul regard, et bien que mon attachement pour lui allait grandissant, je me sentais beaucoup moins disposé à lui laisser le dernier mot.

– Mais bon Dieu, dis-moi un peu à quoi ça rime !... Est-ce que t'es pas devenu CINGLÉ ? ? ! !...

Il s'est levé sans répondre mais je l'ai poursuivi jusqu'à l'autre bout de la pièce. Il s'est assis sur le canapé. Je suis resté debout. La colère m'étranglait. À moins que ce ne fût la tristesse, ou l'appréhension, ou l'impuissance, ou tout simplement le poids des choses.

— Alors, ça ne t'a pas suffi ? ? !... j'ai lâché d'une voix sourde. Ça ne t'a pas semblé assez clair ? !...

— Ce n'est pas un problème de clarté, il a répondu.

Je savais que de toute manière, la partie était jouée. C'est peut-être la raison pour laquelle j'ai réussi à me calmer. Je me suis accroupi devant lui.

— Mais pour l'amour du ciel, j'ai murmuré, qu'est-ce que tu vas y gagner ? Comment tu t'imagines qu'elle va réagir, cette fois ?... Tu crois qu'il va te suffire de la prendre par la main et de la ramener ?...

— Je n'ai pas l'intention de la ramener... J'ai simplement quelques mots à lui dire.

— Et Marlène, qu'est-ce qu'elle pense de ça ? Elle est au courant ?

Il a levé les yeux sur moi pour s'assurer que je comprenais bien ce qui allait suivre.

— Marlène n'a rien à voir là-dedans. Absolument rien.

Je me suis claqué les cuisses et je me suis redressé. J'ai pensé un moment boire quelque chose, ou fumer une cigarette, ou mettre la main sur un paquet de chips, mais rien ne m'emballait, j'ai simplement jeté un regard abattu autour de moi.

— Tu sais, Henri, tu m'empêcheras pas de penser que c'est une véritable connerie. Il n'y avait que le temps qui pouvait arranger les choses.

Il a eu un geste agacé.

— Ah !... ne demande pas à un type de soixante ans de laisser faire le temps. Et puis il y a rien à arranger. Je ne suis pas complètement idiot.

– Écoute, je sais pas si c'est ce que tu cherches, mais tu vas en prendre plein la gueule, j'espère que tu t'en rends compte...

Il m'a souri de manière à la fois étrange et angélique.

– Tu vois à quoi ça ressemble un entonnoir ? il a demandé.

Comme je ne répondais pas, il en a dessiné un dans les airs.

– Quand tu auras mon âge, tu seras arrivé dans le petit bout, il a enchaîné. Tu verras qu'il te reste pas beaucoup de possibilités.

Je me suis tordu un peu la bouche. Je me suis demandé où est-ce qu'on allait.

À nous deux, Henri et moi, nous avions plus d'un siècle. Ce n'était pas ce qui nous facilitait la tâche pour trouver un boulot. Henri savait conduire une locomotive et je savais déboucher un évier, mais ce n'était pas suffisant pour la région. Il semblait que plus vous descendiez vers le soleil, moins vous aviez de chances de vous dégoter un travail. Pourtant, nous étions bien décidés. Nous en avions longuement discuté et nous nous sentions tout à fait capables de filer le train à la masse laborieuse pendant un mois, deux à tout casser, enfin jusqu'à l'arrivée de mon chèque. D'autant plus que mon éditeur m'avait fait parvenir un mot encourageant. « Prenez patience, me disait-il. Le temps travaille pour vous, ainsi que mon humble personne. » J'avais eu l'occasion de le rencontrer quelquefois, suffisamment pour me rendre compte que je pouvais avoir confiance en lui et que j'étais tombé sur le bon numéro. Bien sûr, ça ne me donnait pas à manger, mais ça me permettait de serrer les dents en gardant le sourire. La liste des écrivains qui en avaient chié était longue et mes ennuis n'étaient vraiment rien comparés au calvaire de certains. Il suffisait que j'y pense pour me dispenser de lever un poing hargneux vers le ciel.

Durant quelques jours, nous avons épluché en vain les petites annonces de tous les journaux des environs. De son côté, Marlène était chargée de jeter un coup d'œil sur les offres d'emploi qui paraissaient dans son journal, *L'Organe du Sud,* avant même qu'elles ne fussent imprimées. Mais ça n'a rien donné.

– Tu peux m'expliquer ce que c'est qu'un pays industrialisé ? soupirait Henri.

Quand ils nous voyaient arriver, les commerçants du coin semblaient soudain frappés d'un ulcère à l'estomac. Charles avait proposé de nous aider, mais cette fois j'avais refusé. J'avais fini par me persuader que mes éternels problèmes d'argent brillaient de leurs derniers feux et je voulais livrer cet ultime combat sans rien devoir à personne. Charles était une vraie concierge. Un matin, j'ai reçu un coup de fil de Vera.

– Est-ce que je peux faire quelque chose ?

– Non, tu es gentille.

– Je ne supporterais pas qu'Henri et toi soyez ennuyés par des questions d'argent...

– Non, sois tranquille.

– Tu sais qu'on parle beaucoup de toi, ici...

– Ouais, mais ce serait mieux si on parlait d'Henri.

– Oh, tu sais, la poésie est un truc tellement SPÉCIAL !...

Quelques jours plus tard, alors qu'un sort cruel semblait s'acharner sur nous, Charles s'est pointé à la maison, accompagné d'un jeune type au sourire pincé.

– Mes amis, je vous présente Victor-Serge. Je pense qu'il a quelque chose à vous proposer...

– Oh... rien de sensationnel, a précisé le gars en rougissant.

– Ne restez pas dehors, nous sommes-nous empressés de répondre.

176

C'était une belle journée, et pourtant, le soir même, il s'est déclenché un orage épouvantable, un déluge comme on en voit une fois par an. Le ciel s'est assombri d'un seul coup et dans le quart d'heure qui a suivi, la rue s'est transformée en torrent et la gouttière s'est effondrée dans le jardin comme le mât d'un navire frappé par la foudre.

– Ça nous pendait au nez depuis un bon moment, ai-je remarqué tandis que nous grimacions devant la fenêtre de la cuisine.

– Pourtant, le ciel était tout bleu...

– Nan, cette putain de gouttière.

À dire vrai, il fallait aimer ce genre de coin, c'était un peu particulier. Quand le vent soufflait, des toits s'envolaient. Quand il faisait chaud, on crevait, et l'hiver, toutes les canalisations sautaient. On pouvait rester des mois sans voir une seule goutte d'eau et dans la seconde qui suivait, le ciel devenait d'un noir effrayant et un océan vous arrivait sur la tête. Tout était disproportionné mais à la longue, on s'y habituait et on se tenait prêts à recevoir une nouvelle leçon à chaque fois. J'en suis venu à considérer que c'était une bonne attitude à adopter dans la vie. Car rien n'est jamais joué comme on peut le vérifier tous les jours.

Il ne tombait pas des gouttes mais de longues aiguilles aussi épaisses que le petit doigt, et pas une seule voiture ne passait dans la rue, tout le monde restait planqué. La nuit était emplie d'un crépitement frénétique et de l'effroyable gargouillis des eaux ruisselantes. Un tel orage vous transformait une rue familière en pays inconnu. Ce spectacle faisait naître en moi un profond découragement. J'étais en train de penser à la vanité de toute entreprise humaine, j'étais en train de me dire qu'écrire ne servait à rien, lorsque je me suis aperçu qu'une des fenêtres de Marlène était restée ouverte. Celle de sa chambre, au premier.

J'ai montré le truc à Henri et je lui ai dit que j'y allais.

– Bon, ben je te prépare un grog !

J'ai attrapé le double des clés et, mouillé pour mouillé, je ne me suis pas embarrassé d'un imperméable, j'ai plongé dans la rue en prenant mon élan. La tiédeur de la pluie m'a surpris. Ce n'était pas désagréable, ça m'a rappelé mes vieilles joies d'enfant.

Des gerbes d'eau s'engouffraient par la fenêtre, toute une partie de la chambre était inondée. J'ai respiré son parfum, puis je me suis précipité sur l'espagnolette et j'ai fermé. Je me suis assis au pied du lit. Je ne connaissais pratiquement pas sa chambre, je ne m'y étais jamais trouvé seul et jamais plus de trente secondes avec elle. Je préférais l'attendre en bas, c'était plus facile pour moi et ça compliquait moins les choses, ça m'évitait de me mordre les lèvres de toutes mes forces pour ne pas la basculer sur le lit. J'ai passé un petit moment à regarder autour de moi, à faire connaissance avec tout ce qui me tombait sous les yeux, sa coiffeuse, ses produits, ses brosses, ses chaussons, son peignoir, sa lampe de chevet, ses murs blancs et vides, ses bouquins, son réveil, sa radio, ses coussins, son oreiller, sa chaise, son verre d'eau, son beaucarnéa et quelques vêtements oubliés çà et là. Ensuite je suis allé chercher de quoi réparer les dégâts.

J'ai dû faire trois allers et retours jusqu'à la salle de bains avec une bassine remplie de la flotte que j'épongeais au pied de la fenêtre. Et c'est tout à fait par hasard, alors que je vidais la dernière dans le lavabo, que j'ai repéré le tube de spermicide sur la tablette. Il était aux deux tiers entamé. J'aurais préféré que ce soit un tube de dentifrice ou une crème pour les mains. Je lui en ai voulu d'avoir oublié ce truc-là juste sous mes yeux. D'avoir oublié de fermer sa fenêtre un soir d'orage. J'en ai voulu à la vie d'être ce qu'elle était, si bêtement évidente, si étonnamment brutale.

J'ai terminé avec un coup de chiffon sec et je suis allé tordre la descente de lit au-dessus de la baignoire. J'avais beau me répéter que j'étais mal placé pour lui reprocher quoi que ce soit, que moi aussi j'allais baiser ailleurs, il n'empêche, ça me faisait tout drôle. Ça me rendait même carrément malade.

J'ai refermé la porte derrière moi et je suis sorti. J'ai traversé lentement la rue sous l'orage. Je n'ai pas tendu mon visage vers le ciel dans l'espoir de m'abandonner à une eau purificatrice, j'étais tout simplement tellement trempé qu'il était inutile de me presser.

– Des dégâts ? a demandé Henri.

– C'est un grand mot.

Je n'avais pas envie de la voir, j'ai pas attendu qu'elle rentre. J'ai souhaité bonne nuit à Henri et je suis monté réfléchir dans ma chambre.

Le lendemain était un samedi. Il faisait un temps magnifique, le ciel était d'une pureté sans nom. En bas, Henri cramponnait la gouttière et j'avais passé une jambe par la fenêtre, ainsi que tout mon corps, et j'essayais d'amarrer l'ensemble du bazar à la façade en jurant. Je me suis arrêté un instant en la voyant sortir de chez elle et je l'ai suivie des yeux, tandis qu'elle traversait la rue, et tout était harmonieux.

– Mais tu es fou ! elle m'a lancé. Tu vas te briser les reins.

– Si je tombe, il doit me rattraper, on s'est arrangés comme ça.

– Hum… Vous me faites peur, elle a ajouté.

Elle a embrassé Henri, puis elle est entrée dans la baraque. Cinq minutes après, je sentais qu'on me passait une corde autour du ventre.

– Mais qu'est-ce que tu fabriques ? je lui ai demandé.

— Eh bien, j'ai envie de boire mon café tranquille ! Je ne vais pas laisser deux idiots me gâcher ça...

— Bah, je n'en ai plus que pour une minute !

— Très bien, j'attendrai le temps qu'il faudra.

Elle a enroulé l'autre bout de la corde autour de son bras alors que je méritais cent fois de mourir. J'étais sur le point de lui expliquer patiemment que de toute manière c'était idiot, qu'elle n'aurait sans doute pas la force de me rattraper si je tombais et que je pouvais l'entraîner dans ma chute, mais Henri s'est excité en bas, il nous a demandé si on ne pouvait pas choisir un meilleur moment pour discuter ou si c'était une plaisanterie. J'ai achevé mon rafistolage le plus rapidement possible, serrant le rebord de la fenêtre entre mes jambes au point de le déformer. Que j'en avais encore des douleurs dans les cuisses pendant que nous buvions ce fameux café.

Ils discutaient de je ne sais quoi tous les deux et je faisais semblant de les écouter, je souriais vaguement, je hochais la tête et, derrière ce masque impénétrable, je me contentais de l'observer, de parcourir encore et encore le chemin qui allait de sa bouche à ses yeux, glissait sur son cou, son épaule, remontait à son oreille, glissait dans ses cheveux, dévalait sur son front, son nez, ses lèvres et se mordait continuellement la queue. J'avais du mal à admettre qu'un pauvre salaud se l'envoyait, mais il me semble que j'y arrivais et je la trouvais encore plus belle. Je n'arrive pas à savoir, quant aux problèmes de sexe, si l'âge rend plus intelligent ou plus con. À première vue, ma réaction me paraissait étrange, mais plus le temps passait et plus je m'enfonçais dans un monde mystérieux, plus mes certitudes s'ébranlaient, et je me demandais parfois à quoi rimait le trajet parcouru si l'on devait ainsi tout réapprendre, si chaque matin s'étendait sous vos yeux une région inconnue, un désert nouveau. Mon café était froid, pas sucré. Je l'ai bu.

J'ai passé les meilleurs moments de la journée à l'observer, à épier ses moindres gestes en prenant soin de cacher mon manège du mieux que je le pouvais. Je tenais un magazine entre mes mains pendant qu'elle jouait aux échecs avec Henri, que son front se plissait et qu'elle se tripotait les lèvres. Je passais en revue toute la pile de disques pendant qu'elle nous servait le thé et qu'elle coinçait une mèche de cheveux derrière son oreille, que ses mains volaient au-dessus des tasses et qu'elle se balançait sur les genoux. J'ai comme qui dirait relu mes notes tandis qu'elle parlait, souriait, fronçait les sourcils, se levait, riait, bâillait, traversait la pièce de long en large, se caressait les bras, se frottait un œil, croquait un bonbon, et je ne perdais pas une seule expression de son visage, qu'elle fût debout, assise ou couchée sur le canapé, qu'elle claquât dans ses mains ou qu'elle râlât, qu'elle se déplaçât dans la lumière de l'après-midi ou qu'elle se tînt tranquille pendant que le jour tombait. C'était une journée particulièrement intéressante pour moi et riche d'un nombre incalculable de petits détails précieux. C'était un bon exercice pour un type qui se plaignait de ne plus rien savoir.

Le soir, on s'est préparé trois énormes pizzas et je me suis retrouvé un instant tout seul avec elle dans la cuisine. Henri est rarement là quand il s'agit de ranger les trucs, c'est toujours le moment qu'il choisit pour aller remplir des verres à l'autre bout de la maison. Je donnais un coup d'éponge sur la paillasse, rassemblant les épluchures d'oignons, lorsqu'elle s'est approchée de moi avec un torchon blanc.

– Alors... comment tu me trouves ? a-t-elle demandé tranquillement.

La surprise fut telle que j'en envoyais involontairement un coup de genou dans la porte du placard. Je ne l'ai pas regardée, je me suis concentré sur mon éponge et je l'ai tournée du côté qui gratte pour décoller une saleté.

– Comment ça, comment je te trouve ?... Tu as quelque chose de changé ?

– Non, je veux dire après l'examen que tu m'as fait passer.

– Ah ! ah !... Mais qu'est-ce que tu racontes ?!...

Je me suis tourné vers elle en souriant d'une oreille à l'autre, tirant tant que je pouvais sur mes zygomatiques. De son côté, elle avait un regard amusé.

– Tu sais, je suis encore capable de m'apercevoir quand tu as les yeux posés sur moi... elle a répliqué d'une voix douce. Surtout lorsque c'est aussi discret.

J'ai poussé les pelures cuivrées dans ma main, je les ai écrabouillées avant de les jeter à la poubelle. Peut-être qu'Henri allait rappliquer avec ses sacrés verres. Qu'est-ce qu'il fabriquait ?

– Tu ne veux pas répondre ?...

– Marlène... tu sais que j'ai toujours eu du plaisir à te regarder. C'est pas nouveau...

Elle a hoché lentement la tête, d'une manière presque imperceptible, c'est bien simple, ses cheveux ne bougeaient même pas. J'ai trouvé que ça durait un temps fou.

– Eh bien, je te remercie, elle a murmuré. C'est un merveilleux compliment...

Cette petite scène apparemment sans importance m'a chamboulé pour le restant de la soirée. J'ai essayé tant bien que mal de boire et manger normalement, mais le cœur n'y était pas et j'aurais pu succomber à une malheureuse arête d'anchois. J'avais toutes les peines du monde à m'intéresser à la conversation, je perdais le fil à tout bout de champ et même Henri a trouvé que je n'étais pas dans mon assiette.

« C'est rien, j'ai dit. C'est mon roman. » J'évitais de poser les yeux sur elle, j'évitais de me poser les vraies questions.

Vers 1 heure du matin, elle est allée se coucher. Henri a traîné encore un peu, puis il est monté. Je suis resté seul. Je me sentais triste et furieux. Je m'en voulais d'encombrer ma vie avec toutes ces histoires.

D'une manière générale, je m'en voulais de laisser le monde me toucher, me distraire, m'accaparer avec toutes ses imbécillités, ses faux plaisirs, son étalage grossier. S'enchaîner au lieu de se libérer, voilà ce qu'on fabriquait, voilà ce à quoi la vie se réduisait. Je me suis versé un verre parce que cette constatation me rendait malade. Mais ça ne m'a pas remonté le moral, au contraire. Tu ne prends pas ton élan, je me disais, tu te remplis les poches de pierres. Est-ce que tu as médité aujourd'hui ? Est-ce que tu t'es recueilli ? T'es-tu mis à genoux devant la Beauté ? As-tu éprouvé une quelconque émotion spirituelle ? Dis-moi si tu connais une autre réalité, sors dans la rue et dis-moi si tu trouves une seule chose qui vaille la peine. C'est tellement simple, tellement évident. L'humanité est en train de basculer dans l'abrutissement général, qu'y a-t-il de plus facile à voir ? Es-tu décidé à te laisser faire ? Vas-tu continuer à gaspiller ton temps en lisant le journal, en écoutant la radio, en t'installant devant la télé ? Vas-tu enfin te débarrasser de tout ça ? ? Et te préoccuper de ton salut ? Ou bien préfères-tu creuser ta tombe comme le dernier des attardés et baver devant les vitrines du monde comme le dernier des glands ? Aiguise ton esprit au lieu de l'émousser, je me répétais, tourne-toi vers les joies immatérielles.

Je me retrouvais loin de mon point de départ. Je me tordais pratiquement les doigts. Le silence était effrayant. Je me suis levé pour choisir un disque et bien sûr, je me trouvais dans un état d'esprit assez particulier, je n'étais pas d'humeur à écouter une musique de dingue.

Je suis retourné m'asseoir dans mon fauteuil et j'ai croisé mes mains derrière ma tête pendant que Kathleen Ferrier attaquait ses *Kindertotenlieder*. Absolument merveilleux. Avant de m'endormir, j'ai relu les dernières pages d'*Ulysse* de Joyce. C'était tellement beau. Je n'en demandais pas tant.

11

Au bout d'une semaine, les œufs du jour n'étaient plus des œufs du jour. C'était simplement des œufs frais. Seulement il fallait changer toutes les étiquettes, et Henri et moi, ça nous prenait la journée. Ce n'était pas quelque chose d'extrêmement fatigant, mais nous n'avions pas le droit de fumer et il fallait rester debout tout le temps, dans des odeurs d'aliments et de produits ménagers.

C'était un entrepôt d'environ vingt mille mètres carrés. Un hectare de boîtes de conserve, saucissons, machins congelés, bouteilles d'alcool, cacahuètes, yaourts, paquets de café, volailles et autres, empilés sur des rayons qui grimpaient jusqu'à dix mètres du sol. L'autre partie était réservée aux machins d'utilisation courante, tous ces trucs qu'on trouve dans un supermarché.

Le père de Victor-Serge était le gérant. Sa femme, une blonde vulgaire qui passait son temps au rayon des cosmétiques, était la directrice du personnel. Victor-Serge s'occupait des stocks. En plus d'Henri et moi, il y avait quatre types qui travaillaient sous ses ordres, un peu plus jeunes. Je ne sais ce qu'il en était quant aux aliments, mais aux environs de 1 heure, lorsque le soleil était pratiquement à la verticale et tombait sur le toit en fibrociment, le hangar se transformait en fournaise. C'était un automne magnifique, avec des journées brûlantes comme en été, quelques orages, mais la température ne descendait pas en dessous de vingt-cinq degrés. En attendant la fraîcheur du soir, on se baladait en tee-shirt. Le truc se trouvait à la sortie de la ville et les camions de livraison contournaient le bâtiment dans un nuage de poussière brûlante. Lorsque les types en descendaient, ils étaient trempés des pieds jusqu'à la tête, ils surveillaient le déchargement en se tenant à l'ombre, qui secouant la tête et tirant la langue, qui s'épongeant le front dans une chaleur pétrifiée.

Ainsi que Victor-Serge nous l'avait déclaré, ce boulot n'avait rien de sensationnel, mais pour nous, il tombait à point. J'avais été viré de ma banque. J'avais dû remettre mon carnet de chèques au directeur et j'avais traversé son bureau dans la peau d'un bourgeois de Calais, tandis qu'il regardait par la fenêtre en bâillant. J'espère qu'aujourd'hui il se les prend et se les mange. J'espère que quand ces types-là font une telle bêtise, ils sont rétrogradés derrière un petit guichet poussiéreux. N'empêche que sur le coup, ça ne m'a pas amusé, je me suis senti désarmé. N'y pense pas, je me disais, NE PENSE PAS À ÇA, dis-toi qu'un jour peut-être, un type écrira le roman de ta vie : « ... et jamais IL ne s'est soucié de ses problèmes d'argent, jamais IL n'a permis à ces détails sordides de venir l'importuner. »

Pour fumer, il y avait toujours un moyen de s'arranger, mais pour ce qui était de trouver une chaise, il ne fallait pas y compter. Et il s'est avéré rapidement que Victor-Serge n'était pas précisément un ami des Arts et des Lettres, enfin pas dans la journée, pas pendant le boulot. Il nous avait surpris une ou deux fois assis par terre et nous avait prévenus qu'il ne pouvait se permettre aucune exception, d'autant plus, ajoutait-il, qu'il nous employait par amitié pour Charles, en quelque sorte pour nous rendre service.

En échange de quoi nous lui refilions nos quarante-cinq heures par semaine, quarante-cinq heures DEBOUT. Le soir, Henri se plaignait d'avoir mal dans les jambes. C'était moi qui conduisais. On se racontait pas grand-chose sur le chemin du retour, on se fumait une cigarette dans le jour finissant. 10 heures du matin, 7 heures du soir, une espèce de prison dans le temps.

En fait, ce qui rendait cette plaisanterie supportable, c'est que nous étions tous les deux. Physiquement, ce n'était pas grand-chose, mais chaque minute durait des heures et tout le monde traînait des pieds sous le poids d'un ennui monstrueux, d'une fatigue incoercible. Par moments, il s'agissait de changer des trucs de place, et les boîtes qu'on avait rangées le matin tout en haut des rayons, il fallait se les attraper et les redescendre, les empiler sur un chariot et se les coltiner à l'autre bout du hangar, et les regrimper là-haut sans qu'on nous donne une explication, et quand bien même, qu'est-ce que ça pouvait bien nous foutre qu'il y eût une raison, ou cent ou mille, qui aurait été assez tordu pour se soucier de ça, pour se poser des questions à propos de cinquante mille tubes de mayonnaise ? Toute une journée pouvait se résumer à ça, mais il y avait Henri. Qu'il me dise un mot ou qu'il me jette un regard, et je retrouvais immédiatement la forme, j'oubliais presque où je me trouvais et j'escaladais les rayons comme un singe. Un singe enfermé dans un zoo avec ses rochers en béton et ses gamelles en fer-blanc.

À midi, nous avions une demi-heure pour manger. Tous les types restaient à l'intérieur et cassaient la croûte dans le vestiaire, mais Henri et moi nous sortions. Nous traversions la cour de derrière et marchions jusqu'à une poignée d'arbres qui se trouvait un peu plus loin. On s'asseyait, le dos tourné au supermarché, et on soufflait cinq minutes en regardant la campagne, avant de sortir les machins qu'on avait planqués sous nos blouses.

Les mômes nous avaient déjà repérés et s'amenaient. Ils ne nous disaient rien. Ils souriaient, raflaient la marchandise et partaient en courant.

– Bon Dieu, mais est-ce que tu as vu ses yeux ? me répétait Henri, est-ce que tu as déjà vu ça ? !... Je n'ai pas rêvé ! !

Elle devait avoir cinq ou six ans et ses yeux étaient comme il le disait, superbement dessinés, noirs, profonds, brillants, elle était sale mais très belle, et les autres étaient sales et plus ou moins beaux mais particulièrement vivants, il fallait les voir dévaler la colline en piaillant, sans se retourner, et disparaître au bout d'un instant, tandis que le silence retombait et qu'on déballait tranquillement nos sandwichs.

– Elle me donne des forces pour la journée, murmurait-il, je te mens pas !

Bien sûr, il n'était pas question de sortir des boîtes de raviolis ou de machins énormes, mais rien de plus facile que de se glisser dehors avec vingt tranches de jambon sous plastique dans le dos, des galettes diététiques sous la chemise et des Carambar sur le devant. On essayait de varier. Ces gosses, on ne savait pas d'où ils venaient mais on remerciait le ciel qu'ils soient venus. Ça nous coupait bien la journée. Lorsqu'on redescendait vers la boîte, Victor-Serge nous attendait devant la porte en regardant sa montre d'un air contrarié.

– Bon, mais dépêchez-vous, les gars, les autres ont déjà commencé, je rigole pas...

On passait devant lui en lui envoyant un sourire

radieux, et le premier quart d'heure, on ne le voyait pratiquement pas passer.

Un soir, tandis que j'étais grimpé sur une échelle et qu'il me passait ou que je lui passais un carton de changes complets avec de nouvelles fronces, Henri s'est effondré dans une mare de sang. J'ai eu la trouille de ma vie. Il a gémi comme un type qui vient de se faire poignarder avant de partir à la renverse, et le carton s'est éventré sur le sol, à côté de lui.

J'ai été paralysé pendant une poignée de secondes délirantes, j'ai ouvert la bouche pour respirer et je l'ai regardé grimacer sur le ciment en se cramponnant la jambe. Du sang coulait à travers son pantalon, se glissait entre ses doigts, son sang se barrait à une vitesse fantastique.

J'ai sauté près de lui. J'avais les bras et les jambes tellement raides que j'ai failli me casser en mille morceaux. J'ai lancé quelques mots incompréhensibles puis je lui ai pris la tête. Encore un peu et j'allais le bercer dans mes bras. Seigneur Jésus, j'ai pratiquement rampé sur lui, je lui ai écarté les mains de sa jambe. À la hauteur du mollet, la toile de son pantalon brillait comme une flaque sombre et se gonflait sous la pression du sang, un sang noir et lumineux et malodorant. Je l'ai entendu gémir, j'ai entendu un bruit de course dans le hangar, j'ai entendu un bruit poisseux dans sa godasse, j'ai vu sa chaussette qui buvait du sang.

Pendant qu'il essayait de se redresser, j'ai débouclé sa ceinture et j'ai descendu son pantalon. Il portait un slip démentiel, aux couleurs agressives, et le type qui venait d'arriver, un de notre bande, un type avec le visage abêti par l'alcool, ça l'a fait rire. J'ai souvent remarqué que les pires catastrophes s'accompagnaient de petits détails ridicules, et tout d'abord, j'ai cru que la vie ne respectait pas grand-chose, qu'elle se moquait de la souffrance humaine, puis j'ai fini par comprendre que j'étais un pauvre imbécile et que je ne méritais rien. Je l'ai abattu d'un regard, l'autre ivrogne.

Une petite fontaine de sang coulait de son mollet et partait dans tous les sens.

– Ben merde ! qu'est-ce qu'il a, le vieux ? a demandé l'homme aux yeux jaunes, l'homme au foie malade.

J'ai attrapé un paquet de couches, je l'ai déchiré violemment, c'était des couches de nuit, les plus épaisses, j'espérais qu'elles pouvaient contenir des litres et des litres. On aurait dit un pipe-line crevé au pays de l'or noir, et tandis que j'aplatissais un change garanti intraversable dessus, je me suis souvenu que le sang noir coulait dans les veines, que c'était moins chiant que le rouge si je déconnais pas.

– DÉPÊCHE-TOI !! VA TÉLÉPHONER !!! j'ai beuglé.

– À qui ça ? il a demandé.

– VAS-Y, ESPÈCE DE CONNARD !!!

Il est parti. Les autres arrivaient. J'ai retiré la ceinture d'Henri et je l'ai garrottée autour de sa jambe. Je ne m'étais encore jamais retrouvé avec autant de sang sur les mains, j'en avais jusqu'au coude et nous pataugions dedans tous les deux, et je me demande comment je m'y suis pris pour ne pas tourner de l'œil quand je pense à tout ce que ça réveillait en moi, ne serait-ce que l'absurde et ridicule fragilité de la vie des êtres qui vous sont chers, pour ne parler que de ceux-là.

– Mais que se passe-t-il, ici ?... a demandé Victor-Serge.

Ils formaient un cercle autour de nous. L'un d'eux s'est reculé en voyant qu'il marchait dans du sang. Henri regardait droit devant lui et j'ai remarqué qu'il me cramponnait une épaule d'une main. J'essayais d'entendre une sirène d'ambulance pendant que les types y allaient de leurs conneries.

– Mais enfin, qu'est-il arrivé ? Et vous autres, ne restez pas ici, retournez au travail.

Victor-Serge essayait de reprendre les choses en main, il était payé en conséquence. Les autres se sont éloignés à reculons. J'ai desserré le garrot, je ne me rappelais plus rien à propos de ces putains de garrots, je me demandais s'il n'y avait pas une histoire de gangrène et pourquoi je ne connaissais pas les gestes qu'il fallait, je me maudissais. J'ai remplacé la couche par une autre, je l'ai balancée dans un coin comme une serpillière gorgée d'eau, et il s'est ensuivi un FLOC écœurant. Je transpirais, je me suis dit je vais m'arrêter de respirer jusqu'à ce qu'elle se pointe, cette saloperie d'ambulance, tout l'air que tu vas respirer entre-temps n'est qu'un concentré de poison mortel.

L'autre s'est accroupi près de moi en prenant un air dégoûté. Son sang à lui ne valait rien, mais il était bien vivant et peut-être cherchait-il à savoir ce qu'on avait encore inventé. Il m'a envoyé un regard méfiant.

– Mais qu'est-ce qu'il a ? Hein ?...

– Il a rien.

L'alcoolo s'est ramené à bout de souffle.

– Ils arrivent ! il a annoncé. Merde, il va pas mieux ?

Victor-Serge lui a dit de ne pas rester planté là. Il a haussé les épaules avant de tourner les talons. J'ai retendu un peu le garrot. J'ai regardé Henri, j'ai essayé de lui envoyer un message apaisant. Il me tenait toujours et je voulais surtout pas qu'il me lâche. J'avais l'impression qu'il y avait des heures que nous étions là et le sang continuait à s'échapper de sous la couche.

– Il faudrait une bande, j'ai dit. Donnez-moi une bande.

– Une bande ?

– Oui, une bande ! En vitesse ! !

Je ne mens pas, on aurait dit que je venais

de lui demander la lune ou la monnaie qu'il avait dans ses poches. Il s'est relevé.

– Mais... Mais enfin, je n'en ai pas...

– Putain... Allez voir dans les rayons, dans le magasin !...

– DANS LE MAGASIN ? ? ! !...

Je lui ai jeté un regard mauvais mais, visiblement, ce que je venais de lui demander l'avait tellement horrifié, allait tellement à l'encontre de tout ce qu'il y avait de sacré dans sa vie, qu'il aurait peut-être préféré se laisser tuer sur place plutôt que d'accomplir une chose pareille. Je me suis détaché d'Henri avec précaution, je lui ai dit que j'en avais pour une seconde et je suis parti en courant de toutes mes forces du côté où les gens poussaient les caddies.

Le magasin était séparé de l'entrepôt par une espèce de rideau de plastique translucide, épais d'un bon centimètre, et il pesait un âne mort, mais parti comme j'étais, j'aurais pu défoncer un mur, rien ne peut résister à un type lancé vers un seul but, je me suis jeté dessus et le truc s'est ouvert en rugissant à ce qu'il m'a semblé. Une vieille a stoppé juste devant moi. J'ai sauté par-dessus son caddie tandis qu'elle se protégeait la figure. Jamais Hemingway n'avait fait un truc dans ce genre-là, ni Céline, ni Cendrars, ni Miller, aucun de ceux que je vénérais n'avait traversé un supermarché dans un habit de flamme, forçant le respect et l'admiration, toute son énergie déployée au grand jour, ni Bukowski, ni Brautigan, ni Kerouac, et j'en passe, aucun de ceux qui avaient un jour ou l'autre illuminé ma vie ne s'était payé ça, mettre tout un supermarché à genoux, simplement par la magie de sa présence, par la puissance de son aura, et Henri non plus. La plupart des gens n'ont vu qu'une traînée de feu traverser l'allée centrale, d'autres un ange lumineux et certains furent saisis d'une terreur sacrée, abandonnant leur chariot.

Je me suis emmanché dans le rayon parfumerie sans ralentir l'allure. La mère de Victor-Serge se trouvait là, s'étalant une crème sur le dos de la main et trois fois plus maquillée qu'une tenancière de bordel de bas étage. J'ai réussi à l'éviter de justesse mais son odeur m'a poursuivi jusqu'au bout de l'allée même si je pensais à tout autre chose. J'étais comme fou. J'ai mis quelques secondes avant de trouver les bandes qui pendaient sous mon nez et le sparadrap. Au lieu de les décrocher, j'ai tiré dessus en couinant, et tout un tas de trucs est tombé à mes pieds. L'autre s'est amenée vers moi sur ses talons hauts. Le temps d'un éclair, j'ai pensé que si toutes les femmes étaient comme ça, je n'aurais plus de problèmes. Rien qu'une petite cabane au fond des bois, quelques œuvres complètes et les plus belles heures du jour réservées à la contemplation.

– Mais qu'est-ce qui vous prend ? a-t-elle lâché d'une voix traînante tandis qu'elle faisait avancer toute son horreur vers moi.

Je pouvais presque entendre les parois de son vagin glisser l'une contre l'autre et sa jupe était sur le point de craquer. Ce genre-là, je le laissais à d'autres, sinon on pouvait le jeter. J'ai bondi en avant avec mes pansements sous le bras. D'un coup d'épaule, je l'ai envoyée dans les savonnettes et j'avais déjà traversé la moitié du magasin lorsqu'elle s'est mise à gueuler.

J'ai retrouvé Henri couché sur le sol avec son pantalon baissé. L'autre était debout près de lui, les yeux soudés au plafond, je l'aurais tué. Et il y avait cette flaque de sang par terre. Sur le moment, j'ai cru qu'il gémissait, mais ce n'était que moi. Il m'a regardé. J'ai laissé tomber tout mon matériel par terre. J'ai pensé que j'allais devenir cinglé quand il s'est agi de sortir les trucs de leur emballage. Ils étaient enfermés sous des coques transparentes rivées à des fonds de carton, et pour les sortir de là, c'était la croix et la bannière, et par moments on ne pouvait s'empêcher de trouver que ce monde devenait complètement con et nous repoussait d'une manière hystérique.

– Ne me perdez pas les étiquettes ! a pleurniché Victor-Serge, il faut que je note...

Lorsque j'ai entendu l'ambulance, il pouvait porter à mon compte trois boîtes de gaze, cinq mètres de bande Velpeau et un rouleau de sparadrap aéré. Mais le truc était plutôt du genre baroque, un gros champignon blanc et rouge, façon amanite. Les types en blanc se sont pointés au galop. Ils m'ont demandé de lâcher Henri, mais ils ont vite compris qu'il faudrait m'arracher les bras. Ils ont glissé le brancard sous lui et tandis que nous repartions en sens inverse sous le regard éteint des autres malheureux, un des infirmiers m'a expliqué que c'était leur troisième varice qui pétait aujourd'hui et qu'à son avis c'était un signe d'orage, c'était comme des hirondelles rasant les toits.

Durant le trajet, mon excitation s'est envolée et je me suis senti complètement sonné, je suis retombé au stade animal. Je ne voulais pas regarder autour de moi, car l'intérieur de l'ambulance ressemblait à une salle de torture avec ses flacons, ses tuyaux et ses machins chromés, et la bouteille d'oxygène brinquebalait à la moindre secousse, et le masque pendouillait contre elle en attendant son heure, son client aux lèvres violacées.

– C'est votre frère ? a demandé l'un des gars.

– Oui, j'ai dit.

Les urgences. Cette fois ils l'ont embarqué, cette fois ils m'auraient arraché les bras. J'ai eu à peine le temps de lui toucher l'épaule que déjà ils l'entraînaient sur un chariot et disparaissaient derrière deux portes blanches. J'ai écouté le grincement des roues qui s'éloignait et s'engloutissait dans le silence. Depuis la mort de Betty j'avais une trouille bleue de l'hôpital et aujourd'hui encore, rien que d'écrire ce mot me plonge dans un malaise incontrôlable. Je suis resté figé dans le hall, les poings serrés et les mâchoires douloureuses, non pas qu'une saine colère se fût déclarée en moi, au contraire, c'était une lamentable colique, c'était la résurgence de tous mes vieux démons, ceux qui ne vous abandonnent jamais, qui vous poursuivront jusqu'au bout en se nourrissant de vos blessures, ceux qui vous tiennent bien. Une petite infirmière s'est approchée de moi et m'a dit d'une voix douce de ne pas m'inquiéter, que ce n'était rien, que je pouvais m'asseoir un peu si je voulais.

– C'est votre père ? elle a demandé.

– Oui, j'ai dit.

Bien entendu, Henri n'était ni mon père ni mon frère. Ni mon copain, ni ma femme, ni mon fils. Je veux que les choses soient bien claires là-dessus, je ne veux pas qu'on vienne raconter de conneries. Et qu'il soit l'un des plus grands écrivains de cette époque n'expliquait pas tout. Je ne suis pas idiot au point de vouloir tout expliquer, je ne suis pas en train d'écrire un roman psychologique. Je suis payé pour savoir que la vérité reste toujours cachée. Elle était gentille, cette fille, mais je ne risquais pas de m'asseoir dans un hôpital à moins d'y être forcé. Je l'ai vaguement remerciée et j'ai fichu le camp.

Le soir tombait. J'ai marché un moment, sans penser à rien, quelques images défilaient dans mon crâne mais sans s'arrêter et je ne cherchais pas à les retenir. Au bout d'un moment, je me suis rendu compte que j'avais toujours ma blouse. Je l'ai retirée, roulée sous mon bras et j'ai sauté dans un taxi. Je venais de penser que je devais aller récupérer ma voiture, il semblait que mes idées s'éclaircissaient. Je me suis fendu d'un triste sourire en constatant que je reprenais pied.

Un type qui se souvient de l'endroit où il a laissé sa bagnole n'est pas complètement fini.

Le magasin était fermé mais le parking était noyé sous une lumière jaune et aveuglante. Le taxi s'est arrêté à la hauteur de la Mercedes, et quand le type m'a annoncé le montant de la course, je me suis raidi sur mon siège. Le prix devait être tout à fait normal, la question n'était pas là, mais j'ai réalisé que je n'avais pas d'argent sur moi. C'était trop bête. Le type me regardait dans le rétro.

— Vous allez pas me croire, j'ai dit.

— Ça dépend, il a répondu.

Je me suis lancé dans une explication nerveuse, je lui ai même montré mes mains pleines de sang. Il s'est penché en avant et s'est relevé avec une matraque.

— Vous vous trompez ! j'ai lancé.

— Ça me plaît pas, ce coin désert, il a rétorqué.

Je l'ai enseveli sous une foule de détails, en prenant soin de rester parfaitement immobile, les mains bien en évidence sur les cuisses. C'était une rude journée, j'aurais bien voulu en voir la fin.

— Je vous jure, je ne pourrais pas inventer un truc pareil. Je ne cours plus assez vite pour être un voyou, j'ai quarante ans passés...

— Ouais... alors qu'est-ce que vous proposez ?

— Vous me suivez jusque chez moi. Vous laissez tourner votre compteur.

Il s'est gratté la tête en grimaçant puis s'est pincé le nez :

— C'est pas le dernier modèle que vous avez là... Essayez pas de me semer.

— Mais non, j'ai soupiré. Je vais pas essayer de vous semer.

J'ai roulé à soixante à l'heure. Quand les feux étaient orange, je freinais. De temps en temps, je lui envoyais un signe et il me collait au train. Devant la baraque, j'ai vu la petite mini blanche que Marlène avait achetée lorsque Henri et moi avions eu besoin de la Mercedes, et il y avait de la lumière dans la cuisine, ça m'a fait du bien, vraiment. J'ai dit au gars de m'attendre, je suis entré.

— Bon sang, je commençais à m'inquiéter ! Où est Henri ?...

— Ouais, attends. Je vais t'expliquer.

Je suis allé prendre de l'argent sur le frigo.

— C'est rien de grave, je lui ai dit en repassant devant elle. Attends, je reviens...

J'ai payé le gars et elle m'a rejoint sur le trottoir, elle m'a pris par un bras. Eh bien, j'étais encore debout et la nuit était tout autour d'elle et ma bagnole était garée et la baraque était à quelques mètres et rien de ce qui allait encore nous arriver ne m'est apparu et j'ai senti un calme étrange m'envahir et je lui ai tout raconté en trois mots et elle a mis la main devant sa bouche. Ensuite on est rentrés. Et je lui ai dit tu te souviens, il se plaignait d'avoir mal dans les jambes, putain mais c'est parce qu'on reste debout toute la journée, on a pas cinq minutes pour s'asseoir.

— Oh, mais quelle connerie... elle a soupiré et j'ai levé les yeux au ciel.

— On peut lui téléphoner ?

— Je sais pas... Essaye.

Quand elle a raccroché, je cramponnais un grand verre. Du gin pur, sans rien, sans glaçon, une traînée de feu, une barre d'acier. Elle a hoché la tête, cligné des paupières, j'ai inspiré.

— Ça va, elle a murmuré. Il va bien.

J'ai senti que mes jambes me tiraient vers le canapé. J'ai vérifié que mon verre n'était pas vide, que la bouteille était à portée de ma main, que j'avais mes cigarettes, que la baraque se tenait tranquille, et je me suis assis. Marlène s'est allongée sur le dos, la tête dans ma cuisse. Je me souvenais que Gloria faisait la même chose lorsqu'elle était bien disposée. Betty aussi. J'aimais bien jouer avec leurs cheveux pendant que le monde se déglinguait dehors, et bien qu'une effrayante et inévitable solitude soit notre lot à tous, j'en arrivais à l'oublier et je me payais des instants d'une douceur extrême. Ainsi n'y a-t-il pas que les démons qui nous accompagnent mais tout aussi bien les anges du paradis. C'est ce qui rend la vie formidable. C'est ce qui fait rigoler les sages et hurler les fous.

J'étais naze. Bien entendu je ne l'ai pas baisée, je ne suis pas sans arrêt en train de penser à ce genre de choses et je me trouvais bien où j'étais, je n'aurais pas été mieux entre ses jambes. Je n'avais pas envie de parler et elle restait silencieuse. Je n'avais pas envie de bouger et elle restait immobile. Je lui ai ramené une mèche derrière l'oreille et elle m'a pris la main. Dans l'autre j'avais mon verre. Malheureusement, j'ai bien peur de ne pas avoir la chance de mourir dans un moment pareil. Mais ça ne fait rien.

Il n'était pas question qu'Henri reprenne le travail. Il a insisté mais je lui ai dit j'espère que tu n'es pas con à ce point-là, à moins que tu veuilles y laisser ta peau dans cette saloperie de machin. À présent, mon chèque n'allait plus tarder et vu sous un certain angle, on pouvait dire que chaque jour qui passait nous rapprochait de la lumière. Enfin j'ai quand même décidé de pousser jusqu'à la fin du mois. Avec les chèques, on ne sait jamais. Et il faisait encore sombre.

Le matin, en prenant mon café, je lisais les lettres de mes admirateurs, puis j'enfilais ma blouse et j'allais trimbaler mes cartons jusqu'au soir. Je travaillais seul. Je mangeais seul. Je n'arrivais pas à sortir la même quantité de bouffe pour les mômes et la première fois où je m'étais pointé sans Henri, ils avaient été surpris, ils avaient regardé par-dessus mon épaule. La petite fille avait toujours ses grands yeux.

– Il est pas là, j'ai dit. Il reviendra plus.

J'imagine qu'elle a grandi aujourd'hui et j'espère qu'elle est encore plus belle. C'est tout ce que je demande.

– Qu'est-ce que c'est que ces enfants, là-haut ? m'avait demandé Victor-Serge. J'ai remarqué qu'il y avait des enfants avec vous.

– Vous avez pas le droit de toucher à ma vie privée ! je lui avais répondu. Je demande à voir le délégué syndical.

Il n'avait pas insisté mais depuis je l'avais sans arrêt sur le dos, il ne me lâchait pas une minute. J'aimais autant ça, les journées passaient plus vite et en deux ou trois occasions, un carton m'avait échappé des mains et lui était tombé sur la gueule. Je m'y prenais comme je pouvais.

La journée terminée, je me glissais dans la bagnole et je me laissais doucement emporter par le courant. Je réapprenais à être un homme libre. Henri s'occupait de tout à la baraque et le dîner était prêt. On attendait Marlène en s'envoyant un verre, en comptant les jours qui nous séparaient de la fin de ce sacré mois.

Durant cette période, et de manière absolument accidentelle, j'ai fait la connaissance du type qui s'envoyait Marlène. C'était le jour de son anniversaire, et moi, j'ai toujours été poursuivi par les anniversaires, comme d'autres par les vendredi 13, et il n'y a aucune conclusion à en tirer, le temps qui passe abandonne son empreinte sur chacun d'entre nous. Henri avait pris tout le repas en main et pour ma part, je devais foncer en ville dès la sortie de l'usine pour lui trouver un cadeau. J'étais de bonne humeur. L'autre, j'avais réussi à lui faire éclater un carton de lait à la figure.

– J'ai bien peur que ce mois d'essai ne soit pas très concluant, il avait grogné.

198

— C'est du lait écrémé, ça tache pas.

Je ne savais pas trop quoi lui acheter. J'ai enfilé les rues au petit bonheur sous le ciel mauve, avec l'esprit qui flottait au vent, le bras droit allongé sur le dossier du siège, le coude gauche à la portière, le volant dans trois doigts.

J'ignore par quel coup du sort je me suis retrouvé là, poireautant à un feu rouge, à une cinquantaine de mètres des bureaux de *L'Organe du Sud,* le journal où elle travaillait. Je l'ai vue sortir. Un grand blond se tenait à côté d'elle, le genre de type qui pliait tout dans un rayon de plusieurs mètres, comme les pales d'un hélicoptère. Ils se sont séparés sur le trottoir. Le gars lui a chopé le menton et s'est penché pour lui rouler une pelle. Sans se gêner, il lui a trituré un nichon. Les mecs se sont mis à klaxonner derrière moi, alors que j'étais transformé en statue de sel.

Sans réfléchir, je me suis garé. J'ai vu Marlène grimper dans sa voiture et démarrer. L'autre s'éloignait à pied. Que se passe-t-il, par moments ? Qu'avons-nous dans la tête ? Quelles sont ces forces obscures contre lesquelles nous ne pouvons pas lutter ? Je l'ai suivi, cet enculé. Il marchait au milieu du trottoir, sa taille dépassait la moyenne et à plusieurs reprises, des femmes se sont retournées sur son passage, enflammées par son allure athlétique. Je le suivais de près, certaines me sont rentrées dedans. Le soir tombait mollement.

On s'est retrouvés dans un bar. J'ai grimpé sur un tabouret à côté de lui, j'ai commandé la même chose. Pour tout dire, ce gars-là, je ne le portais pas dans mon cœur, mais quelque chose m'attirait vers lui. Ce n'était pas très difficile à comprendre, c'était comme si elle s'était installée entre nous. Je me demandais s'il se rendait compte de la chance qu'il avait. J'éprouvais une sorte de curiosité admirative à son égard.

J'avais beaucoup changé. Il n'y avait pas si long-temps, quelques années tout au plus, je l'aurais cherché.

Une demi-heure plus tard, il me tapait sur l'épaule et je payais ma cinquième tournée. Je n'aime pas tellement parler aux gens, mais lorsque je veux bien me donner la peine, je suis capable de me lancer dans une conversation agréable, d'autant plus que les dieux m'avaient mâché le travail, il faut bien l'admettre. Car non seulement il connaissait Charles et Vera, mais il avait lu un de mes bouquins, « un truc vache-ment balèze », ainsi qu'il me l'affirmait. Ce fut pour moi un jeu d'enfant que d'amener la conver-sation sur le sujet qui m'intéressait. J'ai prétendu que j'avais croisé Marlène deux ou trois fois dans une soirée.

— Elle est bien roulée, j'ai dit.

Il devait avoir une trentaine d'années, après cinq verres son regard brillait. J'en avais qua-rante, le mien ne brillait pas encore.

— Bon sang, vieux, si elle est bien roulée... Ça on peut dire que c'est une femme !

— Ouais, je veux bien te croire.

— Et entre nous... je crois que je la rends folle.

— Vraiment ?

— Ouais, je n'ai pas l'habitude d'exagérer. Mais je peux te dire que je l'ai bien en main.

J'ai allumé une cigarette. Je sentais que mon cœur battait plus vite, que mon sourire se figeait. Lui, l'alcool lui déliait la langue, il se tenait légèrement penché vers moi. Pas beaucoup de lumière dans ce bar, pas beaucoup de place pour la lumière. J'ai fait signe au mec de remplir les verres.

— Et puis c'est pas la fille à t'emmerder, il a ajouté. Elle parle pas beaucoup...

— Hééé... j'ai ricané, ça existe encore ?...

Il avait son compte. Moi aussi, mais pas à cause de l'alcool, j'aurais pu vider le bar tout entier et sortir en sautillant sur une jambe. Il s'attendrissait, il m'avait passé une de ses foutues mains sur l'épaule et parlait tout près de ma figure.

J'ai toujours été sidéré par les gens qui se confient à vous au bout de cinq minutes, ils m'ont longtemps posé un problème. Je me demandais si je n'étais pas complètement coincé. Maintenant, je prie pour leur âme. Combien en ai-je rencontrés qui m'ont froidement déballé toutes leurs histoires de cul sans pleurer sur les détails ? Ils m'ont émerveillé et écœuré. Parfois, j'ai l'impression de me conduire de la même manière, mais je me dis que je suis un écrivain, que ce n'est pas la même chose, que je suis pratiquement OBLIGÉ d'en parler. Le métier d'écrivain n'est pas aussi rose qu'on pourrait l'imaginer. Il y a des jours où une pudeur insensée me paralyse, où je dois m'arracher les mots un par un. Et puis, dans la vie, je suis un vrai tombeau.

– Je crois qu'elle n'a qu'une seule chose en tête…, m'a-t-il annoncé entre deux gorgées. Elle m'a encore jamais laissé le temps d'éteindre la lumière…

– Non ?… j'ai grincé.

Ses cheveux étaient bien taillés. Il était rasé de près, il sentait bon, ses mains étaient soigneusement manucurées. Sa montre en or était extraplate. Ses vêtements étaient de qualité. Mais quelle vulgarité intérieure, quel désert, quel pauvre petit caillou que ce gars-là. Bizarrement, il n'éveillait aucune colère en moi, il me rendait plutôt triste.

– Tu vois… une fille comme ça, elle rattrape toutes les autres. Sans compter qu'elle travaille tard le soir…

Il m'a regardé dans les yeux en me décochant un sourire gluant.

– … je l'installe sur un coin du bureau.

Je n'avais pas du tout envie d'entendre des trucs pareils. Qu'est-ce que je fichais là, qu'est-ce que j'étais venu chercher, quelle mouche m'avait piqué ? Je me suis mordillé les lèvres. Les autres devaient m'attendre. J'étais parti pour lui acheter un cadeau. Pour la regarder souffler sur ses bougies. Pour qu'elle se fasse toute belle.

Il a étouffé un petit rot dans sa main :

– Une étonnante tailleuse de pipes !... il m'a soufflé.

Je suis descendu de mon siège et je suis sorti sans dire un mot. La rue était tout éclairée. Les magasins étaient fermés. Je suis retourné à la voiture. L'air était frais. J'ai remonté les vitres et j'ai sillonné les rues. Rien ne se passait comme on l'espérait. Rien ne pouvait arrêter le désordre bouillonnant des flots, dirais-je. Rien ne nous était épargné. Et chaque leçon était dure à avaler. Ça ne me disait pas comment j'allais m'en sortir avec cette histoire de cadeau. Il aurait fallu que je prenne le taureau par les cornes alors que d'une certaine manière j'avais été touché et je me tordais au milieu de l'arène dans mon habit doré. Enfin, peut-être que j'exagère un peu, peut-être que j'allais m'en tirer avec un muscle froissé et une poignée de sciure dans la bouche, qui sait ?

Mais encore une fois, je me trompais. Un grand bruit de verre brisé m'a ramené à la réalité, tandis que je retombais sur mon siège. La Mercedes venait de s'emplafonner dans un gros break noir et luisant, je jure que c'est vrai, et pourtant moi-même j'ai eu du mal à le croire, ma première réaction fut de lâcher un petit rire idiot alors que je voulais pousser une sourde plainte et balancer un coup de poing terrible dans le volant. C'était tout ce qu'il me manquait, comme ça c'était parfait. Encore un dernier effort et je ne sentirais plus rien, encore une goutte d'eau et je pourrais fermer les yeux et sortir de ce monde et tirer une croix sur cet univers de fous.

Le break et moi, nous nous sommes garés le long du trottoir. J'avais toute une journée de boulot dans les jambes et le moral à zéro. Je me suis extirpé de mon siège comme un type qui grimpe à l'échafaud. J'imagine qu'une bonne femme à ma place en aurait pleuré.

Un vieux aux cheveux argentés est sorti du break et s'est amené vers moi en sautillant. J'ai jeté rapidement un coup d'œil en l'air. Le ciel était d'une pureté absolue, une grosse lune blanche brillait juste au-dessus de nous. Donc ce type n'était pas lumineux, il baignait tout simplement dans une lumière naturelle et je n'étais pas halluciné. Ses yeux souriaient.

— Dites-moi, jeune homme, il a plaisanté, j'espère que ce n'est pas bien méchant...

Il n'avait rien, ses pare-chocs étaient des obus de cinquante centimètres de long. Je les avais évités, mais j'étais rentré la tête la première dans l'énorme barre d'acier chromé sur lesquels ils étaient soudés, une barrière de quarante centimètres de large, aussi épaisse qu'une traverse de chemin de fer. Mes deux phares avaient explosé, ma calandre avait grillé sur les flammes de l'enfer.

— Oh !... Je suis désolé ! il m'a dit.

— Vous n'y êtes pour rien, j'ai soupiré. Je me suis jeté sur vous. Et ne m'appelez pas « jeune homme ».

Il s'est attrapé le menton en riant et de longues veines bleues passaient sous la peau transparente de sa main.

— Pourtant... vous ne me paraissez pas si vieux.

— Je pourrais être le père d'une fille de vingt ans.

— Hi ! hi !...

J'ai jeté un regard amer sur la Mercedes avec ses gros yeux crevés. Si tout se passe bien, je me suis dit, maintenant je vais me faire arrêter par les flics ou je vais me couler une bielle.

Heureusement qu'il n'y avait pas de constat à remplir, sinon je me serais trouvé mal sur-le-champ.

– Tout de même, cet accident est très contrariant !... il a murmuré.

– Très.

– Vraiment, ça m'ennuie beaucoup.

– Bon, ben n'y pensez plus. Tout est de ma faute.

– Écoutez, je voudrais faire quelque chose...

– Non, vous êtes gentil. Je vais m'en aller.

– Non, attendez, venez voir...

Il a ouvert la porte arrière de son break. Un grand tissu noir recouvrait je ne sais quoi dans le fond, le vieux l'a empoigné puis s'est tourné vers moi.

– Sans doute avez-vous une femme ? Ou une fiancée ?...

– Non.

– Une petite amie ?...

– Non, rien de tout ça.

Il a rigolé.

– Eh bien, on ne sait jamais... peut-être que ça vous arrivera un jour. Venez donc choisir quelque chose pour elle...

D'un geste large, il a envoyé valser le morceau de tissu. Je n'ai rien entendu qui ressemblât au délicat frémissement d'une cascade céleste, mais une forêt de diamants a scintillé sous mes yeux. J'ai regardé autour de moi.

– Je suis représentant en bijoux fantaisie, il m'a annoncé. C'est mon ancienne collection. Allons, approchez-vous.

Quelques instants plus tôt, j'aurais juré que je touchais le fond et voilà que je tombais sur un ange, voilà que mes soucis s'envolaient dans un souffle. Au fond, je n'ai jamais désespéré très sérieusement de la vie, j'ai simplement connu des moments difficiles, comme tout le monde. J'ai eu peur que le vieux brigand lumineux soit en train de se ficher de moi.

– Vraiment ?... j'ai demandé.

– Allons, n'ayez pas peur... Servez-vous !

Lorsque j'ai posé le sac au milieu de la table, Henri a poussé un sifflement et s'est assis sur une chaise en essuyant ses mains dans un torchon.

– Génial ! il a dit. C'est génial !...

– Il y en a trois kilos. Il m'a fait un prix intéressant.

Boucles d'oreilles, bagues, broches, bracelets, colliers, la moitié de son stock y était passée, on allait tout simplement la couvrir de bijoux, je ne comprenais toujours pas comment j'avais pu sortir victorieux de toutes ces épreuves, le mystère se levait entier.

– Bon, ben ne traîne pas. Les autres vont bientôt arriver...

Il avait raison. D'un bond, j'ai filé jusqu'à la douche. Je me suis mis sous l'eau froide mais je n'ai pu effacer la chaleur des quelques verres que j'avais avalés en chemin. En revanche, j'avais pratiquement chassé l'autre salaud de mon esprit et je me suis laissé glisser dans la bonne humeur en fermant les yeux. Je me suis séché, coiffé, délicatement parfumé, je suis allé me changer et je suis redescendu à fond de train. J'ai envoyé un clin d'œil à Henri en passant devant la cuisine, puis je me suis installé sur la grande table et j'ai entrepris d'emballer les bijoux un par un, de les serrer dans un petit nœud de bolduc argenté.

– Y a toujours de la lumière chez elle ? j'ai demandé.

– Ouais.

– Préviens-moi quand elle arrive.

– Ouais. Sers-nous un verre.

Ce n'était pas raisonnable. J'ai sagement rempli deux verres de bourbon. Les mélanges, il fallait les fuir comme la peste. On a trinqué.

– Longue vie ! j'ai dit.

– Oui, toi aussi.

– C'est beau une femme de quarante ans, j'ai ajouté.

– D'accord. Longue vie pour elle.

Je n'y peux vraiment rien, l'alcool me rend sentimental. D'ailleurs, j'ai toujours versé mes plus grosses larmes avec un verre à la main, j'ai pleuré sur moi, sur tout, surtout sur moi au fur et à mesure que le niveau d'une bouteille descendait, c'est assez marrant. Ne me faites pas écouter une chanson triste lorsque j'ai bu, oh non, ne me faites pas croiser le regard d'une jolie fille qu'un type de deux mètres de haut tient par la main, je vous en prie, ne me faites pas penser à une autre que j'ai aimée, ne me demandez pas où j'en suis de ma vie, par pitié, ne me laissez pas regarder les informations, n'essayez pas de m'aider, n'écrasez pas un chien dans la rue, épargnez-moi vos problèmes et laissez-moi tranquille avec mes livres, ne faites pas allusion au temps qui passe, ne vous appuyez pas sur moi, ne m'envoyez pas une carte postale de l'autre bout du monde et surtout, qui que vous soyez, ne me parlez pas d'amour, ne me faites pas écouter une chanson triste lorsque j'ai bu. J'ai souvent essayé de lutter contre cette faiblesse, mais aujourd'hui encore, j'en suis au même point. Je ne voudrais pas mourir avant d'avoir atteint la perfection, mais le travail est énorme, c'est une histoire de longue haleine.

Bref, je suis retourné à mes paquets en riant bleu. J'ai repris un verre pour me donner un coup de fouet et j'ai tire-bouchonné le bolduc avec des ciseaux. Henri fredonnait *La Ballade de Marie Sanders*. J'ai dressé la table. Maintenant, ils pouvaient arriver. Je me suis dévoré une bretzel. Tout était prêt.

Charles était là, plus une poignée de gens triés sur le volet et Marie-Ange, la fille que je voyais les jours d'orage. Ils avaient les bras chargés, des bouteilles dépassaient de leurs poches.

– Ça marche ton boulot ? m'a demandé Charles en me tendant un magnum de champagne.

– Ouais, j'ai adopté une espèce de rythme, lui ai-je dit en prenant l'enfant dans mes bras.

Puis Marlène s'est pointée. Elle a embrassé tout le monde et j'ai commencé à servir à boire. La remise des cadeaux fut un de ces moments magiques, fantastiques et résolument placés hors du temps. Je me suis tenu dans un coin et j'ai ouvert mes yeux et mes oreilles. Déjà que je la trouvais belle, je n'ai pas eu trop de mal à la trouver éblouissante, pas dans l'état où j'étais. Ma dernière cuite remontait à la mort de Richard Brautigan, ce qui explique que je n'éprouvais aucune honte à m'accorder cette petite entorse après tout ce temps passé.

Après qu'elle eut déballé les cadeaux des autres et distribué quelques baisers à droite et à gauche, elle s'est attaquée au gros morceau. J'avais rangé tous nos petits paquets dans une grande boîte que j'avais placée au bout de la table afin qu'elle ne l'ouvre qu'en dernier. Lorsqu'elle a fait sauter le ruban, j'ai terminé mon verre. Tout le monde parlait et rigolait, mais ça ne me gênait pas. Elle a poussé un petit cri admiratif en découvrant tous ces petits trucs enveloppés dans du papier glacé cramoisi, avec leur petit nœud d'argent. Les plus curieux se sont approchés d'elle. Elle nous a regardés, Henri et moi, en souriant. J'ai vaguement senti que Charles s'approchait de moi et remplissait mon verre, mais je n'y ai pas prêté attention, Marlène venait de saisir notre premier cadeau et j'envoyais des ronds de fumée au plafond.

« Oohh ! OOohhhh ! !... » Deux magnifiques saphirs montés en boucles d'oreilles, plus vrais que des vrais, d'un bleu à vous couper le souffle et aussitôt tournés vers la lumière. Elle les a mises. Je rigolais d'avance, bien que la tête fût déjà en feu.

– Hum !... Aaahh !...

Un bracelet qui devait briller même au cœur de la nuit, un délicat mélange de pierres synthétiques, dans les verts émeraude. Henri le lui a passé autour du poignet. Puis elle a tiré trois bagues coup sur coup et à mon avis, elle n'aurait pas suffisamment de doigts pour aller jusqu'au bout.

À chaque fois, l'ambiance montait d'un cran. Tout le monde trouvait qu'elle n'allait pas assez vite, tout le monde s'excitait. Je n'avais encore jamais vu autant de bijoux sur une femme et malgré ce qu'on pourrait penser, ce n'était pas ridicule, mais incroyablement drôle et merveilleux à la fois. Il y avait des trucs très modernes ainsi que des parures baroques et des reproductions de bijoux anciens, égyptiens ou scythiques, comme ce pendentif en forme de femme assise qu'elle s'attachait autour du cou. Nous l'avions couverte de bijoux, elle nous a couverts de baisers. Quelqu'un a hurlé « Champagne ! » et ce fut comme si je lâchais prise et dégringolais dans un torrent furieux.

Marie-Ange est venue me dire trois mots mais je ne comprenais rien, je l'ai regardée en riant et je lui ai répondu de ne pas se casser la tête, que tout était parfait, que j'étais content qu'elle soit venue. Je ne comprenais pas non plus ce que me racontaient les autres. Il m'a fallu un moment pour me rendre compte que j'étais appuyé contre une enceinte et que la musique se déversait tout droit dans mes oreilles. Je me suis senti mieux lorsque je m'en suis éloigné, j'ai cru que je reprenais contact avec le monde. Ce fut en partie vrai. J'ai pu glisser quelques phrases par-ci par-là et avaler quelques olives, mais rien de plus. « Mon vieux, je me suis dit, c'est le moment ou jamais d'aller prendre un peu l'air. Ne serait-ce que cinq minutes, ne serait-ce que pour récupérer un peu avant de passer tranquillement à table. »

Je suis sorti discrètement. J'ai pensé une seconde à m'installer sur une chaise longue, mais dans un éclair de lucidité, j'ai pensé que si je cédais à la facilité, je ne me relèverais jamais. Je me suis adossé à la façade, une épaule calée contre la gouttière. J'ai respiré profondément.

J'étais tout de même étonné d'avoir plongé aussi vite, comme si, quelque part, quelque chose m'avait trahi. Je ne suis pas un type particulièrement dur à cuire, mais en temps normal, je tiens correctement le coup à l'alcool. Bien sûr, j'avais bu quelques verres, mais pas au point de ne plus tenir debout, et malheureusement, c'était ce qui se passait, tout mon corps partait en avant et je me rattrapais de justesse. Je replaquais mon dos au mur et alors c'étaient mes jambes qui vacillaient. J'étais envahi par une rage impuissante et désespérée.

En vérité, toute cette journée m'avait lessivé et il avait suffi de quelques malheureuses gouttes de bourbon pour briser le fragile équilibre que j'étais parvenu à préserver. J'avais commis une grave erreur et je payais à présent, chaque seconde était le champ d'une lutte infernale entre ma volonté et le K.-O. final. Parfois, entre les reprises, je soulevais mon regard vers le ciel et je me demandais comment j'avais pu me fourrer dans cet état-là. La soirée venait à peine de commencer. Et moi, le grand écrivain, le type balèze, celui qui recevait des lettres du Japon et du Mexique, celui dont on parlait, je me retrouvais déjà sur la touche, le nez plongé dans ma stupidité, l'esprit illuminé d'une nullité complète.

Seigneur, quel bel écrivain j'étais ! Et je me permettais de critiquer les autres alors que j'étais peut-être le plus mauvais d'entre tous. Je jetais leurs livres, je me croyais plus fort qu'eux, mais je tenais à peine sur mes jambes. Il n'y avait rien de sacré en moi, rien de grand, rien de magique, je me cramponnais à la gouttière en gémissant, j'étais le dernier truc intéressant dans cette rue, la dernière chose sur laquelle il faudrait jeter un coup d'œil. Si j'avais été un grand écrivain, quelque chose au fond de moi serait resté intact, j'aurais été soutenu par cette certitude mais j'ai glissé sur mes talons comme une crêpe, et tout mon corps était vide, mon esprit était vide. Vraiment, je ne valais rien, je ne servais à rien, j'étais tombé à quatre pattes et j'avais l'air d'un gros chien abruti. Je me suis mis à rire tout seul, un gloussement minable. Mais bon sang, qu'est-ce que je pouvais apporter au monde et pourquoi écrire si je ne trouvais rien de valable en moi, s'il n'y avait pas au moins une chose d'inébranlable dans tout mon être, si je ne pouvais pas fermer mon poing pour ne plus jamais le rouvrir ?...

J'aurais voulu me reculer dans l'ombre, fuir la petite lumière qui brillait au-dessus de la porte d'entrée, mais j'étais planté dans le sol. Un écrivain doit être un type léger, un esprit rapide et insaisissable, et son vol doit nous émerveiller et nous rendre meilleurs. Je me suis effondré. D'ailleurs tout s'effondrait autour de moi. Les femmes mouraient et taillaient des pipes et j'écrivais des romans imbéciles et les gens s'entretuaient et je ne pouvais même plus bouger un petit doigt. Bon anniversaire, Marlène, bon anniversaire. « Ni paix, ni relâche, ni repos, rien que l'agitation. »

12

S'il m'arrivait de douter de ma propre valeur, je ne doutais jamais de celle d'Henri. Lui, il avait atteint les sommets et parfois je le regardais en louchant d'envie, j'avais sous les yeux un écrivain au meilleur de sa forme et chaque ligne qu'il écrivait était une bouffée d'air pur jaillissant des montagnes dans ce monde d'asphyxiés. La Puissance et la Maîtrise pour résumer en deux mots. Et la Sérénité. Quand on ouvrait un de ses livres, on se sentait porté par une force invincible, qu'il vous fasse traverser un matin de printemps ou une mer de flammes. Et donc, on ne pouvait pas se tromper. C'est ce que j'ai expliqué à Vera. Je lui ai dit écoute, je veux bien répondre à toutes tes questions, mais à une condition, c'est que tu me laisses une page entière pour faire un truc sur Henri.

C'était par un après-midi d'automne dans le jardin de Charles, le ciel était un peu gris et le vent soufflait. Elle a attrapé au vol une feuille rouge et jaune qui tombait d'un arbre. Il avait plu la veille. L'air sentait bon, et puis ma belle, j'ai ajouté, c'est à prendre ou à laisser. Elle a taquiné le bout de son nez avec la feuille. J'en ai ramassé une pour me caresser l'oreille.

– Une page !... elle a sifflé. Rien que ça !

– Ben, si j'ai bien compris, c'est toi qui commandes. Oui ou non ?

Ce n'était pas une discussion très tendue, on se regardait en souriant.

– Une page pour le texte... et une pour la photo, j'ai repris d'une voix douce.

– Tu exagères, tu sais...

– Si tu veux lancer un nouveau canard, il faut frapper fort et viser haut !

J'ai reçu une goutte sur la joue. Je lui ai laissé le temps de réfléchir en jetant un regard curieux sur l'horizon, une bande de nuages gris et bleus qui se chevauchaient au ralenti et s'accumulaient dans le ciel. Nous étions dans le fond du jardin, comme toujours avec la ville à nos pieds et histoire de prendre un peu de recul. J'étais content de sa visite, car maintenant je l'aimais bien et on pouvait passer un bon moment ensemble sans se chamailler. Et puis elle m'étonnait. N'avait-elle pas traversé nos vies en coup de vent et réussi malgré tout à distribuer de nouvelles cartes ? Peut-être en serions-nous arrivés au même point sans elle, n'empêche qu'elle était venue et Machin avait pris la tête d'une bande de forcenés qui tentaient de m'abattre. Elle était venue et Henri avait trouvé le fric pour se payer un détective. Elle était venue et elle avait casé Marlène dans une boîte d'obsédés sexuels. J'attendais la suite avec une pointe d'amusement et un rien de nervosité. Je ne savais pas s'il allait vraiment se mettre à pleuvoir ou non. En fait, le vent pouvait tourner d'une minute à l'autre. J'ai entendu une femme pousser un grand rire vulgaire, en contrebas. Je l'imaginais grasse et décolorée et tellement schlass qu'elle avait failli s'étaler. C'était plutôt de la pluie.

— Bon, mais ça ne peut pas attendre le prochain numéro ?

— Non, rien à faire.

— Même si je te le demande ?

— Même si tu me le demandes.

— Bon, elle a soupiré, c'est d'accord. Les gens veulent te connaître. Je vais pouvoir leur dire quel salaud tu es.

— Exactement.

Depuis quelques semaines, je me maintenais dans une belle forme. Depuis que j'avais quitté le supermarché, j'avais repris mes exercices de gymnastique le matin et je démarrais la journée par une bonne suée. Je ne prenais plus mes pilules, c'était une affaire classée, j'en gardais juste un tube dans le fond d'un tiroir, car ça ne mangeait pas de pain. Je n'avais plus de problèmes d'argent. Deux jours après que Victor-Serge m'eut payé, j'avais reçu le chèque de mon éditeur. Il était un peu plus gros que les autres fois.

– Nous vaincrons ! me disait-il.

Je lui avais répondu :

– Vous ai-je dit que j'étais de tout cœur avec vous ?...

Nous en avions profité Henri et moi pour redonner un coup de fouet à notre garde-robe et jamais de ma vie je n'avais dépensé autant d'argent en un après-midi pour des vêtements, et le prix des trucs nous faisait rigoler. Incidemment, j'ai pu remarquer qu'il devenait de plus en plus dur de s'acheter un tee-shirt tout simple, sans aucune connerie de marquée dessus, sans parler des étiquettes portant la marque qui n'étaient plus cousues dans le cou mais pratiquement au milieu du ventre, ou sur le cœur, je n'exagère rien, l'imbécillité arrogante de certains fabricants était une espèce de signe, à mon avis. On pouvait nous faire avaler n'importe quoi. Bientôt, quand on ira acheter un slip, on ressortira avec un autocollant en travers du front.

J'avais donné la Mercedes à réparer, enfin, qu'ils me changent les phares. J'avais rajouté quelques pages à mon roman. J'avais réglé les dernières factures qui traînaient et dans l'ensemble les journées donnaient leur maximum. Henri mettait une dernière main à son bouquin de poèmes et Marlène rentrait plus tôt du journal. J'espérais que le géant blond était cloué au lit par des crises de coliques néphrétiques. Ainsi que je l'avais prévu, la ferme s'était vendue et le fric était arrivé à un moment où nous n'en avions plus besoin. Parfois, on se demandait ce qu'elle pourrait bien fabriquer avec. C'était comme un jeu, on en discutait. Jusqu'au soir où Vera s'est pointée.

« Mais je l'aime ! Par Jésus, tu ne peux pas savoir comme je l'aime !... » m'avait confié Charles peu de jours auparavant. La nouvelle ne m'avait pas bouleversé mais il m'avait coincé dans un coin de sa cuisine et avait entrepris de se confier à moi. Il tenait absolument à ce que je m'asseye.

– Je ne sais pas comment tu expliques ça, toi. Mais un matin, je me suis réveillé et j'ai su que je l'aimais...

– Eh bien, je reconnais que c'est un peu brutal.

– J'ai l'impression d'être un enfant, tu sais. Quand elle est là, je ne sais plus quoi faire de mes mains.

Je l'avais effectivement senti nerveux la veille lorsque nous avions dîné tous ensemble, mais il y avait de l'orage et je n'avais pas cherché plus loin. Charles était le dernier type que j'aurais imaginé amoureux. Il avait trop la tête sur les épaules. Il vivait dans sa grande baraque de vieux garçon et les filles l'intéressaient moins que le résultat de ses ventes ou que le moindre mot qu'on pouvait écrire sur lui. Pourtant, cette fois, il semblait réellement accroché et la vie n'est qu'une longue succession de surprises et tout pouvait arriver.

– Tu devrais apprendre à rouler tes cigarettes, je lui ai dit.

– Oh, te fiche pas de moi...

– Non, ne crois pas ça. Réfléchis bien.

Donc, voilà comment les choses se sont passées. Alors que les pluies d'automne balayaient tout le pays et qu'on avait sorti les pulls, un incendie couvait dans le cœur d'un homme. Et je ne fus pas insensible à sa beauté, j'ai vu danser les flammes du paradis.

Comme de bien entendu, Marlène avait accepté tout de suite. J'ai eu l'impression qu'elle était presque soulagée de se débarrasser de ce fric et le fait est qu'il était plus marrant de contribuer à la naissance d'un journal que d'aller engraisser un banquier. Charles était déjà sous l'effet du poison et il avait signé un beau chèque sans sourciller parce que l'amour n'a pas de prix. On ne parlait plus que de ça, je veux dire du futur nouveau-né, du petit mensuel géant qu'ils concoctaient. Pour fêter ça, Vera avait commandé tout un repas chez le traiteur du coin et tandis qu'on se préparait, le type devait plisser les yeux de satisfaction en relisant sa facture.

J'ai un penchant nettement marqué pour les tenues débraillées car il me semble qu'on doit toujours être prêt à grimper à un arbre ou se rouler par terre, et je ne porte jamais de cravate quand j'écris ou certaines fois, je m'étranglerais. Mais ça ne m'empêche pas d'enfiler un costume de temps en temps, depuis que la mode est aux trucs savamment avachis et qu'on peut retrousser les manches jusqu'au coude. Je me suis noué une cravate infernale autour du cou, j'ai coiffé mes cheveux. Sincèrement, mes quarante ans, je ne les faisais pas, et puis les pattes-d'oie, toutes les filles aiment ça, j'avais trois ou quatre cheveux blancs que je n'arrachais même pas, trois malheureux éclaireurs perdus en pays ennemi. Je me suis souri dans la glace. Rien de tel pour vous donner la forme, rien de tel pour effacer les pauvres grimaces affligeantes du petit matin qui par moments vous assènent dix ans de plus.

Le mien était clair, celui d'Henri sombre et avec sa cravate gris perle, il allait nous enfoncer tous. On s'est bu un verre en attendant Marlène, une main dans la poche et le poil rasé de près. Elle s'est pointée dans un fourreau en lamé que j'aimais beaucoup, bien qu'à chaque fois il me fît avaler de travers. J'ai embarqué tout ce beau monde dans la Mercedes.

Lorsque nous sommes arrivés, Vera nous a sauté au cou. Il y avait déjà du monde. J'ai trouvé Charles dans un coin, l'air plutôt hagard. Ses genoux étaient couverts de miettes de tabac et une petite chose tordue et tourmentée pendait à ses lèvres. Je n'ai pas eu le cœur à lui tendre du feu.

– Te casse pas, je lui ai dit. C'est un coup de main à prendre. D'autres que toi sont passés par là...

Son bras a sauté sur ma manche comme un serpent hystérique, ses yeux m'ont lancé un éclair fiévreux.

– Je ne vais pas bien, je me consume ! il s'est lamenté. Ce soir je lui dis tout. Je te jure que je lui dis TOUT ! !

Je ne saurais expliquer pourquoi, mais j'ai tout de suite compris que nous allions au-devant des complications. Et pourtant tous autant que nous étions, ce soir-là, nous aurions juré que Charles était un type au cœur de pierre, un désert glacé où plus aucune flamme ne pourrait briller, un type à vous décourager la plus accrocheuse des filles. Ces choses-là ne semblaient pas l'intéresser. Mais il n'y a pas pire eau que celle qui dort, je n'invente rien, pas de pire agneau que celui qui se transforme en loup. J'ai décroché sa main qui tire-bouchonnait ma manche et j'ai pu constater qu'il avait bu. Ça aussi c'était nouveau. Chaque jour, je m'entraîne à traverser la vie comme si de rien n'était, comme si je ne remarquais rien...

– Charles, la vie est un jeu, je lui ai dit.

Je n'en étais pas réellement persuadé mais de toute manière, il ne m'écoutait pas. Par instants, il frémissait, son regard était réglé sur plus ou moins l'infini. J'ai décidé de ne plus m'occuper de ça et d'entamer une conversation futile avec le premier venu dès que je me serais procuré un verre.

À mi-chemin, Vera a brisé mon élan :

– Une page pour la photo, peut-être que c'est beaucoup ?... elle a chuchoté.

– Nan, j'ai gueulé. C'est un portrait en pied !

Elle a soupiré en levant les yeux sur la voûte céleste. J'ai repris mon chemin. Les gens se tenaient groupés entre la baraque et le coin où se trouvaient les bouteilles, c'était une chose qui ne ratait jamais. Le fond du jardin restait presque toujours désert, à croire que le paysage ne les intéressait pas, qu'ils n'éprouvaient pas le moindre apaisement à regarder la ville grouiller à leurs pieds. J'ai discuté un moment à droite et à gauche, puis je me suis éclipsé.

Je suis tombé sur Henri. Je me suis allumé une cigarette.

– Charles est remonté à bloc, j'ai dit.

– Hummm... Ses chances ne sont pas énormes.

– Ouais, il a pas choisi une partie très facile. Moi, une fille belle, riche et célèbre, je voudrais même pas en entendre parler.

Il s'est marré, il a plissé les yeux. On s'est assis sur le banc, on a regardé droit devant nous et le murmure des conversations passait par-dessus nos épaules et disparaissait dans la nuit silencieuse, proprement englouti.

– Au fond, il n'y a qu'avec toi que je me sens bien, je lui ai dit.

– Je te remercie, il m'a répondu.

Il y avait environ une heure que nous étions arrivés et je me demandais si nous allions bientôt passer à table. J'avais travaillé toute la journée à mon roman, je n'avais rien mangé. Écrire me coupait souvent l'appétit. J'étais en train de me caresser l'estomac en grimaçant lorsque nous avons entendu des cris en provenance de la baraque, aussitôt suivis d'un bruit de galopade et des grondements d'une vive agitation, d'un parfait remue-ménage. On s'est tournés en posant un coude sur le dossier du banc, les sourcils en accent circonflexe. On ne voyait pas grand-chose, des branches d'arbres et des buissons partaient dans tous les sens et nous séparaient de la maison. Marlène a surgi d'un massif de mimosas :

– Bon sang, il est devenu fou ! elle a annoncé.

Nous ne lui avons pas demandé qui était devenu fou. Elle semblait réellement inquiète.

– Merde, j'ai dit.

– Il s'est enfermé dans une chambre avec elle. Il veut plus ouvrir !...

– Il faut voir…, a déclaré Henri. À mon avis, il va un peu vite, mais ça peut marcher…

Elle a haussé les épaules en prenant un air contrarié. Au même moment, un coup de feu nous a cloués sur place et la nuit a pris une nouvelle dimension, le ciel est devenu d'un noir brillant. Marlène a porté une main à sa bouche. Un petit courant d'air frais a balayé le jardin, chargé de quelques cris. On a foncé vers la baraque, les bras en avant pour éviter de s'enfoncer une branche dans l'œil. Ma cravate avait sauté sur mon épaule, je traversais de légers nuages de parfum là où s'étaient tenues des femmes et quelques fils d'araignées se collaient à ma joue.

Pratiquement tout le monde avait reflué dans le salon. Les plus courageux se dirigeaient discrètement vers la sortie. Un barbu que je connaissais vaguement m'a attrapé par la manche. Pour une fois que je mettais un costume, tout le monde semblait vouloir se pendre dessus et le réduire en miettes.

– T'as vu ça ! ?… il m'a dit en me jetant des yeux fous. Il a tiré à travers la porte ! ! !

J'ai eu envie de me mordre la main pour y croire tout à fait, j'étais incapable d'imaginer Charles avec un fusil entre les doigts, j'étais certain qu'il se serait tiré dans les pieds. J'ai regardé Henri.

– Ben, je crois qu'il rigole pas, il a soupiré. Il l'aime.

Chacun y allait de son commentaire et c'était à qui l'avait trouvé bizarre ces derniers temps, qui le soupçonnait depuis toujours.

– J'étais là lorsqu'il l'a traînée dans la chambre, a déclaré une blonde avec les cheveux en brosse. Il avait un regard bestial !!

– Des yeux ROUGES !! a précisé une autre.

Bientôt, un filet de bave allait lui couler des lèvres et certains allaient jurer qu'il avait des sabots et une petite queue fourchue. Il ne s'agissait pas de faire le plus léger faux pas dans cette vie, à la moindre faiblesse tous les pouces se tournaient vers le bas. Un jeune type a proposé d'appeler les flics.

– Pourquoi t'irais pas jouer ailleurs au lieu de nous emmerder ? lui a demandé Henri sur un ton amical. Pourquoi t'irais pas respirer dans la rue ?…

Le raclement d'une chaise sur le plancher, des cris, le claquement sec d'une gifle, le tremblement d'une bousculade et tous les regards se sont levés vers le plafond. Du même coup, il y eut une légère panique vers la sortie et on a pu y voir un peu plus clair dans la baraque. L'escalier qui menait aux chambres était furieusement désert, sinistrement engageant. Personne n'aurait pu dire jusqu'à quel point l'amour peut décupler les forces d'un homme et lui envahir le cerveau. Ainsi donc, Charles n'était plus Charles. Le jardin vide était illuminé et ce tableau mélancolique retint un instant mon regard, la nuit paraissait laiteuse, sifflante comme de l'eau gazéifiée. Je t'admire, Charles, j'ai pensé. J'admire la force de ton sentiment et ta superbe volonté. Tu as été parfait, Charles, tu n'as pas ménagé ta peine.

On a grimpé l'escalier et on s'est amenés devant sa porte, Henri et moi. Il y avait un trou dans le panneau, des petits bouts de bois pulvérisés sur la moquette. La balle s'était enfoncée dans le mur et pour une balle, elle n'était pas allée très loin quand d'autres s'élancent et filent durant des kilomètres à une vitesse enivrante, dans un sifflement triomphant. L'étage était silencieux. J'ai collé mon œil à la serrure. J'ai repéré Charles, assis sur le lit, un fusil en travers des genoux et le front baissé. Vera était attachée sur une chaise, avec un drap. J'ai fait signe à Henri de se pousser et on s'est rabattus chacun d'un côté de la porte.

— Charles ! j'ai dit. Pose ce fusil, ouvre-moi !

Il a tiré plus bas. Quelques secondes plus tôt, à cet endroit précis, se trouvait mon ventre. Je n'ai pas aimé ça, même que le mur d'en face m'a envoyé une pluie de petits machins piquants sur le visage. On s'est assis sur nos talons, le dos au mur pour réfléchir, et je pouvais presque sentir l'odeur de la poudre et du bois fraîchement déchiré.

— Charles, c'est une voie sans issue, c'est un tunnel sans fin !... Bientôt, tu n'auras plus de balles !

Henri s'est allumé une cigarette. Il a tendu un bras pour me la passer, chassant de l'autre quelque poussière qui s'était posée sur son costume. Une lumière tendre et douce baignait le couloir, pourquoi nous serions-nous inquiétés ? Les autres se tenaient groupés au bout du couloir et attendaient.

— CHARLES, MON VIEUX !!... IL NE TE SERA FAIT AUCUN MAL !!! j'ai lancé.

Un nouveau projectile a transpercé la porte, à la hauteur du cœur.

— Je crois que tu devrais continuer à lui parler, m'a conseillé Henri.

Je me suis passé une main sur le visage, puis je me suis tourné vers lui en souriant :

— Bon Dieu, ce sacré Charles ! j'ai dit. Mais qui aurait cru ça ?... Il est magnifique !

– Ouais… Mais ses balles sont de vraies balles.

– « Ainsi l'homme noble cultive son caractère en étant profond dans tous ses actes. »

– « Pommes d'or sur argent ciselé. Telles sont des paroles opportunes. »

Malgré tout, je ne me dissimulais pas que la situation était préoccupante. J'étais ennuyé pour Vera, aussi ai-je repris ma conversation avec Charles. J'ai parlé au mur.

– Charles, nous ne sommes rien entre leurs mains, nous n'avons pas la moindre chance. Tu t'es battu comme un lion, mais regarde, tes griffes sont usées et tes mâchoires n'atteindront plus personne, et ainsi en est-il pour tous ceux d'entre nous qui sont un jour ou l'autre tombés dingues d'une femme et dont le cœur s'est déchiré, tu m'entends ? Charles, le feu qui te dévore a illuminé cette nuit comme un geyser phosphorescent et nous sommes tous passés de ton côté. Pourtant, Charles, tu dois accomplir un dernier effort, tu dois poser ce fusil et ouvrir cette porte !

Après quoi, nous avons tendu l'oreille dans le silence, et bien que sa réponse se fît attendre, je me félicitais déjà qu'il n'ait point balancé un nouveau coup de fusil à travers le panneau.

– Partez !… a-t-il enfin lancé d'une voix vibrante. Partez tous ! Je ne la laisserai pas filer ! !…

– Ne crois pas ça, a répondu Henri. Quand elle le décidera, elle te glissera entre les doigts comme du sable. Tu n'as rien compris.

Peut-être, à ce moment-là, essayait-il de comprendre. Je le souhaitais sincèrement, mais on n'entendait plus rien, enfin rien d'intéressant, rien qui pût nous révéler ce qu'il manigançait de l'autre côté, entre son fusil et son amour impossible. Au fond, cette histoire ne prêtait pas à rire, je me suis rendu compte que nous étions dans de beaux draps.

– MAIS PUTAIN, CHARLES !!!... j'ai gueulé.
OUVRE LES YEUX !! RESSAISIS-TOI !

– Allez-vous-en ! Fichez le camp ! lâcha-t-il
sourdement.

– Tu me fais de la peine, tu sais ?...

– Si j'ouvrais cette porte... Si je la laissais
sortir... J'en mourrais sur-le-champ.

– Mais non, crois-moi. Ça serait trop facile...
Il y en aura d'autres.

– D'autres ?... Ha ! ha !... Comment peux-tu
dire une chose pareille ! ! !... Crois-tu qu'il s'agisse
d'une simple toquade, pauvre demeuré ?...

– Bon, très bien, continue à te donner en
spectacle !... Montre-leur ce que c'est qu'un écrivain. Roule-toi par terre, hurle tant que tu peux
et tortille-toi comme un ver pour une histoire
de cœur. Continue... Tu donnes un bel exemple... T'AS PAS LE DROIT DE FAIRE ÇA, TU M'EN-
TENDS ?... TU DOIS CONTINUER TA ROUTE.

– JE VOUS EMMERDE TOUS ! !

– Allons donc, j'ai répliqué en baissant la
voix, tu sais bien qu'on ne peut pas faire deux
choses en même temps. Tu ne peux pas être un
écrivain et aimer réellement cette fille, sois honnête !

– Si c'est ça, je n'écrirai plus une ligne !...

– Charles, je suis en train de te parler sérieusement, j'ai murmuré.

Il n'a rien répondu. J'ai poussé un soupir
dégoûté en regardant la porte, puis j'ai vu apparaître des petits machins blancs à travers le panneau, dans les trous laissés par les balles. C'était
blanc et presque vivant. Ça m'avait l'air de
mèches de coton hydrophile.

– Hé, qu'est-ce que tu fabriques, encore ?

– J'en mets autant dans la serrure, il a grogné.
Le spectacle est terminé !

– Tu sais, vieux, on te reconnaît plus...

Comme il ne semblait pas encore sur le point
de la tuer, nous sommes redescendus pour dis-

cuter de tout ça et avaler quelques langoustines. Nous étions environ une dizaine dans la cuisine, dix cerveaux travaillant sur le même problème, dix bouches en train de mastiquer. Il fallait bien trouver une solution. Nous avons sorti quelques bouteilles de vin blanc.

Lorsqu'un peu plus tard je me suis réengagé dans l'escalier, je devais peser une tonne. Ne voulant pas faire de bruit, j'ai pris mon temps, je me suis accroché à la rampe. Nous avions démonté le plateau de la cuisinière et je me l'étais suspendu autour du cou. Mon sexe et mes hanches étaient protégés par le couvercle d'une Cocotte minute, mes jambes par des planches de bois que nous avions trouvées dans la remise. Quelqu'un m'avait prêté un casque intégral. Seuls mes bras étaient exposés mais je brandissais devant moi une de ces vieilles tables de bistro, pied de fonte et dessus de marbre blanc, allant chercher dans les quarante kilos. Chaque pas m'était une sorte de petit calvaire et malgré tout, je n'étais pas sûr d'être suffisamment équipé pour passer au travers des balles. Ce n'était pas moi que l'amour avait transformé. Mais c'était moi que le sort avait désigné.

Tout le monde était persuadé que j'allais bénéficier de l'effet de surprise, seulement, je ne me sentais pas très à l'aise. Je n'étais pas à l'abri d'une balle entre les deux yeux et si par malheur il m'arrivait de m'étaler, je n'avais pas le moindre espoir de pouvoir me relever. Mourir dans un accoutrement pareil n'était sûrement pas le chemin le plus rapide pour s'installer dans la pureté du ciel. Il fallait me voir avancer dans le couloir, mi-homme mi-machine déglinguée, grinçant et brinquebalant comme une boîte de conserve. Je me trouvais ridicule et pourtant que sommes-nous d'autre que de pauvres épouvantails grimaçants, mus par d'absurdes réflexions, que de tristes assemblages quasi démantibulés. Ah, que ne pouvait-on se débarrasser l'esprit d'un fardeau semblable, que n'étions-nous des êtres parfaits et lumineux !...

Arrivé devant la porte, j'ai posé le guéridon pour souffler un peu. Je me demandais ce qui m'attendait de l'autre côté. Le silence était repoussant. J'ai rabattu la visière de mon casque.

– Eh bien, allons-y !... ai-je grogné à l'adresse d'Henri. Ne perdons plus de temps.

Je me vois mal en train d'expliquer où il avait trouvé ce truc-là, enfin toujours est-il qu'Henri avait réussi à mettre la main sur un pied-de-biche et qu'il se l'était adroitement enquillé entre la porte et le chambranle, juste à la hauteur de la serrure. Je le sentais prêt à soulever des montagnes, à briser cette petite porte d'un seul élan. Il a ramené une mèche argentée derrière son oreille, puis m'envoyant un dernier coup d'œil, il a pesé sur la barre de tout son poids et la porte a sauté dans un formidable craquement, et je suis rentré là-dedans comme une bombe, accompagné d'un grand bruit de ferraille et du choc de mes genoux sur les planches, j'ai traversé la moitié de la pièce plongée dans l'ombre, puis Vera m'a jeté un regard incrédule et je me suis arrêté.

Charles était allongé sur le lit, les bras croisés derrière la tête. Il paraissait absorbé par la contemplation du plafond et ma présence ne l'avait pas troublé. J'ai posé le guéridon, j'ai retiré mon casque. Le fusil traînait par terre. D'un coup de pied, je l'ai envoyé sous le lit.

– Je vous aime bien, Henri et toi, il a murmuré. Mais il faudra me réparer cette porte...

– Bien sûr, j'ai dit. Ne parlons plus de ça.

– Si. Parlons-en, justement. Je voudrais que vous détachiez cette fille et que vous l'emmeniez. J'ai bien peur d'avoir déposé trop de choses à ses pieds. Bien plus qu'elle n'en pouvait recevoir...

Sans attendre, je suis passé derrière Vera et j'ai entrepris de la détacher. À part moi, personne n'était entré dans la chambre. Les autres se contentaient de chuchoter sur le seuil comme aux portes d'un sanctuaire et Henri avait déjà tourné les talons.

— Ne vous gênez pas pour moi, a-t-il enchaîné d'une voix calme. Buvez et mangez. Et ne m'en veuillez pas de vous priver de ma triste compagnie !...

— Tu veux rire...

— Certes non, a-t-il soupiré dans un souffle discret et teinté d'ennui. Je viens de recevoir de la vie une leçon formidable et tu devrais comprendre que je n'ai pas le cœur à la plaisanterie. Je n'ai besoin que d'un peu de solitude et du calme de la pénombre. Oui... Ce n'est un secret pour personne... Le coup a été particulièrement rude...

Il s'est dressé sur les coudes et m'a regardé tandis que Vera se dirigeait vers la sortie. Je savais ce qu'il ressentait. Il avait la tête d'un type qui vient de passer trois nuits blanches et qui, rentrant chez lui, écraserait son chien.

— La mort ne peut pas être une chose plus douloureuse, il m'a annoncé.

— Non, bien sûr.

— La mort est une rigolade comparée à la souffrance de la vie. Est-ce que j'exagère ?

— Non, c'est la vérité.

Il s'est laissé retomber sur l'oreiller, les bras le long du corps, les yeux de nouveau fixés au plafond.

— Bon sang. Seigneur Jésus ! il s'est lamenté.

Les femmes sont marrantes. Les types aussi sont marrants. À la suite de cette histoire, Vera a regardé Charles d'un œil différent et il ne se passait pas de jours sans qu'elle lui trouvât de nouvelles qualités ou certains attraits physiques qui ne sont perceptibles qu'aux femmes et qui personnellement m'échappaient. « Comment, mais tu n'as pas remarqué cette moue irrésistible qui plane si souvent sur ses lèvres ?!... » Ou bien : « Bon sang ! tu as vu ses mains, tu as vu L'INTÉRIEUR de ses mains !!?... » J'en entendis de toutes les couleurs, de toutes les formes, jusqu'au jour où ils se décidèrent à coucher ensemble. À la suite de quoi, Charles me prit à part et me confia qu'au fond ce n'était pas la grande aventure qu'il s'imaginait. Nous étions en automne, les grands feux s'éteignaient doucement et dans l'ensemble, il ne faisait ni chaud ni froid.

J'ai pourtant écrit un article fulgurant au sujet d'Henri, pas quelque chose de tiède. Vera s'est carrément laissée choir sur une chaise pour en terminer la lecture. C'était tout à fait ce que j'espérais. Henri était justement un écrivain capable de vous scier les jambes. Quand il ne vous coupait pas le souffle.

– Eh bien... Si après ça les gens ne courent pas acheter ses bouquins, c'est qu'ils ont les pieds cloués au sol !...

– Ouais. Je me le demande.

Je ne comprenais pas les gens. C'était une chose de les croiser, le matin, en achetant le journal, une autre de reconnaître ses frères de race, d'anticiper leur comportement. Pourquoi se privaient-ils d'un bonheur total, pourquoi ne s'arrachaient-ils pas les bouquins d'Henri alors qu'ils se battaient pour des miettes, qu'est-ce qu'ils cherchaient au juste ? Le mystère me dépassait.

C'était un de mes thèmes de réflexion favoris le matin, pendant mon heure de gymnastique. Tandis que mon corps se couvrait de sueur, mon esprit partait à la recherche de mes semblables et je terminais mes exercices avec le souffle court et pas plus avancé. « Que veux-tu que je te dise, me répétais-je. Les gens sont comme ils sont.

Ne te casse pas la tête pour rien. Estime-toi heureux qu'il s'en trouve une poignée pour acheter tes romans. »

Quoi qu'il en soit, j'étais heureux d'avoir écrit ces quelques feuilles. Personne ne s'imaginait la joie que j'en avais tirée, les mots étaient venus avec une facilité qui m'avait presque effrayé, une violence extravagante qui m'avait subjugué. Je me sentais prêt à écrire un truc comme ça tous les jours.

— Moi, je ne sais pas si j'aimerais ça, m'avait déclaré Vera. Vivre avec quelqu'un que j'admire à ce point.

— C'est son écriture que j'admire. Lui c'est différent, lui je l'aime.

Ce qu'entendant, elle avait croisé une jambe, et calant son menton dans le creux de sa main, elle s'était légèrement penchée vers moi :

— Hum... c'est fascinant ! elle a dit.

— Ouais... J'imagine que ça te la coupe...

Je savais qu'elle n'était pas la seule. Moi-même, j'aurais eu du mal à expliquer la profondeur des liens qui m'unissaient à lui, mais il faut dire que je n'y réfléchissais pas beaucoup. Je ne sais pas pourquoi, mais j'avais l'impression que c'était en relation avec son âge, ces vingt ans qu'il avait de plus que moi, parce qu'à première vue je ne crois pas qu'il se serait passé ce genre de chose avec un type dans les quarante. Peut-être que je me trompe. Peut-être qu'au bout du compte la mort de Betty m'avait rendu à moitié dingue, que mon cœur de mauviette s'entêtait à fonctionner envers et contre tout, saisi par la folie des grandeurs et que j'aurais pu tout aussi bien aimer une vieille momie ou un pauvre caillou. Si l'on veut, j'étais sans doute une espèce de détraqué, une femme privée de ses petits et qui ne saurait pas quoi faire de son lait, un chien battu qui revient en couinant vers son maître... Est-ce que c'était le cas ? De toute manière, ça ne m'aurait pas beaucoup avancé d'apprendre que j'étais un ange ou un de ces cinglés. Ça n'aurait rien changé à l'histoire.

Il y a des périodes comme ça, où on passe son temps à discuter, où on peut se coucher en laissant un bout de phrase suspendu dans le vide et la terminer le lendemain matin. Vera dormait chez Marlène, mais dès que l'une partait travailler, l'autre se pointait chez nous et traficotait son café dans la cuisine et poussait des hurlements pour savoir si on était réveillés. C'était une espèce de chant du coq, et quand bien même elle nous avait tenu la dragée jusqu'à une heure avancée de la nuit, elle rembrayait aux aurores. Je manquais de tomber du lit et j'entendais Henri gémir sur l'existence de certaines femmes. En général, elle attendait qu'on descende, mais au lieu de s'installer sur le canapé et d'attraper tout simplement un magazine, elle nous branchait l'aspirateur et nous envoyait la radio, juste à l'heure des pubs, et avec un peu de chance, on démarrait la journée avec une pourriture de voix qui vous proposait d'embarquer votre lessiveuse aujourd'hui et de ne la payer que l'année prochaine. Je me demandais combien d'élans étaient brisés dans le pays à cause de ces lessiveuses, combien d'anges terrassés, foudroyés dans leurs draps.

— Mais enfin, merde, je lui disais. Que tu passes l'aspirateur, je veux bien, t'es gentille... Mais qu'est-ce que tu fous avec la radio ?...

— Eh bien, j'écoute les informations !

Je tirais une chaise en bâillant.

— Ah ouais, j'avais pas pensé à ça.

Comme j'évitais au maximum de m'occuper des histoires des autres, je ne lui avais pas demandé pourquoi elle ne passait pas ses nuits avec Charles. Je constatais seulement qu'il la baisait et que c'était à nous de nous la coltiner le matin, lui ne se pointant que vers 11 heures, le visage frais et reposé. Autant que je m'en apercevais, ils entretenaient de curieux rapports et le plus étrange était que cette aventure les rendait particulièrement volubiles tous les deux. Sexuellement, je n'aurais pu expliquer ce que cela signifiait, mais toujours est-il que ces discussions s'allumaient dans tous les coins et qu'ils vous cavalaient après pour avoir votre avis sur la bombe à neutrons ou le calvaire d'Ezra Pound. Le seul moyen de leur échapper était de s'enfermer dans une chambre. Ça ne les dérangeait pas. Il fallait bien qu'on descende au bout d'un moment pour se boire un verre d'eau ou ils vous tombaient dessus quand vous alliez pisser. Il était souvent plus facile de reculer vers un fauteuil que d'essayer de s'en débarrasser.

D'un autre côté, la baraque semblait respirer vingt-quatre heures sur vingt-quatre, et à tout prendre, un peu de vie n'était pas à négliger. Ces derniers temps, nous avions travaillé sérieusement Henri et moi, et jusqu'à l'arrivée de Vera, nous avions passé de longues journées silencieuses avec le nez dans nos feuilles. Personnellement j'étais lessivé et lorsque Marlène rentrait du journal, j'étais surpris d'entendre une voix et je pouvais demander à Henri s'il avait bien dormi, tandis que nous préparions le repas du soir. Aussi les deux autres nous donnaient-ils l'occasion de prendre quelques vacances, brisant la tension de l'écriture par la souplesse des conversations inutiles, gueulant et arpentant la baraque et recevant du monde et donnant des coups de fil à l'autre bout du pays quand on les laissait seuls et qu'ils pondaient leur numéro zéro.

Car c'était bien sûr le centre de la plupart des discussions. Il fallait les voir et les entendre s'exciter pour des petits riens, pérorer par-dessus la table, pousser les assiettes pour griffonner quelques pages et oublier de débarrasser. Marlène était enthousiasmée. Il fallait être là quand ils reprenaient tout depuis le début sur les coups de 3 heures du matin. Je souriais par moments en cramponnant mon verre, je me disais putain, t'imagines si Betty était là ?!... T'imagines les proportions que prendrait un truc pareil ?!!... Seigneur, ce que tu me demandes, c'est de jeter un bidon d'essence au milieu des flammes.

« Je regrette que tu l'aies pas connue... », j'ai dit à Henri, un matin où nous étions seuls à la cuisine. Marlène, Charles et Vera s'étaient envolés pour la capitale avec un plein carnet de rendez-vous et la dernière mouture de leur canard sous le bras. Il régnait dans toute la maison une impression de calme gigantesque. Henri soufflait sur son bol de café, le couvait d'un regard perçant.

— Elle t'aurait mis sur le cul, j'ai ajouté. Je ne te mens pas...

Il faisait beau, le vent froid s'arrêtait juste derrière la fenêtre et le soleil nous envoyait un rayon chaud. Dans cette région, il pouvait faire ce temps-là jusqu'à la fin du mois de janvier. Février et mars étaient un peu moins bien, mais dès le mois d'avril, le printemps arrivait et on pouvait se remettre à bronzer, pendant que le reste du pays crevait de jalousie. Le ciel était bleu. À la suite d'une émission médicale que j'avais regardée à la télé, je ne sucrais plus mon café. J'y serais jamais arrivé dans un coin où le ciel était gris.

— J'irais bien manger dehors, a proposé Henri. J'irais bien manger quelques truites au bord du lac...

Je ne saurais dire à quel point cette perspective m'a enchanté. Il y avait si longtemps que je n'avais pas passé une journée entière à ne rien foutre, l'esprit tout à fait libéré et l'œil posé sur le lac, guettant l'apparition d'un éclair argenté ou captivé par le comportement d'une libellule, les mains croisées derrière la tête. Il suffisait qu'on se mette un blouson et on pourrait manger dehors. Je lui ai répondu que j'étais d'accord en m'étirant, en regardant par la fenêtre. C'est là que j'ai vu une grosse moto se garer juste devant. Dessus, il y avait une grosse fille.

– Ben qu'est-ce que c'est que ça ? j'ai demandé.

Henri s'est levé d'un bond.

– Hum, c'est pour moi !... C'est mon détective.

Je n'ai pas réalisé tout de suite. La fille en question portait des bottes et un pantalon de cuir. Elle avait des cheveux longs et rouges, une poitrine énorme. Elle a cogné à la fenêtre. Je n'ai même pas pu bouger. Henri a ouvert la porte et l'a appelée.

– Salut ! elle m'a lancé en entrant.

Comme je le disais, ses cheveux étaient longs et rouges... C'était le détective que s'était trouvé Henri.

– Boouuuu... elle a soupiré. Ben ça n'a pas été facile ! !...

Henri lui a donné une chaise, il était nerveux.

– Je peux dire qu'elle m'a fait courir, elle a ajouté.

L'air s'est doucement imprégné d'une odeur de cuir, de sueur et d'un truc à base de patchouli, mais par bonheur Henri s'est allumé un morceau de cigare.

– Bon sang, je commençais à désespérer, il a marmonné.

La fille s'est envoyé une claque sur la cuisse puis un grand rire de bûcheron a jailli de sa gorge :

– Ha ! ha ! ! J'ai encore jamais lâché une piste, elle a déclaré. Mais votre fille, elle m'a fait cavaler !...

– Oui, j'avais compris.

– ... Parce qu'un jour elle habite là et le jour d'après c'est autre chose, et ainsi de suite, et vous la voyez traverser la ville avec sa valise à la main, et tout est à recommencer, vous voyez.

Il m'a fallu un moment pour comprendre que ce n'était pas une blague, que cette fille je ne l'avais pas inventée. Depuis qu'Henri m'avait parlé de cette histoire, j'avais vécu avec la crainte de ce moment-là, je savais qu'on ouvrirait la porte un de ces quatre et qu'un type avec une gueule de raie se tiendrait sur le paillasson et nous annoncerait qu'il avait retrouvé Gloria. J'imaginais un petit matin triste, une journée qui aurait mal commencé, je ne sais pas, le moulin à café qui explose et les grains qui vous giclent à la figure, enfin rien de très agréable. Or, ce n'était pas ça du tout. Il faisait beau et on devait aller manger au bord du lac, je me sentais frais comme une rose. Et cette fille pétait la santé, ses cheveux rouges volaient à travers la pièce tandis qu'elle parlait et elle rigolait tout le temps. J'en oubliais pratiquement ce que sa présence avait d'effroyable. Je me suis gratté la tête en la regardant, je me sens toujours heureux lorsque je m'aperçois que le monde a changé. Tant que mon banquier se teindra pas les cheveux en vert, la vie continuera à m'amuser.

On a bu une bière avec elle. Je tenais encore la mienne entre mes lèvres qu'elle reposait sa canette vide sur la table. Henri regardait par la fenêtre d'un air soucieux.

– Écoutez-moi, a repris la fille en se balançant sur sa chaise. Est-ce que vous avez une idée du nombre d'étudiants qui ont une chambre ou un appartement dans le coin ?... Est-ce que vous vous rendez compte ?... Vous verrez, elle connaît tout le monde là-bas. Si ça lui chante, elle peut déménager tous les soirs... Non, soyez tranquille, vous la trouverez du côté de l'université. Je l'ai vue sortir plusieurs fois de la bibliothèque...

Henri s'est contenté de hocher la tête.

– Ouais... vous pouvez compter sur moi, elle

a soupiré. Si c'était à refaire, je reprendrais les études... Je vous jure, on dirait qu'ils passent leur vie allongés dans l'herbe, je plaisante pas. Et la pelouse du campus est entretenue comme un terrain de golf... Bon sang, il y a des trucs que l'on comprend trop tard dans la vie...

Pendant qu'Henri la raccompagnait jusqu'à la porte, j'ai pensé qu'on pouvait faire une croix sur les truites et les libellules, je me suis dit que c'était foutu. Mais nous y sommes allés malgré tout et honnêtement, l'atmosphère ne fut pas aussi sinistre que je le craignais. La serveuse était une grande bringue de vingt ans qui piquait un fou rire dès qu'elle s'approchait de notre table. D'entrée, elle m'avait renversé un verre sur les genoux et bien sûr, il n'y avait rien de plus drôle au monde, elle nous servait les plats en pleurant et s'excusant et triturant son tablier, et son rire s'échappait à travers ses doigts et s'envolait au-dessus du lac et se perdait dans les bois. Cette fille aurait arraché un sourire à une pierre. Pour finir, Henri s'est détendu. Il faisait beau et froid. Nous étions les seuls à manger dehors, le col de nos blousons relevé et planqués derrière nos lunettes de soleil.

– D'une certaine manière, c'est vraiment con un lac..., il m'a annoncé, et un sourire est apparu sur ses lèvres. Ça donne pas envie de bouger.

À la fin du repas, il s'est mis dans la tête d'aller faire un tour en barque. On pouvait en louer au resto. Il y avait un petit hangar sur le côté qui s'avançait sur l'eau et ce jour-là le lac était complètement désert. Toutes les barques s'alignaient le long d'un truc en bois, parfaitement immobiles et pourtant elles étaient sur l'eau, mais pas un clapotis, pas une ride, rien. Ça ne me disait pas grand-chose.

– Non, vas-y, je lui ai dit. Ça me fait chier.

Je me suis allumé une cigarette, j'ai enfoncé mes mains dans les poches de mon blouson et j'ai étendu mes jambes. Je l'ai regardé s'éloigner dans sa barque et fendre le lac en deux à grands coups d'aviron. D'où j'étais, on aurait dit que le bout de ses rames crépitait d'étincelles, puis, au fur et à mesure que je l'observais, il conduisait un traîneau qui filait sur la neige. Je me demandais ce qu'il avait dans la tête, ce qu'il avait décidé au sujet de Gloria. Pour ma part, c'était l'obscurité totale. Quelque chose en moi se refusait à analyser froidement la situation. J'étais incapable d'y réfléchir. Et je me disais qu'au fond, ça ne servait à rien, à présent le courant était trop fort pour avoir une chance de nager jusqu'à la rive. Henri se trouvait presque au centre du lac. J'ai vu qu'il retirait son blouson et retroussait ses manches. Je lui ai fait un signe de la main.

La vie avec Betty était facile. N'importe quel abruti s'en serait bien tiré. Tout était simple, évident, lumineux. Il n'y avait rien d'autre. Je n'avais qu'un seul désir, qu'un seul but. J'étais capable de rassembler toutes mes forces en un rien de temps, je savais où était le bien, où était le mal, j'avais l'impression d'aller toujours en avant et je ne me posais pas de questions... Tout ça, c'était loin maintenant. J'avais un peu vieilli et ma vie était devenue compliquée. Les sentiments qui m'habitaient n'étaient plus des geysers de feu mais des coulées de lave, ce qui ne m'arrangeait pas pour autant. Les premiers vous aveuglent, les autres vous entraînent inexorablement. Le résultat est le même. Je me suis étiré en bâillant.

Ah, comme cette journée était belle ! Comme tout était calme et silencieux ! Quelle force et quelle fragilité se dégageaient du paysage et de ce que je ressentais ! J'avais besoin d'Henri comme les arbres avaient besoin du sol pour s'enraciner. Je désirais Marlène autant qu'à mon avis la lumière du ciel désirait les eaux du lac.

J'avais besoin d'écrire, aussi vrai que ce spectacle existait. Seulement j'étais à la merci d'un feu de forêt ou d'un orage abominable, ou je pouvais tout simplement fermer les yeux et tout disparaîtrait dans la seconde. À force de rester sans bouger, j'ai eu froid, j'ai frissonné. Je me rendais compte que j'étais parvenu à trouver une sorte d'équilibre. Et forcément, ça ne pourrait pas durer et je le savais. Je me suis demandé si j'allais grimper au ciel ou si j'allais me faire très mal.

Je me suis redressé sur ma chaise et j'ai remarqué que le soleil était un soleil d'hiver, comment dire, est-ce qu'on peut parler d'une chaleur froide, d'un soleil glacé ? « Tiens, c'est l'hiver ! » je me suis dit. Je ne ratais jamais la naissance d'une saison, je remarquais tout de suite le changement de lumière. Je ne sais pas par quel miracle je me trouvais toujours là au bon moment. « Tiens, c'est le printemps ! Tiens, l'été ! Ooooohh... l'automne ! » Je ne suis pas du genre à négliger toutes ces petites choses qui donnent du charme à la vie. Je me suis attrapé la chair de poule en terminant mon Coca. J'ai regardé le lac attentivement. Je ne voyais pas Henri. Il me semblait pourtant ne pas l'avoir quitté des yeux mais mon cerveau n'avait rien enregistré. Peut-être avait-il tiré le canot sur la rive, pourquoi faisait-il des trucs comme ça ? J'ai scruté longuement les rives et mon regard passait au-dessus d'un miroir désert et silencieux. Heureusement, s'il était tombé à l'eau, je l'aurais entendu. Et puis j'étais pratiquement certain qu'il savait nager. Quand même, il aurait gueulé. La fille qui nous avait servis s'est amenée dans mon dos. Elle s'était calmée mais affichait un franc sourire. D'une main elle a pris mon verre, de l'autre elle a balancé un coup de torchon sur la table.

– Vous cherchez quelque chose ? elle m'a demandé.

– Non, pas vraiment. Mon ami est parti en bateau et je le vois plus...

– Vous savez, on croirait pas, mais il s'est produit beaucoup d'accidents sur ce lac. D'ailleurs le mois dernier...

– Vous êtes gentille, je vous remercie..., je l'ai coupée.

De nouveau seul, mon visage est passé dans l'ombre. Le soleil venait de disparaître derrière la cime des arbres et le coin est devenu carrément inquiétant. Un poisson a sauté de l'eau à quelques mètres de moi et le petit bruit sec de son plongeon m'est resté à l'oreille avec une netteté stupéfiante. Finalement, il me semblait très profond, ce lac. Particulièrement sombre et mystérieux, à la vérité. Et quel silence, quel calme pétrifié, j'en revenais pas. Par nature, un écrivain est un type angoissé. Je commençais réellement à me sentir pas bien. Que faire contre un lac, une forêt, surtout quand la lumière s'éloigne et que l'humidité vous saisit ? Quel petit machin dérisoire allais-je inventer ?

– Henri ! j'ai gueulé. Henri !!

J'étais petit, minable, minuscule. J'allais me décider à m'envoyer le tour du lac au pas de course lorsque j'ai entendu un faible clapotis à côté de moi. Je ne voyais pas ce que c'était car l'espèce de baraque en bois où l'on attachait les bateaux me masquait une petite partie du rivage. Il me semble que j'ai retenu mon souffle. J'ai d'abord aperçu quelques lignes droites en épi dont les queues ondulaient à la surface de l'eau. Puis le nez d'une barque s'est avancé doucement et de nombreuses secondes s'écoulèrent avant que je ne puisse la voir entièrement. Elle était vide. C'était bien évidemment celle qu'avait empruntée Henri, et lui, il avait disparu ! Plus je la regardais, plus cette barque paraissait abandonnée. Plus elle s'avançait vers moi, plus elle se chargeait d'un sinistre message, d'ailleurs la peinture s'écaillait, elle n'était plus toute jeune, le bois était sans doute vermoulu, autant dire qu'au moindre geste vous pouviez passer par-dessus bord. Je suis resté cloué sur place, raide comme un piquet. Un oiseau a poussé un cri lugubre dans les hauteurs et j'ai décelé une vague odeur de vase dans l'air. J'ai reculé de quelques pas maladroits. J'ai heurté un banc. Je me suis retrouvé assis dessus, le regard braqué sur le centre du lac. Je me sentais de plus en plus mal.

– Alors… je t'ai fait peur ? il a demandé.

Il sortait de derrière la cabane, avec le sourire qu'on peut imaginer. C'est bien simple, je l'aurais tué. Mais j'ai rien dit. Je l'ai regardé puis je suis retourné à la bagnole. Ce genre de blague, je trouvais ça drôle quand j'avais seize ans. Quand j'avais l'esprit clair et libre.

13

Gloria était enceinte. Elle avait un beau ventre rond et lorsqu'elle est entrée dans le bureau du directeur, je l'ai trouvée très belle malgré cet air grave qu'elle a pris. Henri s'est cramponné à sa chaise. Les deux vigiles se tenaient prêts à nous sauter dessus. Elle nous a jeté un rapide coup d'œil pendant que le directeur croisait ses mains sur son bureau. Il souriait à moitié. Au moins, il y en avait un que cette histoire amusait.

– Cet homme prétend être votre père…, a-t-il annoncé d'une voix douce.

Les deux cinglés en uniforme nous couvaient d'un regard mauvais. J'avais encore mal dans toute l'épaule. Henri et moi avions traversé le campus au pas de course avec un bras tordu dans le dos. Braillants et grimaçants.

– Oui, a murmuré Gloria. C'est la vérité.

– Eh bien, dans ce cas, messieurs, l'incident est clos. Je vous prie d'accepter nos excuses...

L'espace d'une seconde, j'ai revu le sourire mauvais de la bibliothécaire au moment où les deux malabars nous avaient empoignés. Une presque vieille, une quasi-déglinguée qui triturait son mouchoir en haut des marches et serrait les cuisses d'une manière frénétique. Inutile de chercher qui nous avait envoyé les deux zèbres. Pas un seul cheveu ne dépassait de son petit chignon moisi.

Il y avait deux jours que nous étions arrivés, Henri et moi. Nous nous étions trouvé un hôtel à une étoile aux abords de l'université et nous avions pris une chambre à deux lits. C'était le genre d'établissement à la coule et le type de la réception avait pris un air blasé pour m'annoncer qu'il y avait aussi des chambres avec un grand lit. Je lui avais répondu que mon copain avait peur d'attraper le SIDA, que j'allais commencer par en prendre une à deux lits.

« Je suis là depuis dix ans et je vois passer que des dingues... » avait-il marmonné en décrochant une clé du tableau.

C'était une chambre de neuf ou dix mètres carrés avec du papier jaune à rayures. On avait roulé une partie de la nuit et le jour se levait à peine. J'ai demandé qu'on nous monte du café. Henri s'est allongé sur le lit et je me suis approché de la fenêtre, j'ai regardé les bâtiments de l'université sortir des brumes et se dessiner dans le petit matin, puis virer dans les violet-rose. D'après la fille aux cheveux rouges, Gloria était là. Il suffisait d'aller la pêcher parmi les quelques milliers d'étudiants qui entraient et sortaient plusieurs fois par jour. « N'ayez pas peur... ce n'est pas aussi difficile que ça... nous avait-elle rassurés. Planquez-vous du côté de la bibliothèque, c'est ce que j'ai fait. »

J'ai craché un peu de buée sur le carreau et j'ai tracé le contour des maisons et des arbres. Ça n'a rien donné de fameux.

— Arrête d'y penser, a déclaré Henri d'une voix calme. Je ne vais sûrement pas l'avaler, repose-toi.

J'ai envoyé une grimace dans la rue, j'ai ricané en croisant mes mains derrière ma tête.

— Qu'est-ce que tu vas chercher..., j'ai grincé. Cette journée s'annonce comme une vraie partie de rigolade.

Le ciel était dégagé. L'air était vif. Durant toute la matinée, nous avons déambulé entre les bâtiments, dans les allées et sur les pelouses, au milieu des étudiants et d'une colonie de pigeons qui semblaient des habitués du coin et qui vous traînaient dans les jambes quand ils s'envolaient pas en vous rasant d'un coup d'aile meurtrier. L'ambiance était agréable. Il y avait pas mal de filles en socquettes, avec des cuisses rouges, et elles s'avançaient vers vous en serrant des bouquins sur leur poitrine et de leur bouche sortait un petit jet de vapeur blanche et au fond elles étaient plutôt appétissantes je ne pouvais nier que certaines idées me passaient par la tête. D'une manière générale, les filles jeunes m'attiraient pas beaucoup, mais certaines fois elles me frappaient comme la foudre et je retrouvais le parfum des caramels mous. Au bout d'un moment, nous nous sommes assis sur l'herbe.

— Bon sang !... Celle avec le pull-over bleu, tu la vois... ? Oh Jésus du ciel ! regarde un peu ses jambes !

Tout ce que nous avions à faire, c'était d'ouvrir les yeux et d'essayer de repérer Gloria au milieu de toutes ces filles qui nous passaient sous le nez. J'en ai pris un bout par-ci, un bout par-là,

et je me suis amusé à composer la fille idéale.
Ça m'a permis de tenir un bout de temps, ça
m'a donné faim.

Pour finir, nous avons tourné autour de la
bibliothèque. C'était un bâtiment à part. Pour
y accéder, il fallait grimper une dizaine de marches et Henri et moi n'y étions pour rien. La
plupart des filles étaient en pleine santé, on ne
voyait pas une seule ride, pas de corsets, pas
de dentiers. Qu'est-ce qu'on y pouvait si la mode
était revenue à la minijupe ? Est-ce que c'était
un crime de jeter un œil sur leur culotte, est-ce
que ce n'est pas une bonne chose que de cligner
des yeux sur un champ de marguerites frémissant ?... On s'était assis au pied d'un arbre, enfin
on se tenait plutôt allongés sur un coude et on
suçait des herbes. On avait pas froid, on était
bien. C'était comme si on s'était installés à la
terrasse d'un café sans rien avoir de spécial en
vue, sans être attendus par personne, sans obli-
gations, sans projets, sans rien pour vous faire
chier, simplement armés d'une bière et le regard
perdu dans le vague.

Avant de nous installer, nous avions inspecté
les lieux mais ce n'avait pas été une bonne idée.
Il y avait un silence de mort et une espèce de
vieille se tenait pliée derrière son bureau et nous
envoyait des coups d'œil furtifs. On ne gênait
personne, on se tenait bien, on s'était reculés
dans un coin tranquille et on essayait de savoir
si Gloria n'était pas cachée derrière un bouquin,
n'est-ce pas. Lorsque nous nous sommes dirigés
vers les rayons, la vieille peau a bondi de son
siège en prenant une mine ulcérée.

– Où allez-vous ? ? !... C'est interdit ! ! ! elle
a sifflé.

Des étudiants se baladaient librement entre
les rayons. Qu'est-ce qui était interdit, qu'est-ce
qui n'allait pas ?

– C'est interdit au public ! elle a précisé.

– Vous inquiétez pas, j'ai dit. On cherche quelqu'un.

Elle a poussé un couinement de dégoût en serrant les poings :

– Je vois très bien ce que vous êtes !... Laissez ces jeunes filles tranquilles ou j'appelle ! !

Nous avons compris immédiatement qu'elle était cinglée, qu'on ne pouvait rien lui expliquer et que d'une seconde à l'autre elle allait se mettre à hurler. Ses lèvres étaient blanches comme de la craie. Déjà quelques têtes se levaient et des yeux se posaient sur nous. J'ai pris Henri par un bras.

– Je vais y retourner. Je vais la buter à coups de livre ! ! il a grogné, tandis que nous dévalions les marches.

– Non, laisse tomber. On est aussi bien dehors. Elle est déjà morte.

Nous nous sommes éloignés rapidement.

– Te retourne pas, j'ai ajouté. Elle est collée à la fenêtre !

Nous sommes allés manger une pizza quelques rues plus loin. Malgré ce petit incident, Henri avait retrouvé sa bonne humeur. J'étais content de le voir dans de telles dispositions, souriant et détendu. Apparemment, la vieille hystérique lui était sortie de la tête. Je commençais à penser que je m'étais trompé et qu'au bout du compte, tout allait bien se passer. Je m'étais préparé au pire, à une bagarre sans merci, je me disais qu'au cours de tous ces mois, il avait ruminé sa rancœur et qu'on ne pourrait éviter un terrible affrontement lorsqu'ils se retrouveraient l'un en face de l'autre. Au lieu de ça, il semblait heureux. Je le connaissais suffisamment pour faire la différence entre une euphorie passagère et cette joie sourde qui l'animait. Bien qu'il se donnât du mal pour le cacher, me racontant je ne sais quoi à propos d'une fille qu'il avait remarquée, une de celles à qui j'avais demandé le chemin de la bibliothèque, la brune aux cheveux bouclés, le portrait tout craché de la première fille qu'il avait aimée.

« Je me demande même si c'est pas sa fille ! » a-t-il plaisanté avant de mordre un grand coup dans sa pizza. « Hummm, ça faisait un bail que j'avais pas mangé une pizza ! »

C'était faux. Nous avions mangé exactement la même trois jours auparavant, c'était d'ailleurs moi qui l'avais préparée. Il disait n'importe quoi, histoire de plisser les yeux, histoire de ne pas m'annoncer que la vie était belle. C'était renversant ! Jour après jour, l'absence de Gloria lui avait pesé, il en avait souffert, je savais de quoi je parlais, je vivais avec lui et Dieu sait qu'il lui en voulait, qu'il avait cette histoire en travers de la gorge. Comme je le disais, je craignais le pire. Et voilà que sur le point de la retrouver, sa colère s'était envolée et il vibrait à présent d'une joie puissante, difficilement contenue. J'étais complètement scié.

Ce que voyant, bien sûr, j'ai pris les choses beaucoup plus à la légère. Nous sommes retournés du côté de la bibliothèque les mains dans les poches et le sourire aux lèvres. Les filles nous regardaient parce que Henri marchait en équilibre sur le rebord des plates-bandes et se contorsionnait. Les quelques bières que nous avions bues n'y étaient pour rien. Nous avons passé l'après-midi couchés dans l'herbe, dans un coin fleuri d'où nous pouvions guetter toutes les allées et venues et ces petits chiffons colorés qui grimpaient les marches. Et le temps passa à une vitesse folle. Et nous n'avons pas vu Gloria. Le jour baissait lorsque la vieille toquée a fermé les portes. On s'est relevés. Au moment où elle nous a aperçus, elle est partie au trot, cramponnant son sac et relevant son kilt jusqu'à mi-mollet.

– Bon, ben on a pas eu de chance aujourd'hui..., a remarqué Henri en s'étirant. Enfin... ça ne fait rien.

Il m'a pris par l'épaule et on s'est dirigés vers la sortie.

– L'ennui avec les cheveux blancs, tu vois, c'est que tu peux plus regarder une fille de vingt ans sans qu'on te prenne pour un satyre...

Étant donné que la chambre avait des rayures jaunes, nous n'étions pas pressés de rentrer. Nous sommes partis à travers la ville et le soir venu, nous avions repéré les endroits un peu animés, investi quelques bars et visité la cathédrale. Nous n'étions pas ivres le moins du monde mais simplement gais et contents. Je m'étais laissé gagner par cette nouvelle vision des choses, il me semblait qu'à présent la cause était entendue, l'orage s'était éloigné, et Gloria, on allait se l'embrasser sur les deux joues. Je n'avais pas abordé le sujet avec lui mais il n'existait plus l'ombre d'un doute, il lui avait pardonné. Toute l'histoire baignait littéralement dans une lumière dorée, si bien que je ne pouvais plus en envisager une triste tournure, le passé était oublié, tout le monde se pardonnait, tout le monde s'embrassait. Je ne saurais dire à quel point je me sentais libéré d'un poids. Sans me l'avouer, je m'accrochais désespérément à ce dernier tableau, je ne voulais plus entendre parler d'autre chose. Je pensais que c'était formidable, qu'elle allait me serrer dans ses bras et que je n'étais plus « le type qui baisait sa mère », comme elle m'avait appelé. Je pouvais souffler. Pour quelques trucs vraiment mortels dans une vie, que de catastrophes évitées, que de sauts magnifiques par-dessus les flammes !...

Nous avons dîné dans une salle enfumée, sur

des banquettes en cuir, des espèces d'omelettes à la viande avec une sauce verte et piquante, il n'y avait d'ailleurs que ça à manger, des omelettes, cent cinquante variétés d'omelettes différentes, le tout dans une ambiance néo-beatnik, sans poil sur la figure, mais l'inévitable chemise à carreaux, et l'accent était mis sur la richesse intérieure. Il y avait une petite scène dans le fond et un projo bleu tombait sur une fille en jean qui récitait des trucs d'avant-garde, particulièrement incompréhensibles. Les prix étaient corrects. La fille était blême et privée de seins. C'était de la poésie expérimentale.

Le type qui tenait la boîte était une sorte de géant roux en bras de chemise, un barbu aux yeux bleus qui faisait le tour des tables avec une bouteille, s'asseyant et discutant avec les clients, balançant quelques gouttes d'alcool dans les verres. C'était sans doute lui la véritable attraction. La moyenne d'âge, c'était vingt-cinq-trente ans, lui c'était plutôt trente-cinq, il portait sur les autres un regard bienveillant et les faisait patienter d'un geste lorsque l'un d'eux gueulait : « Bob, amène-toi, y faut que je te parle... ! » ou « Bob, par ici, tu ne sais pas la meilleure !... » Il nous manquait plus qu'un petit air de jazz.

La sauce verte avait un goût de cornichon pilé et d'origan, mais j'ai fini par m'y habituer. Sur la scène, la fille serrait les poings et comparait ses menstrues au sang du Christ. Bob n'était plus qu'à quelques tables de nous et dans cette attente, nous avions déjà vidé nos verres. Le plafond avait définitivement disparu derrière un rideau de fumée glauque. C'était rudement sympa.

Il s'est assis devant nous au moment où la fille terminait son truc, les yeux exorbités, tous les muscles tendus, bonne pour l'hôpital, à mon avis. Il l'a regardée en trifouillant dans sa barbe :

– Hum... qu'est-ce que vous en pensez?...
C'est pas inintéressant...

– Sers-nous à boire, Bob ! j'ai éludé.

Tandis qu'il s'exécutait mollement, un type a
pris la place de la fille sous le projecteur. Un
type avec une guitare sèche et une tête de chien
battu.

– Bien sûr, c'était pas génial, il a ajouté. Elle
est encore un peu jeune. La poésie c'est ce qu'il
y a de plus dur au monde...

J'ai tout de suite compris que j'étais en pays
ennemi, je l'ai pas ramenée. Henri a levé son
verre pour trinquer avec Bob.

– Vous êtes nouveaux dans le coin?

– Oui, on est là pour quelques jours...

Le type à la guitare était du genre à vous
arracher des larmes. J'ai profité qu'Henri et Bob
étaient partis sur les chemins de la poésie contem-
poraine pour me verser la rasade du romancier.
La salle était pleine de monde. Certains écou-
taient, d'autres discutaient. La banquette était
confortable. J'étais bien. Je ne sais pas à quoi
c'était dû, mais je prenais du plaisir à dévisager
les filles qui se trouvaient dans la boîte. Un
regard croisé et je me sentais glisser dans un
bain de lait tiède parfumé au nougat. Je retombais en enfance. Cette histoire avec Gloria
m'avait tellement fait chier que je nageais dans
une espèce de crème légère depuis qu'un heureux
dénouement s'en était pressenti. Bien entendu,
toute ces filles posaient. On ne vient pas écouter
de la poésie d'avant-garde en se tenant comme sur
une île déserte. Certaines m'envoyaient un rond
de fumée, d'autres secouaient leur chevelure.
Quelques types portaient des lunettes d'écaille
et dans l'ensemble, ils avaient le front dégagé.
Je me demandais si j'étais le seul à songer à la
bagatelle dans un endroit pareil, si je n'étais pas
en train de commettre un péché mortel. Derrière

sa guitare le gars était en train de nous sortir ses tripes. Mais j'étais désolé, j'y pouvais rien. Peut-être qu'un romancier dans une assemblée de poètes, c'est comme un garçon d'écurie qui se pointe dans la grande salle du château, j'en savais rien.

Bob était un mordu. À l'entendre, la poésie, il n'y avait que ça de vrai. Sa femme l'avait quitté, son affaire rapportait pas grand-chose, par moments son foie le clouait sur le lit, mais est-ce que cela comptait, demandait-il, est-ce que la lecture d'un haïku suffisait pas à le faire grimper au ciel ?

– Tenez, Bashó, par exemple ! a-t-il précisé en cramponnant la table, nous fixant de ses grands yeux bleus :

> « Le vieil étang.
> Une grenouille y plonge
> Plop ! »

Hein, qu'est-ce que vous pensez de ça ?

Ses lèvres en tremblaient encore.

– Le diamant à l'intérieur du diamant !!

Ce type manquait pas de charme. Je l'ai regardé un moment en souriant, je lui ai demandé, en désignant Henri du menton, s'il savait qui c'était. Non, il l'ignorait, alors je le lui ai dit. Il est devenu blanc comme un mort. Il a fixé Henri une seconde puis a tourné la tête dans son dos.

– Non... je le crois pas !... il a murmuré.

– Je te l'affirme, j'ai insisté.

Il nous a regardés à nouveau. À sa mine sidérée se mêlait un soupçon de crainte, ce qui était tout à fait normal. Un écrivain comme Henri, c'était presque un demi-dieu. Chaque fois que je suis tombé sur un grand écrivain, j'ai éprouvé un mélange de bonheur et de crainte. On n'est jamais très à l'aise quand le bouquin qu'on tient dans ses mains se transforme en objet

246

sacré. J'ai tout de suite compris ce que Bob ressentait. J'ai été agréablement surpris de m'apercevoir qu'ils étaient complètement arriérés dans le coin.

– Putain, Seigneur Jésus... a murmuré Bob tout en essayant de viser nos verres avec sa bouteille. Qui aurait pu croire une chose pareille ! !...

J'ai failli lui dire qu'il pouvait même le toucher, mais je me suis ravisé. Il m'était sympathique, ce gars-là, autant le laisser sous le charme. Décidément, j'avais été à des lieues de me douter à quel point cette journée pourrait être agréable. Je m'étais miné pour rien. Je me suis dit ne deviens pas con avec l'âge, que cela te serve de leçon. Bob nous a empoigné les mains par-dessus la table.

Une demi-heure plus tard, le silence tombait et Henri tirait un carnet de sa poche. Tandis qu'il mettait ses lunettes, un type a sauté sur une table et lui a braqué le projecteur sur le crâne. Bob se tenait la barbe à deux mains. Comme il nous l'avait expliqué, c'était un admirateur de la première heure et tous les bouquins d'Henri étaient posés sur sa table de nuit. Cette rencontre l'avait secoué, j'espérais qu'il n'allait pas tomber malade. L'heure de la fermeture approchait. Ils étaient toute une bande à être venus s'asseoir autour de notre table. À présent, le nuage de fumée nous descendait presque au ras du crâne.

Ensuite, ils n'ont pas voulu nous lâcher. On s'est retrouvés sur le trottoir, aux environs de 1 heure du matin, dans l'air frais, pendant que Bob tirait un grand coup sur le rideau de fer. On parlait encore de la lecture d'Henri. Ils étaient quelques-uns autour de lui et je le voyais hocher la tête avec le bout de son cigare rougeoyant entre les lèvres. Il s'agissait d'aller prendre un dernier verre chez l'un d'entre eux mais Bob s'est dégonflé.

— Non, je vous en prie, les gars. Pas ce soir, je tiens vraiment plus debout !

On s'est serré la main. Il est parti d'un côté et nous de l'autre, avec toute la bande, c'était sans importance de toute manière, on était appelés à se revoir.

C'est donc le lendemain midi que nous avons retrouvé Gloria. Nous nous étions couchés tard, levés tôt et avions repris notre attente devant la bibliothèque. Il faisait toujours beau et froid, et nous nous étions embusqués au soleil. Jusqu'au moment où les deux types nous étaient tombés dessus, c'est-à-dire quand la vieille en avait eu assez de nous voir traîner sous ses fenêtres.

Dès que nous sommes sortis du bureau du directeur, Henri a pris Gloria dans ses bras. Le hall était désert. Le sol était une mosaïque de carreaux bleus et blancs disposés en éventail, d'une propreté irréprochable. Il y avait deux carreaux blancs pour un carreau bleu, de quelque manière qu'on s'y prenne. Pour finir, je me suis bougé et je suis allé les attendre en bas.

Sur le trottoir d'en face, un type vendait des beignets aux pommes. Je suis allé en acheter trois. J'en ai mangé un en gardant un œil sur la sortie, le dos appuyé contre un arbre. Et puis je me suis barré et, ne sachant que faire, je me suis avalé les deux autres.

J'ai marché pendant un bon moment. Je n'ai pas cherché d'explication à mon comportement, non j'avais plutôt la tête vide. Je ne ressentais qu'une légère fatigue qui, à mesure que le temps passait, ne s'envolait ni n'empirait. Les rues étaient calmes. Je tournais un peu en rond mais ça ne me gênait pas, je n'étais pas embarqué dans une visite touristique et rien ne m'arrêtait.

Plutôt que de poireauter à un feu rouge, je tournais à angle droit et lorsque ça me chantait, je revenais sur mes pas. En sorte que je suis repassé deux ou trois fois devant la boîte de Bob. Il m'a appelé alors que j'arpentais le trottoir d'en face. En pleine lumière, ses cheveux étaient d'un roux flamboyant et lui me semblait tendu comme un arc.

Je l'ai suivi à l'intérieur, en direction du bar. Je me suis perché sur un tabouret tandis qu'il sortait les verres et me répétait qu'il était navré pour la veille au soir, vraiment, mais qu'à peine rentré chez lui, il s'était écroulé. Je ne le sentais pas très à l'aise. Il astiquait vaguement le comptoir en me racontant que c'était pas des blagues, les affaires ne marchaient pas très fort et il était obligé de se coltiner le ménage de la salle, ha ! ha ! ça n'avait l'air de rien, seulement je pouvais le croire, les reins en prenaient un bon coup quand on mesure un mètre quatre-vingt-dix et qu'il faut se plier sous les tables. Il souriait mais son regard me lançait des éclairs tragiques, des gris, des argentés. Quant au comptoir, il en frottait toujours le même coin. J'ai jeté un coup d'œil derrière moi. Il y avait personne. Quand j'ai regardé Bob à nouveau, il se mordait les lèvres. J'ai attrapé mon verre afin d'éviter une effusion de sang.

— Eh bien Bob, à ta santé ! j'ai dit.

Il a bu le sien d'un trait et l'a reposé en poussant un faible gémissement. Puis il a plaqué ses mains sur le bar, a baissé la tête et l'a secouée dans tous les sens.

— Tout est foutu !... il a grogné. Ouais, maintenant, tout est foutu ! !...

Sans attendre, il a ouvert un robinet et s'est enfoncé le crâne sous l'eau. La rapidité de son geste m'a surpris, tout autant que ses paroles mystérieuses. Le robinet sifflait, le jet d'eau chuintait, des gouttes crépitaient sur le sol. Il restait là-dessous sans plus bouger, reniflant à intervalles réguliers, espérant je ne sais quoi tandis que de mon côté j'essayais de comprendre et me sentais pour le moins intrigué. Voyons, me disais-je, tu ne connais ce type ni d'Ève ni d'Adam, alors qu'est-ce qui te fait penser que tu as quelque chose à voir dans tout ça ? Car c'était bien ce que j'éprouvais, d'une manière confuse, cette intuition révélant une nouvelle fois le caractère hypersensible de l'âme d'un écrivain.

Comme cette situation menaçait de s'éterniser et me rendait perplexe, je me suis penché par-dessus le comptoir et j'ai coupé l'eau. Il s'est redressé doucement, les cheveux collés sur le front et les joues.

– Mais enfin, Bob, que se passe-t-il ?

Des deux mains, il a ramené tout le paquet en arrière. Il avait le regard sombre, les mâchoires serrées. Des petits filets d'eau lui glissaient le long du cou, quelques gouttes lui tombaient sur les épaules. La lumière qui venait de la rue le coiffait d'un casque brillant. Bob était une armoire à glace, mais de quelque taille qu'il fût, l'homme est d'une fragilité écœurante sous la morsure du chagrin. Il semblait vaincu, préparé à recevoir le coup final.

– J'étais paralysé... a-t-il murmuré comme s'il était seul. J'étais paralysé et je n'ai pas pu saisir ma chance... J'ai pas pu lui parler !...

Il est sorti de derrière le bar et, tel un animal blessé, s'est laissé choir à une table, se prenant le front dans une main. J'ai embarqué mon verre. Je suis venu m'installer devant lui tandis qu'il poursuivait son monologue :

– Oh non, je ne m'y attendais pas..., mais ses yeux m'ont transpercé comme elle me l'avait dit. Elle ne s'est pas trompée. Je ne voulais pas y croire, je lui disais mon petit oiseau tu exagères toujours et je la prenais dans mes bras, je lui disais ne t'en fais pas, cet homme est ton père et je lui expliquerai tout, je lui parlerai... Comme tout me semblait simple... Oh, qu'ai-je fait, mon Dieu, qu'ai-je fait ! !... Il était là devant moi, il souriait, il suffisait que je le prenne par la manche et que je lui ouvre mon cœur, et il aurait compris... Ah Seigneur, qu'est-ce que je vais devenir maintenant ?... Je vois bien que j'ai tout gâché. Il me pardonnera jamais, il donnera jamais sa fille à un lâche ! Car j'ai été d'une lâcheté abominable, je me suis conduit comme une poule mouillée et j'ai fermé ma gueule... Si j'avais une fille, est-ce que je la mettrais dans les bras d'un type comme moi ? Non, bien sûr, jamais de la vie, il faut quand même un minimum de couilles, mon petit Bob, tu ne peux pas t'enfuir à plat ventre et réclamer le paradis... Elle te l'avait bien dit ! Elle te le disait de rester sur tes gardes, mais tu te marrais, tu te foutais d'elle, mais mon ange, c'est ridicule, si cette grosse fille à cheveux rouges est détective, moi je suis l'empereur de Chine, et même si c'était vrai, même si ton père se radine, je suis là, il va pas nous manger... Ah, j'entends encore ces mots sortir de ma bouche ! Quel prétentieux j'étais ! Bob, sincèrement, t'es vraiment un pauvre type. Tu la voyais se donner du mal pour brouiller les pistes, mais ça ne suffisait pas pour t'inquiéter, tu pensais qu'il fallait pas la contrarier, que les filles font toujours des trucs bizarres... Maintenant, regarde où tu en es, que reste-t-il de ta belle assurance ?... As-tu la force de lever le petit doigt ? Cette fois, tu es au tapis et pour de bon. Tu n'as plus aucune chance. Ton seul espoir, c'était de la prendre par les épaules et de lui parler franchement, de lui dire Gloria écoute, j'ai rencontré ton père mais j'ai manqué de courage, je ne lui ai rien dit... Mais tu t'es enfilé dans les draps, t'as éteint la lumière, pauvre dégueulasse, et tu as fini par t'endormir, parfaitement, tu as quand même réussi à trouver le repos... Oh Seigneur Jésus ! où est-elle maintenant, mais qu'est-ce que j'ai fait ? !... Je mérite d'être enchaîné et traîné dans les rues et abandonné en plein soleil sans une seule goutte d'eau à boire. Je mériterais qu'on me supprime la lumière et qu'on me laisse pourrir dans un coin sombre afin que nul ne puisse plus poser les yeux sur moi, car je n'en vaux pas la peine...

J'ai cru qu'il allait ajouter : « Périsse le jour où je suis né. Et la nuit qui a dit : Un enfant mâle est conçu ! » mais il s'est enfermé dans un silence terrible. Je me suis levé pour aller fouiner derrière le bar. J'ai mis la main sur un torchon propre, j'ai fait demi-tour et je suis revenu vers le géant brisé, je lui ai recouvert la tête avec l'essuie-mains à carreaux.

— Bob..., j'ai dit.

— ...

— Bob... sèche-toi à présent. J'ai dans l'idée qu'ils seront là d'une minute à l'autre.

Il a levé un œil sur moi, un œil terrifié.

— Ben ouais, c'est comme ça, j'ai ajouté. On y peut rien. C'est toujours très dur quand le ciel nous envoie une occasion de nous racheter.

— Te te te..., il a bégayé. Tous les deux ? ? ! !

— Hum... ce matin ils étaient ensemble. Je les ai laissés dans les bras l'un de l'autre.

Il a été tellement surpris qu'il s'est levé en oubliant le torchon sur sa tête. On se serait crus au cours d'une cérémonie religieuse et le communiant se frottait nerveusement les mains. Il était pas trop mal comme type, et malgré ses histoires de foie, il avait l'air en bonne santé. Il y a des filles qui ne peuvent pas résister au genre bûche-ron.

252

– Ensemble... mais ensemble... comment ça ensemble ? ?... a-t-il couiné en retombant sur sa chaise.

– Ouais, il l'a soulevée dans ses bras. Il l'a embrassée.

– Mais elle m'avait dit...

– Oui, c'est quelque chose d'incompréhensible. Fais comme moi, ne cherche pas à comprendre. Ça a l'air de bien se passer.

– Oh... Dieu de Dieu ! J'aimerais me trouver mal.

– Bon, commence par t'essuyer. Enlève ce machin de ta tête.

Il s'est frotté mollement le crâne. Le combat n'était pas commencé qu'il semblait déjà sortir du dix-sept ou dix-huitième round.

– Maintenant, on n'a plus qu'à les attendre. On ne peut plus reculer. J'espère que tu vas être à la hauteur, Bob.

Je n'aurais pas dû dire ça, je l'ai un peu affolé et le pauvre n'en avait pas besoin. Je suis allé chercher la bouteille d'alcool. Je lui ai posé une main sur l'épaule. Il avait des deltoïdes en acier.

– Sois sans crainte. Je le connais bien. Il n'est pas si terrible. Et ces derniers temps, il était de bonne humeur. Y a quand même un bon truc pour toi, Bob, c'est que tu mouilles pour la poésie.

– Hein ?... Ooohh... c'est peut-être le plus grand d'entre nous !...

– N'aie pas peur des mots, Bob. On en a rien à foutre des mots.

Je suis allé fouiller dans les cassettes. J'ai trouvé un truc avec J. Cash et W. Nelson et deux autres. Ça commençait par une valse mélancolique. Et je ne voulais pas autre chose, des types qui mettaient leurs chariots en rond et qui n'avaient rien d'autre à s'offrir qu'une petite valse mélancolique et sans prétention, avec des femmes et un grand feu. Des types qui s'étaient barrés pour respirer et maintenant nous n'avions plus ça, nous devions patauger dans nos problèmes sans le moindre espoir pour un eldorado. J'aimais bien cette musique. Ça nous a mis dans une ambiance un peu spéciale. Certains me comprendront. Pour les autres, j'essaierai de m'approcher de la vérité en disant qu'on prenait des forces.

Je l'ai aidé à vider les cendriers, à envoyer un coup de balai sous les tables. Il en a profité pour m'expliquer qu'il l'aimait, ce que j'avais parfaitement compris et que maintenant il se fichait de mourir, ils pourraient faire de lui ce qu'ils voulaient mais il ne se sauverait pas une nouvelle fois. Et je lui ai répondu que c'était la bonne solution. Et puis qu'il exagérait, ne trouvait-il pas ?

– Eh ben, tu la connais mal...

Et moi, en entendant ça, intérieurement, j'ai rigolé. Encore un qui n'avait pas connu Betty, un qui criait au tremblement de terre dès qu'une fille grinçait des dents. C'était comme de parler d'un ongle retourné à un type qui venait de s'appuyer la dernière Guerre mondiale.

Il était en train de me raconter comment ils s'étaient rencontrés quand les deux autres ont franchi la porte. Ça lui a coupé le sifflet. Ils se sont arrêtés dans le milieu de la salle et c'est un pur miracle que l'un de nous deux n'ait pas lâché son balai. Ils ne souriaient pas mais nous ne souriions pas non plus. J'ai eu l'impression de flotter dans quelque chose de mou, mais d'absolument translucide, pourquoi pas une terrine de gelée après tout ? Eh bien, il fallait pourtant que l'un de nous se décide à tenter quelque chose. Briser ce silence, c'était comme d'attaquer la banquise avec un canif. Mais je l'ai couvée du regard, j'ai plissé des yeux :

– Hé, ça fait combien de temps au juste ? j'ai demandé en m'attrapant la nuque.

– Six mois, vingt-sept jours, elle a répondu.

J'ai analysé le moindre mouvement de cil, chaque mot et leur intonation. C'était une réponse tranchante mais la voix était calme et ce que je pouvais lire sur son visage n'était ni bon ni mauvais. Je ne savais pas trop quoi en penser. Henri a tiré une chaise et s'est assis. Lui, j'ai pu remarquer qu'il semblait agacé, mais rien de plus, j'ai vu qu'il n'y avait rien de grave de ce côté-là et Bob restait cramponné à son balai.

– Tu nous a manqué, j'ai dit doucement, je suis content de te voir...

Elle a amorcé un début de sourire avant de regarder ailleurs. J'ai eu l'impression qu'on m'arrachait une sucrerie de la bouche.

Aujourd'hui, à la lumière des événements, je dois reconnaître qu'elle a joué franc-jeu avec moi. Cette espèce de sourire qu'elle avait volontairement interrompu annonçait la couleur une bonne fois pour toutes. Mais je n'y ai vu que du feu. J'ai pensé que pour l'heure, c'était ce pauvre Bob qui était sur la sellette et peut-être que j'aurais droit à un vrai sourire, après coup, on verrait ça plus tard. D'ailleurs, Henri l'a regardé en hochant la tête puis il a levé les yeux sur Gloria :

– Ah, alors c'est lui... C'est drôle, j'ai l'impression de l'avoir déjà vu quelque part !...

– Écoutez, monsieur, je vais vous expliquer ! a lancé Bob d'une voix suppliante.

– Oh... mais tu connais mon père ? !... a ironisé Gloria.

– Chérie, je t'expliquerai... a lâché le malheureux.

Ça, je n'aurais pas aimé être à sa place. La situation était si pénible pour lui qu'il avait raccourci de plusieurs centimètres. Encore un effort et il pourrait disparaître dans ce fameux trou de souris.

Toute l'histoire lui retombait sur le dos d'une manière assez injuste. Bien sûr, il était grand et fort, il était taillé pour supporter le coup, mais devait-il payer pour le passé, un passé où il n'avait d'ailleurs jamais mis les pieds. Devions-nous le mettre à genoux et le forcer à sucer le sang de nos blessures ? dirais-je dans un moment d'euphorie. C'était un peu charrié, je trouvais.

Henri le détaillait tranquillement de la tête aux pieds. Gloria lui envoyait un œil glacé. Quant à ce pauvre Bob, d'une grimace il me demandait clairement de l'achever. Je suis allé vers Gloria. Je lui ai entouré l'épaule de mon bras et sans m'arrêter, je l'ai entraînée vers la sortie.

– On va revenir, j'ai lancé à la cantonade. On va s'acheter des cigarettes !...

Pendant quelques secondes, le monde a ressemblé à un grand trou noir et tout ce que je voyais, c'était qu'elle n'avait pas repoussé mon bras, qu'elle ne s'était pas raidie et qu'elle était vivante, je peux même ajouter tiède et parfumée. J'ai ouvert sur le trottoir des yeux éblouis. Elle ne souriait pas vraiment, parce qu'une fille ne vous pardonnera jamais tout en une seule fois, je perds plus mon temps à essayer de comprendre et j'avais quarante ans, je l'ai soulevée dans mes bras. Je voulais négocier un tour complet sur moi-même, mais elle m'a dit eh ! fais gaffe, en rigolant, tu m'écrases !

Je l'ai reposée. Ce bref instant m'avait plongé dans un bonheur insoupçonnable. Dès que j'avais franchi la porte, un éclair m'avait frappé et intérieurement j'en tremblais encore. De l'avoir serrée dans mes bras m'avait rendu fou de joie et sincèrement, je ne m'y attendais pas. C'est pour le coup que j'en ai oublié l'impression désagréable que j'avais eue au début. Cette sacrée Gloria !... Je lui ai tenu le bout des doigts pour l'admirer, pour voir ce fameux ventre. On avait quand même passé de sacrés bons moments ensemble, il y avait vraiment quelque chose entre nous. Et c'est tellement rare, je peux compter ça sur les doigts d'une main. Je me demande d'ailleurs si ça se reproduira un jour, mais j'ai peu d'espoir, enfin ça m'étonnerait, par moments j'ai la sensation d'avoir fait le plein de ce côté-là. La place n'est pas immense, peut-être qu'on peut caser cinq ou six personnes en les serrant un peu, mais peut-être que c'est le bout du monde, peut-être qu'après ça le cœur se fripe comme une vieille figue et se referme pour de bon. Enfin bref, un tas de choses agréables remontaient à la surface et ce trottoir m'allait comme un gant. Et je lui ai arraché un sourire. J'en connais un qui se tenait une forme époustouflante.

« Alors, qu'est-ce que tu as été nous branler avec cette histoire de fringues ? » lui ai-je demandé plus tard, alors qu'on se réchauffait derrière la vitrine d'un marchand de glaces, deux super-Stromboli devant nous.

J'avais tendance à envelopper ces retrouvailles sous un voile de chantilly qui m'aveuglait quelque peu, à leur donner un air de fête.

— Pourquoi tu t'es déshabillée ? On était mort de trouille, tu sais, on a cru que t'étais tombée sur un cinglé...

Elle a planté un petit sablé triangulaire dans un flanc du Stromboli et m'a envoyé un regard brillant.

— Je voulais pas que vous me rattrapiez, elle m'a sorti d'une voix blanche. Je voulais que vous me pleuriez !

J'ai secoué la tête en riant :

— Mais t'es complètement dingue... je lui ai

affirmé. Non mais je te jure, c'est vrai... Qu'est-ce qui a pu te passer par la tête ?

Si c'était possible, ses yeux étaient devenus encore plus perçants, à moins que ce ne fût le soleil ou quelque reflet bien senti.

– C'est toi qui me le demandes ? !...

Je me balançais en arrière, je suis aussitôt revenu en avant. Ai-je dit que j'étais en forme, qu'une joie profonde m'habitait, qu'il aurait fallu m'attaquer au diamant pour m'abattre ? J'avais peur de rien. Son regard d'acier, j'en ai fait des allumettes.

– Eh, tu vas pas encore nous ramener ce truc-là sur le tapis !... D'abord, on écoute pas aux portes et puis si tu veux savoir, ça ne s'est jamais reproduit. Alors parlons d'autre chose, si tu veux bien.

Elle a hésité une seconde, puis elle a envoyé ses cheveux par-dessus son épaule et elle a piqué du nez sur son assiette.

– Hé... Gloria..., j'ai ajouté. Tu te sentirais le cœur, toi, de nous gâcher un instant pareil ?...

Il y a deux choses qui ont sauvé Bob à mon avis. La première, c'est qu'il n'était pas marchand de bagnoles, sinon Henri l'aurait tué, d'une manière ou d'une autre. La deuxième, et là je suis resté sur le cul, c'est qu'il était prêt à plier bagage pour venir s'installer près de chez nous avec Gloria. Est-ce que j'avais bien entendu ? J'étais persuadé qu'il commettait une connerie épouvantable, mais j'étais là, je l'ai vu de mes yeux lorsqu'il a déclaré à Henri que rien ne le retenait et qu'ici ou ailleurs, ça lui faisait ni chaud ni froid. C'était vraiment la meilleure ! Il n'y avait plus aucun doute dans mon esprit, au train où ça allait, la ville allait bientôt nous appartenir, au moins toute la rue. Je ne savais pas s'il fallait taper dans ses mains ou s'arracher les cheveux. C'était tellement énorme que j'ai préféré ne rien dire. Ça n'aurait évidemment servi à rien. La plupart du temps, il vaut mieux s'asseoir et garder le silence.

– Et qu'est-ce que tu vas fabriquer ? j'ai demandé à Bob lorsque j'ai pu le tenir entre quatre yeux. Tu m'as l'air de t'approcher rudement de la flamme, tu sais, je le crois réellement. Moi à ta place, j'aurais pris Gloria sous un bras et j'aurais sauté dans un avion intercontinental.

Il a tiré sur sa lèvre inférieure, haussé les épaules.

– Ouais, je sais pas... Hum... elle était pas tellement heureuse, ici. On voulait partir de toute façon. Alors si elle veut être près de son père, hein, pourquoi pas ?...

– Eh bien, tu vois, moi, je ne crois pas que ce soit exactement ce qu'elle cherche, c'est pas mon impression. Je la connais un peu, tu sais...

– Ah... Et tu sais ce qu'elle veut ?...

– Attention, ne me fais pas dire ce que je n'ai pas dit. Et d'abord, c'est elle qui t'a demandé ça ? Elle t'a dit je veux retourner près de mon père, j'ai besoin de mon papa ??...

– Non... Pas exactement... C'est compliqué... mais j'ai le sentiment...

– Eh bien tu te goures ! je l'ai coupé. Crois-moi, Bob, tu te goures complètement. Je suis bien placé pour savoir que c'est pas de la rigolade entre eux. Il l'a élevée tout seul, tu sais, et c'est un drôle de bonhomme. T'es assez grand pour imaginer à quel point ils sont liés et ça crève les yeux. Mais moi je vais te dire ce qu'il lui faut à Gloria, il faut qu'elle prenne le large et j'y comprends plus rien, car je peux te garantir qu'elle l'avait bien pigé. Alors qu'est-ce que c'est que cette histoire de merde, depuis quand elle voudrait retourner dans les jupes de son père. Fais attention, Bob, parfois on pense qu'on a trouvé la bonne solution et pour finir, on en prend plein la gueule...

On était chez lui. C'était agréable et bordélique, et il y avait la photo de Blaise Cendrars sur la porte des W.-C., ce que j'ai pas tellement apprécié. Nous étions seuls, Henri et Gloria étaient descendus faire quelques courses. Il m'avait laissé le meilleur fauteuil et se tenait près de moi, une fesse appuyée sur la table, ses cheveux donnant une dernière fête dans les lueurs du soleil couchant. Les soirées étaient magnifiques ces derniers temps, je ne voudrais pas me priver du doux effet de lumière dont m'honorait ce soleil lointain. Ma réponse l'avait laissé muet, l'œil fixé sur la pointe de ses chaussures. Sa bouche s'est ouverte plusieurs fois avant qu'il se décide. Il ne me voyait pas mais je lui jetais un regard fiévreux.

– Ouais... J'en sais rien... je sais pas, a-t-il fini par déclarer. J'ai dans l'idée qu'elle dirait pas non, ouais, je crois pas me tromper... Hum, je pourrais être très heureux avec elle mais il lui manque quelque chose que je peux pas lui donner. Je voudrais bien mettre la main dessus un de ces quatre... Et puis, Henri, ça n'a pas l'air de lui déplaire...

– Tu m'étonnes !... j'ai grincé. Mais t'occupe pas d'Henri. Occupe-toi de vous deux et du gosse qui va vous tomber sur les bras.

Il m'a regardé calmement. Ce type-là n'avait pas un gramme de vice.

– On dirait que ça t'ennuie personnellement...

Je me suis claqué les cuisses en souriant d'un air méchant :

– Merde, qu'est-ce que tu vas chercher ? ? ! !... Moi, je suis pas celui qui vit avec elle. Moi, je suis ni son père ni sa mère. Moi, je suis complètement en dehors de l'histoire. Je t'ai dit ça pour ton bien, Bob, et ça ne va pas plus loin. Vous pouvez venir vous installer dans la baraque d'à côté ou planter une tente dans le jardin, j'y vois pas d'objection. Mais je te le répète une nouvelle fois, Bob, et je vais être cruel. T'es en train de te prendre les couilles dans un étau !

Bon, la nuit commençait à plonger la pièce dans la pénombre. Puis on a entendu des pas dans l'escalier. Alors on n'a rien ajouté. Je me suis passé une main dans les cheveux tandis que Bob se caressait la barbe. Il hochait la tête d'un œil vitreux. Y avait-il le moindre truc à boire dans cette baraque ?

14

Un beau matin, on s'est réveillés sous cinquante centimètres de neige. Personne avait jamais vu un truc comme ça et il faisait un froid à vous glacer les os. La rue avait disparu. Ça ne m'a pas ennuyé le moins du monde, au contraire. J'ai failli décrocher le téléphone pour les avertir que la ville était coupée du monde, que c'était à mon corps défendant, mais j'ai décidé de patienter encore un peu. Mon avion n'était qu'à midi.

Ce n'était pas de prendre l'avion qui m'emmerdait, c'était ce qui m'attendait après l'atterrissage. Mon éditeur, Walter Dogelski, m'avait demandé d'examiner la situation. Est-ce que je voulais vendre des livres ? Est-ce que je voulais qu'un chèque me tombe régulièrement dans les bras ? Est-ce que j'étais décidé à faire un petit effort ? Bien sûr, jusque-là, ça m'avait plutôt réussi de rester planqué, le mystère était payant et j'avais pas besoin de me fatiguer.

— Écoutez, m'avait-il dit, je ne veux pas vous

forcer, je ne veux pas vous demander quelque chose qui vous ennuie. Réfléchissez-y et rappelez-moi.

– C'est que... je travaille en ce moment, ça m'emmerde... Ça va me couper dans mon élan...

– Oui, je comprends... Écoutez, n'en parlons plus.

– Vous comprenez... Tout lâcher... comme ça...

– Ne vous tracassez pas. Ce n'aurait été l'affaire que de quelques heures mais vous avez raison. Il n'y a que votre travail qui compte. N'y pensez plus.

Je l'avais rappelé. Je n'avais plus envie d'avoir des ennuis d'argent. Pendant plus de vingt ans, j'avais cavalé après et j'avais définitivement épuisé tous les charmes de cette galopade délirante, je voulais vivre vieux. Je l'avais rappelé pour lui demander le jour et l'heure. Il en avait profité pour me rassurer :

– Vous verrez, l'argent devient vite une source d'ennuis. Et à tout prendre, le succès est décevant.

Je m'en doutais un peu. Je crois qu'il ne faut pas attendre de miracle.

Vers 10 heures, j'ai entendu du bruit dans la rue. Henri était en train de me dire que Bob avait appelé pendant que j'étais sous la douche et que tout allait bien, qu'il espérait pouvoir venir bientôt. J'ai dit que c'était parfait tout en me levant et je me suis planté devant la fenêtre. En haut de la rue, deux gros camions avançaient de face et des types en combinaison orange pelletaient la neige. « C'est bien dommage, j'ai constaté. Ils pourraient la laisser un peu... »

Je me suis donc envolé mais l'avion était détraqué, je recevais un souffle glacé dans les jambes. Même l'hôtesse n'y comprenait rien. J'ai essayé de lui soutirer un gin-tonic, mais il n'y a rien eu à faire, j'ai été obligé de le payer et de me frotter les jambes pendant une bonne partie du vol. À mon hublot, le pays était tout blanc, parsemé de mèches de brouillard et de nappes d'eau lumineuses.

J'ai salué personne en descendant. Dans le hall, Walter Dogelski m'attendait. Je me suis rappelé que quelques années plus tôt, Betty et moi débarquions dans cette ville à l'arrière d'une camionnette et cette fois-là, personne ne nous attendait, personne ne se souciait de nous. Ça me paraissait loin, extraordinairement loin.

Je n'ai retrouvé ma liberté que vers 11 heures du soir. J'étais complètement lessivé. En sortant du resto, j'ai serré des tas de mains, bredouillé quelques mots, mais je le répète, j'étais à bout de forces. Je crois que je n'avais jamais autant parlé de ma vie et je n'aimais pas ça du tout. J'avais le sentiment que si tout ça devait me rapporter du fric, je ne l'aurais pas volé. Je suis resté quelques instants sur le trottoir, avec la main de Walter Dogelski dans la mienne. En vérité, ce fut le seul moment un peu agréable de cette journée.

J'avais aligné trois interviews, une émission de télé, le tout coincé entre deux repas où je n'avais pas le temps d'avaler une bouchée sans qu'on me pose des questions à chaque bout de la table.

— Cela risque d'être un peu chargé..., m'avait prévenu W.D. Mais il y a presque un an que vous n'êtes pas venu et croyez-moi, j'ai dû refuser du monde... Vous êtes sûr que vous ne pouvez pas rester au moins deux jours ?...

Je lui avais répondu non, impossible, j'ai trop de trucs à faire. Allez-y, vous pouvez me remplir cette journée au maximum !

Par moments, tandis qu'on me demandait

depuis quand j'avais commencé à écrire ou ce que je pensais du nouveau roman, je croisais son regard amusé ou bien il se plantait devant la fenêtre et attendait je ne sais quoi, peut-être de pouvoir rentrer chez lui. Il n'était pas le seul. Ce genre d'exercice était d'autant plus dur pour moi que je n'avais rien à dire sur mes bouquins et sur la plupart des choses en général. Je ne pouvais pas rester plus de dix minutes sans regarder ma montre. Nous perdions tous notre temps. Mais la vente de mes bouquins grimpait de manière inexplicable et chacun devait faire son boulot. Ces journées-là, j'en voyais jamais la fin.

Je me suis éloigné du trottoir, j'ai tourné au premier coin et je me suis arrêté. Décidément, je n'aimais pas cette ville. Je ne voyais pas un seul banc où m'asseoir. Il faisait très froid. Je me suis allumé une cigarette et je me suis demandé si j'y allais ou non. On était lundi. Ils ne travaillaient pas le lundi. Trois ans, il y avait trois ans que je ne les avais pas vus et je ne sais pas ce qui nous avait séparés, enfin, la vie nous avait séparés.

Je pensais à Eddie, bien sûr, et à Lisa, la sœur de Betty. Cinq ou six coups de téléphone en trois ans. Je savais que rien n'était changé entre nous, au fond, tout au fond. N'empêche que je me tâtais. Chaque fois que j'étais venu dans le coin, je m'étais défilé et ce n'était pas à cause des souvenirs, c'était parce que toute une partie de ma vie s'était effondrée et tous ceux que j'avais connus alors étaient restés dans un autre monde. Je les adorais tous les deux, nous avions fait un sacré bout de chemin ensemble. Il m'avait fallu un bon moment pour comprendre que ce n'était pas simple. Je les aurais bien serrés dans mes bras mais je n'avais pas tellement envie de les voir, à moins que ce ne soit l'inverse, enfin tout ça était très délicat, je ne me l'expliquais pas bien. Peut-être que c'était à cause de l'autre monde. Eddie et moi, nous nous traitions d'enculés au téléphone, on se disait que c'était quand même incroyable, qu'on laisserait pas passer un nouvel hiver, bon sang, tu sais bien comment est la vie, les jours passent et tu te répètes qu'il faudra réparer quelques trucs sur le toit avant l'arrivée des pluies, et chaque fois tu te retrouves avec les pieds dans l'eau, tu constates que le ciel t'est encore tombé sur la tête.

Ici, le froid ne vous sifflait pas à la figure mais se glissait traîtreusement en vous, et ensuite il vous lâchait plus. Je me suis soufflé un peu dans les mains. Il n'y avait pas grand monde sur le trottoir, des passants rapides, des flèches bleues, les bagnoles étaient pleines sur la rue, remplies de buée. J'ai appelé un taxi. Il était recommandé de ne pas fumer. Même si à quarante ans j'avais plus de conseils à recevoir de personne, j'ai remis mon paquet dans ma poche. Le gars avait la peau grise. Pourquoi le faire chier, je me suis dit, pourquoi lui faire penser que je veux qu'il crache ses poumons ?

Je lui ai pas dit un seul mot durant le trajet pour pas lui envoyer de microbes. Je suis descendu dans l'air glacé et tandis qu'il redémarrait, je me suis enroulé dans mon cache-col, et depuis le trottoir d'en face, j'ai inspecté la maison. Apparemment, il y avait rien de changé. La lumière était allumée au rez-de-chaussée. J'étais encore tout étonné de m'être enfin décidé.

Je suis entré sans frapper. Bien entendu, je les ai paralysés, c'était facile. Lisa était grimpée sur le divan et décorait un bout de mur d'une grosse fleur de tissu. Eddie était suspendu au-dessus de ses comptes. Bongo a poussé un grognement sous la table, puis il est venu se frotter contre moi. Je l'ai attrapé par la peau des joues.

– Alors, comment tu vas ? je lui ai demandé.

Lisa a couiné, il me semble. Eddie s'est étonné ouvertement :

– Oh merde, a-t-il prononcé du bout des lèvres.

– Comment allez-vous tous les trois... ? j'ai ajouté en m'accroupissant devant Bongo.

Je me suis relevé juste à temps pour en recevoir un dans chaque bras. Lisa avait les yeux brillants d'émotion. Eddie et moi, nous nous sommes envoyé quelques claques sur les épaules pendant un petit moment, après nous être copieusement embrassés tous les trois. Impossible d'aligner une phrase entière, on trouvait rien d'intéressant à dire, que des laisse-moi te regarder, que des oh la la, que des Seigneur Jésus. Ce qui me chamboulait le plus, c'était de retrouver leur odeur. Ça c'était quelque chose. Il a fallu que je m'occupe de Bongo aussi, que je lui laisse poser ses deux pattes sur mes épaules et que je déconne avec lui. Ensuite de quoi, ayant traversé une rude journée, je n'ai plus pensé qu'à me trouver un siège le plus rapidement possible.

Nous n'avions pas d'histoires tristes à nous raconter, les nouvelles étaient plutôt bonnes. Nous avons discuté pendant un long moment et certaines fois, nous avons ri aux larmes. Je ne regrettais pas d'être venu. Tout ça me paraissait trop beau. Le seul truc qui me gênait un peu, c'était qu'ils avaient tout simplement continué à vivre. Mais alors, qu'était devenu ce type qu'ils avaient connu, celui qui avait habité cette baraque avec eux, celui qui vivait avec Betty ? Je savais qu'il n'existait plus et j'étais le seul à le savoir. Je lui ressemblais, je connaissais tous les détails de l'histoire, mais ce n'était pas moi. Ce type-là était vraiment mort. Moi, je n'avais rien continué du tout. Enfin, c'était mon impression.

— Dis-moi, tu sais que je vois tes bouquins partout ?... Mon salaud, tu es devenu une vraie vedette !

— Hum, ça commence à venir, on dirait.

— Tu sais, je lis pas beaucoup. Mais Lisa peut te le dire, j'ai passé des nuits blanches !

— Ça me fait plaisir, Eddie. Vraiment.

— Et tu es toujours seul, t'as toujours pas trouvé de fille ?...

J'ai levé les yeux sur Lisa, elle me regardait d'un air attendri. Eddie a suivi le manège. Il a tendu une main vers elle et l'a assise sur ses genoux.

— Mais qu'est-ce que tu crois ? m'a-t-il demandé en souriant.

Je me suis penché en avant pour attraper mon bol de verveine. Eddie s'en buvait un demi-litre tous les soirs, à ce qu'il m'avait expliqué, et il pouvait plus s'en passer.

— Non, j'ai dit. J'ai pas de fille avec moi.

Il a envoyé une grande claque sur le divan et un peu de poussière s'est envolée subitement.

— Merde alors !... il a grogné. Mais qu'est-ce que t'es en train de nous fabriquer ?... Ça me rend malade d'entendre ça, non mais c'est vrai. Est-ce que t'es complètement con ou quoi ?! Comment tu veux t'en sortir si t'as pas quelqu'un que tu peux aimer avec toi, si t'as personne pour t'appuyer, personne à qui tu peux raconter tous tes ennuis... Merde, qu'est-ce que tu crois que je ferais sans Lisa, y a rien d'autre qui vaille la peine si tu réfléchis bien. Tout le reste, c'est des conneries. C'est pas normal de vivre sans une femme, je sais pas moi, c'est pédaler dans la semoule...

— J'aime tes images, Eddie. T'es en train de nous illuminer cette soirée.

J'ai posé ma main sur le genou de Lisa, il était doux et lisse comme une pantoufle de vair, tout de Nylon gainé, de tiédeur habité. J'ai produit une espèce de bruit avec ma bouche.

– Hum... on est peut-être pas obligé de parler de ça, qu'est-ce que vous en pensez ?...

– D'accord... mais te gêne pas pour moi, a répondu Lisa. Betty aurait certainement voulu te voir heureux. Si tu t'en trouvais une, je l'accueillerais à bras ouverts.

Elle n'avait pas dit ça sur un ton à vous arracher des larmes, mais très simplement, sans aucune mièvrerie. C'était la chose la plus naturelle du monde.

– Mais oui..., ça au moins j'espère qu'il le sait, a marmonné Eddie. Enfin peut-être qu'il écrit des livres, mais il est pas très intelligent !...

J'ai versé un peu de bourbon dans ma verveine. J'ai retiré mes bottes et je me suis calé en travers du fauteuil.

– Qu'est-ce que j'ai exactement ? j'ai demandé en fixant mes genoux. J'ai le teint jaune, j'ai l'air malade, j'ai dit qu'il y avait quelque chose qui allait mal ?

– Hé, qu'est-ce que t'attends pour te secouer ? m'a soufflé Eddie en me balançant un œil perçant. Tu me donnes pas l'impression d'être un type heureux, si tu veux savoir...

Honnêtement, je me suis posé la question. Je crois qu'ils se faisaient des idées tous les deux, j'étais pas malheureux. Le pire avait été cette émission de télé, sans compter que j'avais des yeux clairs et fragiles, et que j'avais souffert comme un damné avec toute cette lumière. Alors peut-être que j'avais les traits un peu tirés, peut-être que mon visage n'était pas épanoui, mais j'avais passé une sale journée, il fallait pas l'oublier. Toutes ces discussions littéraires vous mettaient sur les genoux en un clin d'œil. Je lui ai donc envoyé mon plus beau sourire :

– Non, Eddie, tu te trompes. Je vais parfaitement bien. Mais tu sais, les bouquins, ça me donne plus de soucis qu'autre chose. Et puis quand tu te mets à écrire pour de bon, tu finis par en chier vraiment, c'est ça que tu vois sur ma figure, Eddie, c'est les bouquins qui me sucent le sang.

Il a baissé la tête, sans cesser de cramponner Lisa par la hanche.

– T'es d'une telle mauvaise foi, il a soupiré. C'est à vous dégoûter...

Lisa s'est levée en riant.

– Allons, laisse-le tranquille. Ou bien on le reverra jamais.

On a décidé de se reboire un coup pour fêter nos retrouvailles et jurer qu'on ne nous y reprendrait plus. Il était dit que je retrouvais du monde ces derniers temps, c'était diablement bon. D'autant plus qu'Eddie semblait avoir abandonné son idée fixe. Il m'a sorti un album rempli de coupures de presse me concernant.

– Tu vois, ça m'étonnerait que j'en aie laissé passer un seul. Je suis devenu copain avec le marchand de journaux.

Il se fichait pas de moi, il y avait même plusieurs articles que je n'avais pas lus. J'ai feuilleté le truc en entier tandis qu'il restait penché par-dessus mon épaule, les yeux plissés. Je l'ai refermé doucement.

– Mais dis-moi, si je ne m'abuse... tu gardes que les bons ? ! ...

Il s'est redressé. Il est parti à la recherche de son verre.

– Ben... on peut voir ça comme une espèce d'album, il a expliqué. Je vois pas pourquoi j'y mettrais des photos ratées. Y a des gens, là-dedans, qui disent que t'es un grand écrivain et j'ai pas envie d'entendre autre chose. Et les articles de ce mec, là...

– Machin, je l'ai coupé.

– Ouais, Machin, et quelques autres de la même bande... Pourquoi j'irais m'amuser à conserver toutes ces conneries ? Je tiens cet album uniquement pour le plaisir... Je comprends pas pourquoi ce type t'en veut tellement, d'ailleurs. On dirait qu'il essaye d'avoir ta peau, tout simplement.

– Bah... on a pas la même conception de l'écriture. J'ai bien conscience de pas faire l'unanimité, tu sais, et je crois pas que ça changera un jour. C'est mon grand regret, Eddie, j'aurais bien aimé que tout le monde soit d'accord.

Il s'en est passé de drôles à la maison pendant que je batifolais en ville. Gloria a fichu le feu à sa chambre et il s'en est fallu moins une qu'on soit obligé d'alerter les pompiers. Je devais l'apprendre le lendemain matin, en débarquant de l'avion avec la tête comme une citrouille et sous une pluie battante. Henri et moi, on s'est commandé deux grogs au bar et il a eu le temps de raconter toute l'histoire avant qu'on prenne la voiture. Elle avait trouvé le moyen de s'endormir avec une cigarette, ni plus ni moins. Les draps avaient cramé, le tapis et une partie de l'édredon, et ses cheveux avaient cramé aussi, sur tout un côté. Sans parler du ménage qu'ils avaient dû s'appuyer. Je trouvais d'ailleurs qu'il sentait la fumée. Il se tenait le front dans une main. Cendrés qu'ils étaient, ses cheveux !

Quand je l'ai vue, j'ai rien dit de désagréable. Au début, lorsque nous vivions tous les trois avec Henri, j'entretenais des rapports très directs avec elle. Je la prenais pour une fille de vingt ans un peu excentrique, normalement chiante et pleine de vie, et par moments il fallait la ramener un peu sinon elle aurait fait la loi. Mais ça se passait pas trop mal. Si à l'époque elle m'avait brûlé une paire de draps, je lui aurais expliqué qu'on ne fumait pas dans un lit quand on était pas capable de tenir une cigarette, que c'était encore une de ses conneries.

Elle était assise dans un fauteuil lorsque je suis entré. Elle avait une espèce de châle noir sur les épaules et ses cheveux avaient raccourci de plusieurs centimètres, mais ce n'était pas aussi terrible qu'Henri me l'avait décrit. À moins qu'elle n'ait retaillé quelques mèches par-ci par-là, ce qui n'était pas impossible. En trois secondes, une fille peut se refaire une beauté quand elle est pas manchote. Je lui ai donc souri.

Henri s'ébrouait derrière moi. J'ai accroché mon blouson trempé. J'aurais eu du mal à dire ce qui avait changé en elle depuis qu'on l'avait retrouvée. Mis à part son ventre, bien sûr. Elle avait presque un visage d'adulte, maintenant. Bien qu'elle eût sa bouche, elle ne ressemblait pas à Marlène, elle était plutôt du côté d'Henri. Elle avait le cul un peu bas mais pour le reste, c'était une beauté. Peut-être que ce changement mystérieux, c'était le lot commun de toutes les filles enceintes. Il ne fallait pas chercher plus loin. Et puis ces filles-là m'ont toujours impressionné, je m'imagine qu'elles ont des pouvoirs mystérieux, qu'elles pourraient vous envoyer un éclair sur la tête.

Elle a pris un air complètement désolé mais je l'ai apaisée d'un geste.

– Je connais un type qui y est resté, j'ai dit. Il paraît qu'il s'en brûle des dizaines toutes les nuits. Tu as eu de la veine, tu sais...

– Je demanderai à Bob de réparer les dégâts.

J'ai jeté un œil dans l'escalier tout en lui expliquant que je touchais du bois, qu'on commençait à se débrouiller au niveau du fric, qu'on pouvait regarder griller une descente de lit sans

broncher. Elle ne devait pas se casser la tête
avec ça.

Je suis quand même allé voir de quoi il retournait. Toujours sans broncher, j'ai regardé le
plafond noirci, la tapisserie brûlée et le trou
dans la moquette qui devait bien aller chercher
dans les deux mètres carrés. Tout était trempé.
Toute la baraque était parfumée au charbon de
bois. Henri a sifflé derrière moi, il m'a posé une
main sur l'épaule :

– Sincèrement, c'est à peine croyable... Et si
tu avais vu toutes ces flammes. Elles sont là
pour nous faire mourir tu sais... Elles trouvent
toujours quelque chose à inventer pour nous
glacer les sangs. J'ai vu ma fille avec les cheveux
en feu, tu t'imagines ?

La note était un peu plus salée que ce à quoi
je m'attendais, mais au fond c'était agréable
d'être en mesure de régler tranquillement ces
petits riens, de pouvoir se lancer dans quelques
frais sans que la moindre broutille vous prenne
à la gorge. La situation me permettait de prendre
un air dégagé.

– Bah, j'ai dit, moi je comprends pas que ça
me soit pas encore arrivé. Elle a dû se payer
une sacrée trouille !

Il y avait en gros une quinzaine de jours qu'elle
vivait avec nous. Je mentirais en affirmant qu'on
avait retrouvé l'ambiance des débuts, qu'elle donnait à la maison une fraîcheur particulière et
qu'elle se gênait pas avec moi, qu'elle venait
poser sa tête sur mes jambes pour regarder un
truc quelconque à la télé. On aurait dit que la
glace n'avait pas totalement fondu. Je pouvais
rester une journée entière enfermé dans ma
chambre à travailler sur mon bouquin sans qu'elle
se pointe une seule fois, alors qu'en temps normal
elle surgissait dans la pièce et me criait un truc
dans les oreilles sous n'importe quel prétexte,

est-ce que j'aurais pas vu ses chaussures vertes par exemple, ou bien est-ce que je pouvais pas jeter un œil sur cette saloperie de séchoir débile. Bien entendu, ça me manquait. Il m'arrivait de me lever, d'ouvrir la porte et de gueuler :

– Hé, Gloria, tu m'as appelé ?...

– Non, non, elle répondait.

Il me fallait un moment pour reprendre mon travail. Il fut un temps où je serais descendu, où je lui aurais demandé ce qui la constipait, si je la gênais pas au moins et si ça l'amusait de jouer au fantôme.

Mais j'avais décidé de ne pas chercher trop loin. Bob allait sûrement s'amener d'un jour à l'autre et je n'aurais plus à supporter cette indifférence tranquille qu'elle me témoignait. Oh, elle ne refusait pas de me répondre, elle me passait le sel et me souhaitait une bonne nuit, mais parfois je bouillais intérieurement, je pouvais tourner en rond devant elle sans qu'elle se décide à lever les yeux de son fichu magazine. « Du calme, me répétai-je, ne va pas t'embarquer dans une discussion inutile. Dans quelques jours, elle ne sera plus là. Que Bob lui trouve une baraque et surtout qu'il la baise. Et qu'on ne parle plus de tout ça ! »

– Eh bien, je ne sais pas si c'est pour toutes les femmes pareil, mais lorsque j'étais enceinte, je crois que je n'étais pas tellement marrante ! Henri te le dirait. Je me trouvais maladroite et moche, tu sais, un éléphant aurait tenu dans mon pantalon.

Marlène était persuadée que je me faisais des idées, que Gloria n'avait rien de spécial contre moi.

– Moi j'en voulais au monde entier, je voulais voir personne dans mes jambes. Et j'étais furieuse contre Henri, je le supportais plus. Et nous avons fini par nous déchirer, enfin ce n'est pas aussi simple, mais c'est un peu à cause de ça... Bon, d'accord, elle est d'humeur bizarre, mais j'aimerais que tu te mettes à sa place, que tu fasses un effort d'imagination... Non, crois-moi, c'est un sale moment à passer.

Résultat, je ne savais pas trop sur quel pied danser. Quand j'avais le malheur de croiser le regard de Gloria, je me prenais une douche froide, mais je ne devais pas m'inquiéter. Eh bien, je pensais, vivement qu'elle accouche, vivement qu'elle puisse réenfiler un pantalon moulant, non mais sans blagues !

Bob est arrivé en ville quelques jours plus tard et j'avoue que j'ai tout de suite senti le carcan se desserrer. Je crois qu'il a commis une erreur en choisissant de charger tout l'arrière de son break de bouquins et d'envoyer les fringues de Gloria par le train, en petite vitesse. D'une certaine manière, je le comprenais, mais je me suis bien gardé de m'en mêler. Le pauvre Bob avait à peine posé un pied sur le trottoir qu'il dut faire face à une sèche engueulade, que sa mâchoire en est tombée, que ses yeux mouillés se sont couverts de glace tant un froid vif nous enveloppait. J'en ai rentré la tête dans les épaules.

Effectivement, à partir de ce moment-là, j'ai senti que ça allait un peu mieux entre Gloria et moi. Je l'avais tellement perdue que le peu que je retrouvais m'était comme une cuillère de miel, je parvenais à me nourrir de petites miettes. Bob, quant à lui, s'en prenait plein la figure, mais ce type-là m'étonnait, il tenait parfaitement le coup, du moins il savait encaisser et je ne crois pas trop m'avancer en disant qu'il l'aimait profondément. Je doute qu'il ait pu s'en tirer autrement, c'était le point invincible de sa cuirasse. Elle passait ses nerfs sur lui, et en public il se contentait de fixer la pointe de ses chaussures, tandis qu'elle l'accablait. Peut-être bien qu'il était un peu con aussi. Trop empressé à satisfaire ses quatre volontés.

J'ai pu me rendre compte de la manière dont elle le traitait pendant la semaine qu'ils ont passée chez nous avant d'emménager dans leur nouvelle baraque. Plus d'une fois, quand elle l'abandonnait titubant au terme d'une avalanche de reproches, j'avais envie de m'avancer vers lui pour le rassurer, pour lui expliquer qu'au fond c'était elle qui passait un sale moment, qu'en quelque sorte elle piquait des colères naturelles, il avait qu'à demander autour de lui. Mais pour finir, il se redressait et se grattait la tête.

Entre autres choses, et bien qu'ayant cherché à m'y opposer, elle l'avait chargé de réparer les dégâts de la chambre et elle suivait les travaux d'assez près, pour ne pas dire à la loupe. Je n'avais pas besoin de trois couches de peinture, ni d'un rouleau de moquette, ni que ça tombe au quart de millimètre pour les dessins de la tapisserie, mais il en entendait de belles pour un coup de pinceau malheureux ou une larme de colle sur les baguettes.

— Qu'est-ce que t'en penses ? je demandais à Henri, hein, qu'est-ce que tu penses de tout ça ?

Lui il avait ce qu'il voulait, il avait sa fille.

— Ouais, mais ça va pas loin, je lui disais. T'as quand même pas l'intention de les prendre en pension... Tu trouves pas qu'elle charrie un peu ?

Il se défilait, il prétendait qu'elle était enceinte. Il a fallu que Vera se pointe quelque temps plus tard pour trouver quelqu'un qui fût de mon avis.

— Je me demande comment il peut supporter ça, me disait-elle. Un grand type comme lui...

— Tu veux dire une montagne. Je parie qu'il pèse dans les cent kilos...

– Et puis je la trouve froide, hum... très distante...

– Ah ça, c'est rien... C'est parce qu'elle attend un enfant, tu n'es pas au courant ?

Bob nous avait prêté son break et la campagne était enneigée. Il faisait beau, on allait chercher du bois, rafler quelques branches mortes dans la forêt du coin. Rien ne vaut un putain de feu dans la cheminée lorsque le cœur vous en dit. La veille au soir, on avait fêté Noël et j'espérais que cette balade matinale allait me donner un second souffle. Nous n'avions pratiquement pas dormi.

Gloria était la seule à s'être couchée mais tous les autres étaient encore debout dans la cuisine, vidant les dernières bouteilles et préparant le repas du midi. Je trouvais que cette corvée de bois était une riche idée. Vera souriait en plissant des yeux. À cause de la neige, la lumière était éblouissante. Je roulais à quarante-cinq-cinquante. Comme disait Eddie, un Noël sans la neige, c'est comme une cacahuète avec personne dedans.

– Mais dis donc, toi, t'es drôlement de bonne humeur, j'ai dit. Tu m'as l'air rayonnante !...

Elle s'est étirée. On a vu un petit lapin traverser la route et j'ai dû freiner parce qu'il en déboulait un autre, puis un troisième encore. On a trouvé ça tordant. D'ailleurs un rien nous aurait amusés. J'ai souvent remarqué qu'on rigolait facilement après une nuit blanche. Elle s'est tournée vers moi pendant que je démarrais :

– C'est vrai que je suis contente... Ce premier numéro a l'air de bien marcher... Oh, en fait, tout va bien, cette soirée a été formidable. Je me suis trouvé une belle paire d'amis dans le coin. Je deviens folle quand je reste longtemps sans vous voir...

Ça ne dépassait jamais un mois, quinze jours

étaient une bonne moyenne. Je me demandais qui payait tous ces billets d'avion. Ah, la vie devenait facile lorsqu'on atteignait de bons tirages. Un coup de cafard, et vous sautiez dans l'avion, à peine le temps d'essuyer une larme en plein ciel. Ça donnait envie d'être riche si ça permettait de penser qu'un mois c'est le bout du monde. Pour moi, c'était rien, à peine vingt pages de mon roman. C'est bien simple, dès qu'on commençait à se rendre compte qu'elle était partie, elle nous téléphonait qu'elle arrivait. Mais on ne râlait pas, on rigolait. On allait la chercher à l'aéroport.

On s'est arrêtés en bordure d'un bois. On a sauté sur les branches mortes. On les traînait sur le bord de la route et on les jetait par terre pour les débarrasser de la neige. Quand elle en repérait une très grosse, elle m'appelait et je lui filais un coup de scie. Il faisait beau mais on pouvait sentir que le ciel se couvrirait avant le soir. C'était le même scénario depuis trois jours.

Nous avons chargé tranquillement la voiture. On n'avait plus de doigts, plus de nez, plus d'oreilles. On s'est assis un moment sur l'aile de la bagnole avant de se décider à rentrer. Elle m'a reparlé de Gloria :

– Tu sais, je n'arrive pas à comprendre pourquoi elle est revenue. C'est vraiment quelque chose qui me dépasse...

– Hum... et il ne l'a pas empoignée de force. Il a été le premier surpris. Enfin, je suis content qu'ils partent, ils fichent une drôle d'ambiance à la maison. C'est même pas parce qu'ils s'engueulent, c'est pas un truc précis...

– Oh, il suffit de la regarder...

– Merde, si tu savais comment c'était au début, on s'entendait vraiment bien. Tout se passait bien entre nous et je crois qu'on se comprenait, du moins j'ai l'impression qu'on s'acceptait, que je représentais quelque chose pour elle. Je te prie de croire que j'ai passé de longs moments avec elle et que plus d'une fois elle s'est endormie sur mon épaule. Bon sang, j'invente rien...

– Eh bien, on dirait que les choses ont changé, qu'elles ne sont plus que de lointains souvenirs...

– Ouais... c'est difficile à avaler.

Et plus je regardais la campagne, plus je me laissais envahir par la blancheur des champs et plus je trouvais ça dur à avaler. L'un des bonheurs de cette vie était les rapports profonds qu'on pouvait nouer avec certains êtres. Et ça ne courait pas les rues. Vous ne pouviez pas vous laisser arracher un bras sans avoir envie de pousser un cri.

– Et tu crois qu'elle pense toujours à cette histoire entre Marlène et toi ?...

J'avais le cul glacé. Je me suis croisé les bras, puis j'ai tordu ma bouche, dodelinant de la tête sur le mode bienveillant.

– T'es le genre qui sait tout, toi, n'est-ce pas ?... Qui est-ce qui t'a raconté ça ?...

– Oh mon Dieu, mais tu es vraiment ridicule avec cette histoire ! Tu en fais une montagne et je ne vois pas pourquoi, c'est complètement absurde...

– Comment ça, une montagne... Il me semble que je t'en ai jamais parlé !

– Eh bien, justement, c'est cette manière que tu as de ne pas en parler.

– Non... tu crois ?

– Je ne plaisante pas, c'est très révélateur... Je vois très bien comme tu te comportes avec Marlène. Elle au moins, elle n'a pas ce genre de blocage. Elle m'en a parlé tout à fait librement...

– Écoute, m'emmerde pas le jour de Noël. Le jour où j'éprouverai le besoin d'en discuter, je te préviendrai, c'est promis.

Elle a sauté de la voiture en riant :

– Bon, très bien... Je suppose que tout finira par s'arranger. On rentre ?...

Elle s'est installée sur son siège et moi je me suis encadré à sa portière, je lui ai proposé une tablette de chewing-gum.

– C'est terrible, j'ai dit. On n'est pas encore au ciel et on voudrait que tout soit parfait... !

Gloria et Bob ont déménagé quelques jours après le nouvel an. À peine deux ou trois rues plus loin, mais je n'en demandais pas plus. À l'occasion des fêtes, Henri s'était vu offrir une boîte de peinture et il ne lâchait plus son pinceau. Nous étions au calme. Nous pouvions de nouveau écouter un peu de musique dans la journée et lorsque le temps s'y prêtait, nous allions nous balader un moment, et à présent, il me parlait de peinture, il n'en tarissait pas. Dès que Marlène rentrait le soir, il lui montrait ses créations de la journée et s'assurait qu'elle avait bien ramené les tubes qu'il lui avait commandés. Bob trouvait ça génial. Je ne sais pas s'il en rajoutait, mais il restait bouche bée devant le moindre coup de pinceau, et lorsqu'il se décidait à retirer le gros bonnet de laine qu'il avait sur la tête, ses cheveux étaient collés et ses oreilles toutes rouges.

– Vraiment, Bob, je lui demandais... Tu trouves que c'est bien ?... Retire ton anorak, tu me donnes froid mon vieux.

Et il l'enlevait et il s'asseyait et il disait plus rien et on sortait des verres. Souvent, Gloria et lui restaient dîner avec nous, mais désormais c'était beaucoup plus supportable et certaines fois, elle m'a paru détendue. Pendant quelques fractions de seconde, je pouvais me croire revenu en arrière. J'ai même réussi à plaisanter avec elle. J'imaginais qu'en contrepartie Bob devait payer tout ça et qu'il avait certainement chargé dans l'après-midi ou passé la nuit sur le palier. Comme j'ai pu le vérifier plus tard, je ne me trompais pas, Bob était le souffre-douleur et c'est grâce à lui que la situation redevint vivable. Pendant ce temps-là, le ventre de Gloria enflait à vue d'œil.

Puis, un matin, Bob nous avertit d'un coup de fil affolé qu'elle venait de perdre ses eaux et qu'ils fonçaient à l'hôpital. Henri était en train de peindre, mais il a tout de suite compris ce qui se passait et il m'a presque arraché le téléphone des mains.

– Pas de conneries, Bob ! Garde ton calme ! !

Avant qu'il ait raccroché, j'avais déjà fait gicler deux bières du frigo et sorti un paquet de cigarettes. On a appelé Marlène. Henri était sous le choc. Il s'était laissé choir dans un fauteuil, les bras sur les accoudoirs, une main crispée sur une poignée de pinceaux.

– Regarde la rue. Est-ce que la rue est glissante ? me demandait-il.

Quand Marlène est arrivée, il avait déjà enfilé sa canadienne. On a eu un mal de chien à le persuader d'attendre, il a fallu qu'on se branche quasi en permanence sur l'hôpital pour savoir où elle en était, et pour finir, alors que je l'avais coincé dans une partie d'échecs et que le ciel se cuivrait, on lui a annoncé qu'il était grand-père, que tout s'était passé très vite et que c'était une fille.

J'ai une sainte horreur des hôpitaux, mais pour Gloria, j'ai accompli un effort de volonté terrible et je suis allé me poster au pied du lit après avoir jeté un coup d'œil dans le berceau de Plexiglas. Bob avait le visage défait mais il conservait un vague sourire aux coins des lèvres. Gloria était encore dans le cirage à cause de certaines piqûres qu'on lui avait administrées, nous expliquait-il en lui tenant la main, ratatiné sur sa chaise de tubes chromés avec ses longues jambes de géant repliées sous lui.

Il a fallu attendre qu'elle reprenne ses esprits. Elle a ouvert les yeux, puis elle nous a annoncé aussitôt qu'elle voulait dormir et elle s'est enfoncé la tête dans l'oreiller. Choc post-partum, j'ai pensé. Dans le couloir, Henri s'est allumé une cigarette du côté du filtre et quelque part dans l'hôpital, tandis que nous dégringolions les marches vers la sortie, un nouveau-né a piqué une colère affreuse, aussitôt suivie d'un autre, et lorsque nous atteignîmes la porte à tambour, ce n'était plus que cris et vagissements, un concert de clameurs abominables.

— C'est l'heure de la soupe, en ai-je cavalièrement déduit.

Le lendemain, en achetant des revues, je suis tombé sur un nouvel article de Machin. Je devais tout de même lui reconnaître une qualité, à ce gars-là, c'est qu'il avait de la suite dans les idées. Il pouvait vous pondre un article sur le pôle Nord et trouver le moyen de glisser quelques phrases sur moi, ce qui devait amuser beaucoup de monde, en particulier ceux qui me considéraient comme un auteur de troisième zone. Car c'était tout l'un ou tout l'autre. Dans certains milieux, on m'aurait acheté pour me battre, dans d'autres on m'envoyait des claques dans le dos. Je n'avais pas tellement d'issues. Cette fois, il prétendait que j'étais un phénomène de mode et que j'allais rapidement m'essouffler. Ça, c'était son idée fixe. Il aimait aussi raconter qu'il m'avait rencontré et que j'étais un type d'une banalité consternante, que mes bras étaient deux fois plus gros que le tour de ma tête et que ma conversation était décousue et pénible. L'article que j'avais sous les yeux était le palmarès des cinq livres les plus nuls de l'année. J'avais la première place. « Loin devant tous les autres ! précisait

Machin. Et pour l'ensemble de son œuvre ! ! »
Le reste était à l'avenant. Je l'ai montré à Henri,
tout en choisissant quelques dernières bricoles
pour Gloria.

– Dis donc, s'il continue comme ça, a-t-il plaisanté, ce type est parti pour nous raconter toute
ta vie !...

Oh, comme il s'approchait de la vérité en
prononçant ces mots et comme cette phrase était
prophétique ! Tout aurait dû trembler dans le
magasin et les flammes de l'enfer se montrer
une seconde. Au lieu de ça, je feuilletais une
revue d'homme, ce qui m'amenait à me
demander quelle sorte d'homme j'étais et ne
prêtant donc à Henri qu'une oreille distraite,
j'ai oublié ses paroles. Le ciel était blanc dehors.
Les cheminées des maisons fumaient. Nous nous
sommes dirigés vers l'hôpital à grands pas.

Gloria et Bob ont lu l'article de bout en bout,
tandis que nous restions penchés au-dessus du
berceau.

– Hé, c'est pas le genre de truc qui doit faire
plaisir, a déclaré Bob.

– Bien sûr, Bob, tu as raison. Je ne voudrais
pas te mentir, mais tu sais, je commence à y
être habitué. Si je te montrais tout ce qu'il a
écrit sur moi, tu aurais du mal à le croire... Que
veux-tu, nous ne vivons pas dans un monde
d'Amour et de Paix.

Par bonheur, cette triste réalité ne m'empêchait pas de dormir. Je me souciais autant de
Machin que de ma première chemise et de ce
qu'il pensait, disait ou écrivait. J'avais l'impression qu'il était sur un autre continent et ses
flèches tombaient à mes pieds, brisées dans leur
élan, toutes ses conneries ne m'atteignaient pas.
Vivre avec Henri était déjà quelque chose
d'énorme. Et Marlène était venue se greffer
là-dessus. Maintenant il y avait Bob et Gloria,

il y avait Vera qui rappliquait tous les quinze jours, sans oublier Charles, il y avait mes bouquins qui se vendaient, et j'en écrivais un autre, et j'allais oublier leur mensuel, et toutes ces histoires s'enchevêtraient, et je ne prenais pas en compte les joies, les soucis, le repos et le labeur qui sont notre pain quotidien. Est-ce que j'avais le temps de m'intéresser à autre chose, est-ce que tout ce que j'avais sous le nez ne me suffisait pas ?

Hier encore, n'avais-je pas souffert de toute mon âme ? Fallait-il absolument remuer le couteau dans la plaie et reprendre la scène dans ses moindres détails, Henri qui s'était endormi vers 2 heures du matin sur le divan, Marlène servant du thé et moi un œil pointé entre ses jambes ? J'avais refusé de me laisser aller des dizaines et des dizaines de fois, peut-être plus encore. Ce n'était pas quelque chose d'incroyablement difficile et le fait est qu'on n'en meurt pas, mais personne ne peut prendre de véritable plaisir à se mordre les lèvres ou à se retrouver sous la douche plusieurs fois dans la même journée.

Qu'alla-t-elle chercher dans le frigo ? Que fabriquai-je dans son dos tandis que reculant, elle me heurta ? Très sincèrement, je l'ignore, pas plus que je ne saurais dire quelle furie nous empoigna. Je me souviens avoir bondi sur ses lèvres en gémissant et cette impression que j'ai eue de danser sous les balles par un soleil aveuglant. Nous glissions le long du frigo tant nos jambes étaient molles, puis nous remontions, nous caressant maladroitement le visage, nous nous cognions les dents. Quel baiser inouï et combien de temps dura-t-il ? Nous nous sommes retrouvés contre le placard à balais, nous suçant mutuellement la bouche. Elle était pendue à mon cou, je la tenais par les cheveux. Une espèce de joie enfantine m'habitait. Nous couinions comme des petits animaux apeurés. Mais je ne pouvais m'en arracher, je reprenais ses lèvres, je reprenais son visage entre mes mains et mon cœur s'arrêtait lorsque nous bousculions une chaise, lorsqu'un meuble craquait ou que nous déclenchions quelque bruit insolite. Ai-je dit que nous étions dans l'ombre, ai-je parlé de la clarté mourante du salon qui restait figée sur le seuil ? J'avais envie d'enlever mon pull tellement j'avais chaud. Elle plongeait ses doigts dans mes cheveux pendant que je continuais à explorer sa bouche, fleurs, pétales, forêts, rivières, animaux à fourrure, cimes des arbres tournoyant dans la lumière, or, argent, sucreries, boucles, gisements de pierres précieuses, mers, océans, villes, tourbillons, que sais-je ! Nous étions arrivés près de la fenêtre et j'en redemandais. Voilà ce qui arrive lorsqu'on a pas embrassé de fille depuis un long moment. Le papier semblait se décoller des murs. Nous tenions là quelque chose d'excessivement fragile, peut-être est-ce pour cette raison que nous nous lamentions, pleurnichions, soupirions, en proie à une telle agitation qu'il nous était absolument impossible d'aller de l'avant, de nous dépêtrer de ce baiser furieux. Parfois, je poussais un ricanement nerveux, aussitôt suivi d'un gargouillis épouvanté, car l'espace d'une seconde j'avais perdu le contact de ses lèvres et plongeais dans un monde ténébreux et glacé. Joue contre joue, front contre front, les mains tremblantes, l'œil humide, j'avais conscience que nous exagérions un peu, mais Marlène et moi avions besoin de cette extravagance, de cette légère pointe de ridicule. C'était plus facile à jouer. Sa langue entrait dans ma bouche avec une assurance délicieuse et moi qui n'ai jamais été spécialement porté là-dessus, je veux dire quand c'est dans ma bouche que ça se passe, je n'ai pas éprouvé le moindre ennui, je n'ai pas décroché un quart de seconde, justement parce que nous nous étions lancés dans un exercice abracadabrant, une ronde infernale dont nous ne pouvions sortir. Un filet de bave me coulait sur le menton. De peur d'éveiller Henri, nous ne prononcions pas un seul mot mais la cuisine bruissait, pépiait, couinait, gloussait, chicotait quand on ne se cognait pas dans quelque forme sombre, quand une petite cuillère ne se mettait pas à tomber.

Je n'avais aucune idée du temps écoulé, mais je pouvais mesurer le chemin parcouru, nous approchions du lave-vaisselle. J'étais soudé à ses lèvres. Pourtant j'ai réussi à jeter un coup d'œil en coin et j'ai pu m'apercevoir que la lune avait sensiblement changé de place, à moins que cette séance ne m'ait rendu complètement dingue, ce qui n'était pas à écarter. Nous ne mollissions pas. Sa bouche me paraissait plus lisse, plus chaude, encore plus appétissante qu'au début. Tout restait encore à découvrir. C'est à peine si j'éprouvais une certaine raideur dans la nuque du fait qu'elle était toujours suspendue à mon cou, je me sentais taillé dans du marbre. Combien de fois ai-je caressé ses cheveux, effleuré son visage, combien de fois ai-je croisé son regard, grimacé de plaisir, combien de fois ! À un moment donné, alors que je lui enfonçais délicatement ma langue dans l'oreille, un râle profond s'est échappé de sa gorge et m'a paralysé sur place. Nous étions fous. Nous allions réveiller toute la rue. Mais comment aurions-nous pu nous arrêter ?

Quelqu'un a tambouriné à la porte. Autant dire que nous avons reçu un seau d'eau glacée, qu'un coup de sabre nous a séparés. Que j'en tremblais encore en allant ouvrir, que j'y suis allé en zigzaguant. Un grand souffle d'air froid m'a saisi. J'ai serré les dents, puis j'ai reconnu

Bob avec son bonnet de laine enfoncé jusqu'aux oreilles et la barbe pleine de givre.

– Je passais... j'ai vu de la lumière, m'a-t-il expliqué d'un air gêné. Je te dérange ?

Je ne pouvais pas encore parler, j'ai secoué la tête. Je n'arrivais pas à lâcher cette foutue poignée de porte non plus.

– Je sors de l'hôpital, il a ajouté. Je tenais plus. C'est l'air climatisé, tu comprends, c'est insupportable...

Je me suis décidé à le laisser entrer. Lorsqu'il a aperçu Marlène sortant de la cuisine avec un verre de lait, il a arraché son bonnet de sa tête. Elle l'intimidait, il en devenait maladroit. Dans la précipitation de son geste, il a heurté mon lampion japonais et la lumière s'est mise à danser dans le hall. J'avais du mal à y croire.

– Je voulais passer la nuit à côté d'elle, il a enchaîné, mais il doit bien faire vingt-cinq ou trente, là-dedans, j'ai cru mourir...

– Bien sûr, Bob, j'imagine, lui a répondu gentiment Marlène.

Elle avait récupéré plus vite que moi. Rien chez elle ne trahissait notre fulgurante étreinte. Pas un de ses cheveux n'était défait. Elles sont très fortes. Pour ma part, ce n'était pas d'un verre de lait dont j'avais besoin.

– Il y avait de la lumière..., il a répété.

– Mais oui... tu as bien fait, je l'ai rassuré.

Henri s'est réveillé. On a discuté tous les quatre pendant un petit moment et bu une nouvelle fois à la naissance de la petite fille qu'ils avaient appelée Géraldine. Il était tard, mais Marlène semblait en grande forme, elle nous gratifiait d'un sourire éblouissant. Je la trouvais très belle et sa bonne humeur était communicative. Pendant qu'ils parlaient, je suis retourné dans la cuisine et j'ai laissé mon regard flotter dans la pièce en me disant que c'est là que ça s'était passé, les murs étaient encore tièdes. Cette pensée m'a grisé durant un instant. J'ai fermé les yeux et levé la tête vers le plafond.

Puis Bob s'est taillé et Henri s'est planté devant sa dernière toile en se caressant les joues. J'ai accompagné Marlène jusqu'à la porte. Ses yeux étaient brillants, elle riait, je me suis demandé si elle allait pouvoir dormir. Elle m'a regardé une nouvelle fois avant de traverser la rue.

– Bon sang, m'a-t-elle dit en passant un doigt sur ses lèvres. Je ne savais pas que tu embrassais si bien !...

– Ouais, j'ai répondu. Moi non plus.

15

Quand une fille vous dit quelque chose comme ça, c'est un truc à vous faire vous retourner dans votre lit durant des nuits et des nuits. Des jours et des jours. Les écrivains comme les autres. Même les plus grands d'entre nous aimeraient s'entendre dire qu'ils embrassent comme des dieux. J'ai cru longtemps que les écrivains étaient des types à part qui ne pouvaient éprouver les mêmes sentiments que le commun des mortels et je rêvais complètement. Nous ne sommes pas plus à l'abri que les autres, au contraire. Nous sommes tellement sensibles. Nous sommes la cible préférée des femmes : faciles à abattre et pour sortir, un écrivain ça va avec tout.

Je pouvais prendre cette histoire à la légère et en rigoler tout seul dans mon fauteuil. Ce maudit baiser m'avait rajeuni de dix ans. J'avais rajouté deux kilos à mes haltères et rallongé d'un quart d'heure mes séances d'étirement. J'écrivais plus vite. Si je parvenais à tenir cette cadence, Machin aurait bientôt du nouveau à se mettre sous la dent. Je pouvais me permettre de ne rien fabriquer dans la journée, sachant très bien que je pourrais aligner mes deux pages dans la nuit.

Je tenais une telle forme que je ne manquais pas de chahuter Henri, je lui tournais autour jusqu'à ce qu'il essaye de m'étrangler sur le divan. Il avait beaucoup de force dans les bras et pesait bien plus lourd que moi, il me demandait si j'avais mangé du cheval ces derniers temps. Non, je lui disais, mais peut-être que je sens le printemps arriver, peut-être qu'à quarante ans on s'offre une nouvelle jeunesse ?... Je mangeais des tas d'oranges, je pouvais même écrire debout en glissant quelques annuaires sous ma machine, les jambes tendues, le cou plié et juste face à la fenêtre, le regard filant au-dessus des toits des maisons et atterrissant en pleine campagne, ce qui ne vous apporte pas vraiment d'inspiration mais vous donne une leçon de simplicité. Alors qu'être assis sur une chaise, devant un mur, avec le front dans les mains, ça ne vous facilite pas la circulation du sang dans les jambes.

Je sentais que j'avais l'esprit tourné à la plaisanterie. Loin de moi d'en minimiser les effets, mais je ne me trouvais pas dans cet état uniquement pour avoir roulé une pelle à Marlène, quoi qu'on pouvait en penser. Depuis une quinzaine de jours, il faisait beau, les pluies étaient remontées au nord et j'avais un penchant pour les ciels dégagés. Quand le reste était bleu, je me moquais de l'air vif. Et puis je ne sais pas, j'ai fini par me ficher du changement de Gloria, je ne pouvais pas espérer un ciel limpide dans tous les domaines, d'autant plus que je la voyais beaucoup moins, à tout casser un jour sur deux, et Bob m'était plutôt sympathique. Henri, avec ses pinceaux, faisait plaisir à voir. Pas de problèmes de fric. Lorsqu'on a connu ces instants de choix déchirants où il faut choisir entre l'un ou l'autre, payer la flotte OU l'électricité, on sait ce que signifie ne plus avoir de problèmes d'argent. Ce n'est pas rouler sur l'or, c'est simplement ne plus se casser le cul, c'est oublier qu'un tel boulet existe. C'était simple, il n'y avait qu'à vendre quelques livres. Enfin suffisamment.

Si Betty avait été un torrent de montagne, Marlène était une rivière coulant dans les sous-bois. Éclairs rugissants d'un côté, miroitements silencieux de l'autre. Quand j'aurai soixante ans, il me faudra un fleuve majestueux, une fille de trois kilomètres de large roulant tranquillement des flots mordorés. Je suis un type qui descend le long d'une berge, à ce qu'on dirait.

Armé de mon petit esprit, je m'étais imaginé les pires choses. Que poser une seconde fois la main sur Marlène m'entraînerait dans les pires tourments, que j'allais m'en mordre sacrément les doigts. Y avait-il beaucoup de filles qui pouvaient se contenter d'un seul baiser, le plus délicieux soit-il, ou bien justement parce qu'il était délicieux ? Et que pouvait-elle attendre de moi, que j'emménage avec elle ?... En général, les femmes n'aiment pas les situations bloquées, elles sont du genre à vous faire tout sauter à la figure. Et je ne voulais pas de ça, je me serais coupé une main plutôt que de perdre Henri. C'était une véritable tragédie, une impasse infranchissable, un couloir mortel.

Seulement la chieuse, l'emmerdeuse, celle qui ne voyait pas plus loin que le petit bout de son nez, c'était moi. Qui manquait d'imagination, qui était le pauvre trou du cul grimaçant de l'histoire, qui se compliquait la vie comme le dernier des glands ? Alors que la vie était douce, grande, belle, inimaginable. J'étais un connard. Marlène était plus douce, plus souriante que jamais. Et elle ne me demandait rien, rien du tout, elle brillait comme trois mille soleils et elle n'essayait pas de me coincer entre les portes, me cherchait pas du pied sous la table. Quel couteau ?... Quelle gorge ?... Quel regard clair elle avait, de quel sourire apaisant pouvais-je me bercer ! Il faut le dire quand elles sont plus grandes que nous, plus fortes que nous, plus intelligentes que nous. Il faut pas avoir peur.

La seule chose qui me tiraillait un peu était de savoir si elle baisait encore avec l'autre énergumène. Ça me faisait mal d'y penser mais je me regardais dans la glace au-dessus du lavabo, et je me disais vas-y, sois con jusqu'au bout, montre-moi de quoi tu es capable. Torture-toi la cervelle, car tout se paye ici-bas et tu as ce que tu mérites. Mon vieux, est-ce qu'il lui demande d'avaler son sperme, est-ce qu'elle se laisse enculer en fermant les yeux ? Parfois, j'envoyais un coup de poing dans le mur que c'en était une bénédiction.

Je n'avais pas d'autre moyen de le savoir que de l'espionner ou de le lui demander, mais je ne pouvais me résoudre à aucune de ces solutions. Je n'en étais pas encore au stade de me planquer derrière un arbre et il n'était pas question que je lui en parle. Un écrivain qui vise les grands tirages ne peut pas s'abaisser jusqu'à terre, pas à une époque où on demande des héros, des types avec des couilles en acier trempé. La seule fois où j'ai téléphoné au journal pour demander si le beau blond était là, on m'a dit de patienter, qu'on allait le chercher, mais j'ai raccroché, j'ai balancé le combiné à travers la gueule de l'appareil.

– Hé, qu'est-ce qui se passe ? Le téléphone est pété !

– Ouais, je sais !

– Mais comment ça se fait ? Comment ça a pu se produire ? ? !...

290

– Merde, comment je le saurais ?... J'en sais rien.

Il n'empêche. Je n'y pensais pas tous les jours. Heureusement car il ne me serait pas resté beaucoup de peau sur les doigts et le mur de la salle de bains ne bronchait pas d'un poil. Je n'y pensais que de temps en temps, le moins souvent possible, mais il faut bien reconnaître qu'un type normal, même avec la meilleure volonté du monde, ne peut pas tirer un trait sur ces images, les chasser définitivement de son esprit. Je me suis fait une raison. Jusqu'au jour où j'ai retrouvé ce gars sur mon chemin.

Je prenais le soleil sur un banc. Le col relevé, les mains enfoncées dans les poches. La température était basse mais le temps était radieux. Mine de rien, je travaillais à mon roman, j'attendais que des trucs me tombent du ciel. Toutes les cinq minutes, j'ouvrais un œil et regardais à droite et à gauche, je notais de nouvelles informations. La rue était tranquille. Sur le trottoir d'en face, à une cinquantaine de mètres, un type tenait un stand de gaufres et, par moments, l'air sentait bon. Quand le miracle arrivait, on voyait un gars se lever et aller vous écrire *Cent Ans de solitude, Le Choix de Sophie* ou *Le Monde selon Garp*. Il fallait rester vigilant.

J'étais donc en plein boulot, plongé dans un océan de lumières et de messages confus. Je comptais rester là une petite heure avant de rentrer, le cerveau complètement oxygéné et les muscles détendus. Les arbres bourgeonnaient. J'entendais vaguement des gens qui passaient dans mon dos en cette douce matinée de février, quelques frôlements inconsistants mais nullement désagréables, des lecteurs en puissance, badinais-je, ou des bourreaux sans pitié.

Puis, ouvrant les yeux, je me suis rendu compte que j'avais de la compagnie. Un gamin d'une dizaine d'années se tenait près de moi et fouillait méthodiquement ses poches d'un air soucieux. Il ne s'occupait pas de moi. Je crois qu'il demandait le maximum à ses poches, bien plus qu'elles n'en recelaient. Pour finir, il a ouvert sa main sur une petite poignée de pièces jaunes, celles que pour ramasser je ne me baissais plus. Je le voyais former des chiffres avec ses lèvres, compter et recompter. Mais ça ne gazait pas.

J'ai attendu un moment, ensuite j'ai sorti un billet de ma poche et je l'ai tenu entre deux doigts.

– Prends-en deux à la chantilly, je lui ai dit sans le regarder. Demande un coup de rhum sur la mienne...

Il a empoigné le fric. Il a bondi en avant. Je l'ai suivi gaiement des yeux tandis qu'il traversait la rue en direction du marchand de gaufres, plus rapide qu'une petite bombe. Mais il s'est pas arrêté, il a enquillé le trottoir d'en face avec les coudes au corps. J'ai même dû me pencher en avant pour le voir filer et disparaître au coin de la rue sur laquelle retombait un silence délirant.

J'ai médité un instant là-dessus, après quoi je me suis claqué les cuisses et j'ai calté de mon banc.

Le hasard a voulu que je retombe sur le môme quelques rues plus loin. Il sortait d'une pâtisserie fine avec deux fillettes de son âge. Les gaufres s'étaient transformées en petits gâteaux crémeux bien connus dans toute la ville chez ceux qui avaient les moyens et le palais délicat. Je me suis transformé en mauvaise surprise, en génie grimaçant. J'ai attrapé cette moitié d'homme par la ceinture de son pantalon, tandis que les deux petites piquaient un sprint.

– Oh monsieur !!... Laissez-moi, monsieur !!!... a-t-il gémi.

– Y a pas de monsieur, je lui ai dit. T'es un enfoiré !

J'avais l'impression d'avoir sorti une truite de l'eau. J'étais étonné de sentir quelque chose d'aussi vivant dans ma main. Il était mort de trouille.

– Oh m'sieur, monsieur ! ! Vous allez pas vous venger, m'sieur, vous allez pas vous venger ! ! ? implorait-il.

À ce moment précis, j'ai aperçu le petit copain de Marlène, l'exécuteur des basses œuvres, à mon avis, quoi qu'il en soit celui qui me posait un problème. Il sortait d'un magasin et se traînait un gros rouleau de moquette. Je crois que mon regard a brillé.

– Moi, petit, me venger ?... j'ai répondu au môme d'une voix blanche.

L'autre m'avait pas encore vu. Il se battait avec son bout de moquette et je le quittais pas des yeux.

– Qu'est-ce que ça pourrait m'apporter ? j'ai ajouté dans un souffle.

Je l'ai lâché. Le courant l'a arraché de mes mains. J'ai reniflé un grand coup d'air frais en souriant au ciel et j'ai repris ma balade en direction du gars. Je donnais pas une semaine avant que les premiers bourgeons ne cassent leur coquille en deux. Je pouvais presque sentir le fantôme des fleurs.

Je me suis arrêté devant lui. Apparemment il en bavait des ronds de chapeau. Je l'ai entendu couiner sur le dernier mètre, tandis qu'il halait le rouleau monstrueux. Il a repris son souffle, un bras appuyé sur le capot de sa voiture, une Porsche à ce qu'il m'a semblé. Ensuite il a empoigné le truc à pleines mains pour le ficher debout, mais il s'est arrêté à mi-course en poussant un cri aigu. Il était rouge et les veines de son cou se tordaient comme de gros lombrics.

Il a envoyé un pied en arrière pour se caler et j'ai cru un instant qu'il allait appeler au secours ou se le prendre sur les jambes. Je le voyais de profil, j'avais l'impression que la panique le gagnait. Il n'avait toujours pas remarqué ma présence. Son monde s'était réduit à trois fois rien. J'ai attendu qu'il fasse un dernier effort pour le déranger. Il a fermé les yeux. Puis, au prix d'un gémissement à fendre l'âme, il est parvenu à redresser tout son bazar. J'avoue que je ne l'avais pas forcément donné gagnant sur ce coup-là.

– Hello ! j'ai dit, j'arrive trop tard ou je peux encore aider à quelque chose ?...

Il m'a regardé en s'essuyant le front :

– Ah, Dieu soit loué ! il a soufflé.

On s'est serré la main. J'aurais bien aimé pouvoir éviter tout contact physique, mais comment me défiler ?

– Drôle de morceau ! j'ai déclaré en me tenant les reins.

– Ah, j'en suis malade ! il a soupiré. Je ne pensais pas que ça pèserait un tel poids... Ttsss, mais c'est de la folie !

La seule vraie folie, j'ai pensé, c'est de baiser une fille comme Marlène et de s'apercevoir de rien. Il avait beau être grand, blond, bien bâti, quel sourire de crétin il m'envoyait, quel type transparent ! La seule vraie folie dans cette vie, c'est de passer à côté de la Beauté.

– J'ai bien peur que le plus dur reste à faire ! a-t-il annoncé.

Je voyais ce qu'il voulait dire. Difficile d'embarquer un rouleau de moquette dans une Porsche et le toit n'avait pas de porte-bagages. Mais par une si belle journée, je me sentais prêt à ouvrir les yeux, à prendre le monde comme il était. Je me suis installé dans un sourire engageant et j'ai attendu qu'il m'indique la marche à suivre.

– Eh bien, je ne vois pas trente-six solutions, me confessa-t-il. Allons-y doucement, mon vieux !...

Nous attrapâmes l'espèce de cachalot inanimé et le déposâmes sur le toit le plus délicatement que nous pûmes. Sa voiture brillait comme un sou neuf et on clignait des yeux dans la lumière. Il m'apprit qu'il n'habitait pas loin, qu'il avait sûrement une bonne sangle dans le coffre, que c'était un coup de chance.

– Infernal, lui répondis-je, continuant à lui sourire de l'autre côté de la bagnole.

Il envoya une claque satisfaite sur le rouleau et me tendit une cigarette, une ultra-légère. Le printemps était suspendu au-dessus de nos têtes comme un voile de mousseline chatoyant. Il me demanda comment j'allais, ce que je devenais si j'avais attaqué un nouveau bouquin, et je lui fis quelques réponses évasives dont il s'accommoda parfaitement. Sur ce, il grimpa dans sa voiture, ouvrit les fenêtres et me confia la sangle. Dès qu'il fut sorti, je lui en envoyai un bout par-dessus qu'il me repassa par-dessous et que j'enfilai dans la boucle. Il s'agissait d'amarrer l'engin fermement pour qu'il ne glissât point. Je tirai une bonne fois. Pour un peu, on aurait vu sortir une grosse langue à chaque bout.

– Ça va comme ça ? ai-je demandé, est-ce assez tendu ?...

– Oui, oh, peut-être encore un poil...

Je serrai les dents puis je tirai d'un coup sec, y mettant presque tout mon poids. On entendit comme un soupir épouvantable, comme une pauvre âme qui monte au ciel. Le toit de la Porsche venait de se sentir mal. Je fis celui qui n'avait rien remarqué, je m'employai à terminer mon nœud.

– Mais j'y pense..., lui lançai-je tandis qu'il disparaissait à l'intérieur de la voiture, tu ne pourras pas t'en tirer sans moi. Veux-tu que je t'aide ?...

Je me baissai pour voir ce qu'il fabriquait. Il tâtait la bosse du bout des doigts.

J'eus le sentiment qu'il n'y croyait pas tout à fait.

— C'est comme tu veux, ajoutai-je, et je lui balançai un sourire désarmant.

— Ben...

— Ne te gêne pas avec moi. Si je te le propose, c'est que ça ne m'ennuie pas. Tu en ferais autant à ma place.

Sans plus attendre, je m'installai à côté de lui.

— C'est la première fois que je monte dans une Porsche, lui annonçai-je. N'essaye pas de me faire peur...

Il démarra un peu nerveusement, grognant que par-dessus le marché il n'y voyait rien derrière, qu'il n'aimait pas ça. Moi j'aimais rien du tout chez lui, et pourtant j'étais là.

L'histoire de son capot l'avait visiblement contrarié. Je le fis arrêter un peu plus loin, je tendis le bras brusquement par la portière et quelqu'un donna un coup de frein terrible. Je descendis. J'achetai des cigarettes pour lui et pour moi, et me rasseyant, je lui jetai son paquet sur les jambes. Il se dérida un tantinet.

— Si j'avais pas cette lance plantée en plein cœur, lui confiai-je, je me demande ce qui pourrait me gâcher une telle journée !...

Il m'envoya un regard étonné, une main au volant, l'autre sur le changement de vitesse. Je m'allumai une clope et je toussai un peu.

— C'est con, n'est-ce pas ?... ajoutai-je en baissant la tête. Mais c'est comme ça, les artères se bouchent de plus en plus et puis un beau matin...

J'ai relevé la tête.

— TCHAC !! j'ai gueulé. Terminus !! ajoutai-je en me dégonflant sur mon siège.

Il se pencha légèrement à la portière et démarra. Vraiment, il ne savait pas quoi me dire, il était à cent lieues de penser, il appelait ça une vraie poisse. Je le mis à l'aise, je lui rappelais qu'on avait tous nos soucis. Bien que le cœur soit pire que tout, lui fis-je admettre, car on ne sait jamais où ni quand.

Il éteignit sa cigarette et chercha à me réconforter :

— Je t'assure, tu n'as pas l'air malade... ma parole ! Je suis prêt à parier qu'on en reparlera dans dix ans !...

Je croisai mes bras et renversai la tête sur mon dossier :

— Hum... si tu pouvais dire vrai... Malheureusement, j'ai bien peur que tu te trompes... Je suis plus pessimiste que toi.

Ce que disant, je tirai un mouchoir de ma poche et le laissai flotter quelques secondes au vent frais avant de me l'aplatir sur le crâne. Il sursauta :

— Qu'y a-t-il ? Ça ne va pas ? me grimaça-t-il au visage.

— Pas aussi bien que j'en ai l'air... Mais rassure-toi, j'ai l'habitude.

Je fis sonner ma boîte de cachous à travers ma poche.

— Je ne crains rien avec ça, soufflai-je.

Je lui glissai un clin d'œil triste puis tournai la tête de l'autre côté. L'image de la Porsche se refléta dans une vitrine avec son missile sol-air sur le dos et je décidai de ne plus respirer en roulant des yeux.

Il me secoua par l'épaule tandis que je portais ma main à mon cœur.

— Ah, malheur de malheur ! jura-t-il.

Je m'arc-boutai sur mon siège, plus vrai que nature, je l'empoignai par sa manche de veste dans un appel muet et désespéré. Il fila un coup de volant vers le trottoir. De nombreuses voitures pilèrent à l'arrière mais rien qui se matérialisât. Il cala. Dix centimètres de plus et on s'emplafonnait une camionnette à l'arrêt. Je devais être dans les bleu-violet.

Je m'extirpai de la Porsche en me cramponnant à la portière, traînant une jambe raide, je roulai sur le côté de la voiture comme un type qui mène son dernier combat. Je pensai le temps d'un éclair, est-ce que ce sera comme ça, est-ce que je réussirai à me traîner dehors pour respirer encore une fois ?... Est-ce que la mort me saisira avant que je n'aie tout résolu, me laissera-t-elle en plan avec toutes ces questions sans réponses, ces mystères quotidiens, tous ces livres que je n'avais pas lus ? Je venais seulement de m'attaquer à Dostoïevski et de l'autre côté de mon lit j'avais des bouquins de W. Carlos Williams, Knut Hamsun, Akutagawa, pour ne parler que de la première pile, et il me tardait de les connaître, je ne pouvais pas être prêt avant l'an 2000.

Bref, je profitai des quelques secondes qu'il mit à sortir pour saisir ma boîte de cachous et m'en secouer une paire dans la main. Je la remballai rapidement tandis qu'il se précipitait vers moi. Je me laissai glisser sur mes talons, le dos à la carrosserie, et m'avalai les trucs de manière ostensible.

« Hé, mon vieux !... Hé ! holà ! ! ! » me dit-il. Je l'agrippai par le revers de sa veste pour maintenir la tension de la scène. Deux jeunes femmes surveillaient mon agonie, plantées devant une agence de voyages vous promettant l'été en hiver. Je les observai tout en revenant à moi, et que l'une étreignît un baril de lessive et l'autre un paquet de couches me donnait un avant-goût de l'enfer. Je bredouillais quelques lambeaux de phrases rassurantes, ponctuées de grimaces, à l'adresse de mon compagnon. Lequel était parti pour m'arracher tous les boutons de ma chemise.

À ma demande, il me saisit sous les bras et m'installa sur mon siège. Je haletai encore durant une bonne minute à la limite de l'égarement, puis je lui posai une main sur l'épaule en lui souriant faiblement, l'invitai à reprendre son calme, à oublier cet incident. Il n'était qu'à demi convaincu :

– Tu en es sûr ?... Tu en es certain ?... Ta langue est... comment dire.... presque NOIRE, je t'assure...

– Oh ça ?... Non, ce n'est rien, n'aie pas peur... Les pilules !...

J'indiquai l'intérieur de ma poche :

– Les noires, ce sont les plus fortes. Il n'y a rien après. Et puis, plaisantai-je, on ne va pas filer des pilules roses à un type en train de claquer ! Ce monde manque un peu d'humour, tu ne trouves pas ?

Je compris à sa mine que j'étais devenu un fardeau pour lui et un plaisir diabolique fondit sur moi, une joie malsaine s'empara de mon esprit. Avais-je donné la mesure de mon rôle, en avais-je ramassé tous les fruits ?

Lorsqu'il reprit place à mes côtés, je décidai de me laisser la bride sur le cou et continuai à improviser :

– Je crois que j'ai envie de vomir, murmurai-je.

– Hein ?

– Oui, oui... Je t'assure... Je ne comprends pas...

Je me mis à pincer mes lèvres, à papilloter des yeux, à respirer violemment. Et je refermai une main presque blanche et moite sur son bras :

– Ne bouge pas ! l'implorai-je. Tu me donnes le tournis. Vite, un Kleenex ! !

Les ordres contradictoires sont ce qu'il y a de meilleur, ils s'accompagnent d'une sensation de déchirement chez celui qui les subit. Je notai qu'un peu de sueur était apparue sur son front et qu'il maudissait intérieurement cette journée.

– Ça va, ça passe…, l'avertis-je enfin. Oui, je crois que ça va aller…

Il poussa un grossier soupir de soulagement, tête baissée, les deux mains cramponnées au volant.

– Eh bien, allons ! fis-je. Un peu d'air ne peut me valoir que du bien…

– Écoute, me dit-il sans me regarder, veux-tu que j'aille chercher un docteur, est-il nécessaire de prendre des risques ? ?… Sincèrement, je me sens déjà coupable, qui sait ce qui peut arriver ?…

Je lui malaxai l'épaule de façon amicale et lui expliquai doucement qu'il pouvait m'en croire, qu'il devait cesser de se ronger les sangs. C'était d'ailleurs à moi de m'excuser pour le souci que je lui avais causé et à présent je me sentais parfaitement bien, je n'avais d'autre besoin que d'oublier tout ça, mettait-il ma parole en doute ?

– Allons, répétai-je, un peu d'air ne pourra qu'effacer cette navrante histoire, on parie combien ?

Il n'était pas joueur, ce gars-là. Il ne semblait pas non plus tout à fait décidé à m'emmener autre part. Mais parfois, il faut savoir forcer les choses. Je me penchai en avant et attrapai la clé de contact.

– Nous en étions restés à ton rouleau de moquette, résumai-je. Reprenons à ce moment-là.

– Hum… d'accord, approuva-t-il. D'accord…

– Bien.

Je mis le contact. Par malheur, le moteur était resté en prise et la Porsche piqua du nez sous la camionnette. Ça, je ne l'avais pas prévu. Toujours est-il qu'on froissa un peu de tôle et qu'il sortit comme un fou avant que j'aie eu le temps de me reprocher quoi que ce soit. Je le vis se prendre le visage entre les mains et puis dévoiler une mine déconfite et douloureuse, car bien sûr il n'y avait pas de quoi rire. Personnellement, je n'avais jamais eu de voiture de ce prix-là entre les mains, aussi ne pouvais-je savoir s'il y avait lieu de se taper la tête contre les murs. Je descendis en me frappant la poitrine.

– Mais je suis une vraie malédiction ! ! grognai-je. Mais qu'est-ce qui m'a pris, regarde-moi ça ! ! !

C'était moche, assurément. La camionnette était équipée d'un crochet qui avait perforé le capot de la Porsche et le dessous était enfoncé. Ce n'était pas la première voiture accidentée que je voyais de ma vie mais je me surpris à faire la grimace malgré la lumière magnifique qui inondait la rue et le profond bien-être que nous aurions pu en tirer.

– Je ne sais pas quoi te dire…, lui avouai-je.

Mais lui non plus n'avait pas su quoi me dire au sujet de cette maladie de cœur.

– Je regrette de pas trouver les mots qu'il faut, c'est très désagréable. Non mais veux-tu m'expliquer ce que j'ai fabriqué, non mais c'est à peine croyable ! ! soupirai-je.

– Bon ! c'est rien ! ! N'en parlons plus ! ! ! me hurla-t-il aux oreilles.

– N'en parlons plus… Tu en as de bonnes ! m'exclamai-je. Je ne me le pardonnerai pas, tu peux être tranquille ! …

La suite des événements me laissa sans voix et je restai sidéré sur le trottoir, j'en crus à peine mes yeux. D'un bond, il sauta sur le capot de sa voiture et tenta d'en extirper le maudit crochet, ce qui était hors de question, malheureusement. Tout ce qu'il en récolta ne fut que de s'arracher une jambe de pantalon sur un morceau de ferraille. Il était vraiment hors de lui et le crochet était toujours dans le ventre de la Porsche, fiché comme un gros hameçon. Il était vert de rage.

On devine le reste aisément. Je n'ai même pas envie de raconter ça. Enfin bon, il fit patiner la marche arrière et le capot entier s'arracha d'un seul coup. Il y eut un boucan épouvantable et pour tout dire assez lamentable.

J'attendis quelques secondes mais comme il semblait cloué dans sa bagnole, je tournai lentement les talons et disparus comme j'étais venu.

Au fond, cet imbécile m'avait gâché la matinée et sur la fin il en avait trop fait, il m'avait aussi gâché mon plaisir. C'était dommage car j'avais bien aimé le coup du cœur qui lâche, oui sincèrement, je revoyais encore avec quelle facilité je m'étais glissé dans mon rôle et le plaisir étrange que j'en avais retiré. Je n'avais rien prémédité et lorsque je me suis vu partir là-dedans avec une telle aisance, tant de souplesse, j'ai presque cru moi-même que ça m'arrivait.

À cette pensée, j'ai souri tout en marchant. C'était bon de jouer sa mort d'une manière comique, c'était une saine répétition. Et il y avait quelques avantages à mourir dans la rue plutôt que dans sa baignoire. Au moins, on pouvait respirer, on avait de la place et le chemin était plus direct jusqu'au ciel. Oui oui oui. Ce n'était pas à prendre à la légère. Le moment venu, il faudra que je m'en rappelle. L'idéal serait de me trouver un buisson, voilà, parfait. Il n'était pas indispensable d'avoir quelqu'un à qui s'accrocher, non, je ne crois pas. Il fallait essayer de gagner en sobriété. En finir par une grimace moqueuse et lucide ou quelque sourire impatient. En finir brillamment, me dis-je. Pas question de m'ouvrir le ventre, mais m'asseoir religieusement en attendant qu'un coup de sabre me tranche la tête, ça oui. Cancer, quatre-vingt-dix balais, accident de la route, champ d'honneur, ça non, plutôt crever, plutôt mourir tout de suite. Bon sang, j'en frissonne, et Henri qui me répète qu'il s'en fiche, mais j'en crois pas un mot ou j'ai encore un sacré bout de chemin à parcourir ! Ce n'est pas possible. Théoriquement, il en sait plus que moi. Peut-être que sa solution est la bonne. Sans panache. Je ne sais pas. Me porter la main au cœur, tout simplement ? Hum… Oui. C'est déjà mieux que rien. Je verrai. Si je peux faire quelque chose pour mon âme, je verrai. Je pourrais marcher ainsi pendant des heures sans être fichu de savoir lequel de nous deux a raison. J'ai envie de couper la poire en deux : par temps froid, mourir en ascète, par temps chaud, eh bien, s'affaler dans un transat et pousser mollement son dernier soupir. Je sens qu'il a raison et ça m'énerve. C'est la même chose pour ce qui est d'écrire. Moi je réfléchis trop, lui se laisse aller. Lui est un grand écrivain. J'imagine quel mari épouvantable il a dû être et comme père il n'est pas parfait, je me mets à la place de Gloria. Mais Seigneur, comme écrivain !… Ça me rend malade. Est-ce que j'écrirais si j'étais certain de jamais avoir un seul lecteur ? Lui, il en serait bien capable. Oui, aucun doute. Rien ne pourrait l'arrêter. Je ne vois pas. Paralysé, il ouvrirait encore la bouche. Faites-le taire, il vous regardera dans les yeux. Éteignez tout, il deviendra lumineux. Je le sais très bien. IL EST comme ça. C'est merveilleux. Pendant un moment, je ne pense plus à rien. Je fais un détour pour emprunter une rue bordée d'arbres. Les bourgeons leur donnent une ombre rosée. Surtout, me dis-je, n'oublie pas son tube de bleu céruléum, il l'a répété deux fois. Non, je l'oublie pas, je lui ai dit qu'il pouvait compter dessus. C'est vrai qu'il peint, maintenant, on aura tout vu.

En général, il se descendait une toile dans la journée. Il les distribuait à droite et à gauche mais prétendait qu'il m'avait donné la meilleure. Il avait écrit en dessous : « Portrait de femme », mais ça ne ressemblait que vaguement à une femme. Toutefois, je ne m'y connaissais pas suffisamment en peinture pour me mêler de quoi que ce soit. Les couleurs me plaisaient, je l'avais suspendue au-dessus de mon lit. Ce qu'il avait regardé d'un œil satisfait.

— Ne te fais pas de soucis, l'avais-je rassuré, lorsque tu te mettras à jouer du piano, je suis celui qui viendra te tourner les pages.

Bob avait déjà une espèce d'idée dans la tête. Un soir que Gloria le laissait tranquille, il en a profité pour déballer son histoire.

— Qu'est-ce que vous en dites ? !... Je m'occupe de tout, du moindre détail !...

Les filles trouvaient que ça valait le coup d'essayer. Que tout ce qui pouvait arriver, c'était que Bob en vende quelques-unes. J'étais de cet avis. Je pensais surtout que c'était une bonne occasion pour Bob de rentrer dans le cercle. Puisqu'il n'avait pas eu l'intelligence de s'enfuir à toutes jambes, autant qu'il prît sa place. Par ailleurs, ça lui ferait prendre un peu l'air, quand bien même je me mêlais de ce qui ne me regardait pas. Henri ne disait pas non a priori.

— Alors, c'est oui ? ? ! ! a beuglé Bob.

— Ben... si tu y tiens... c'est oui.

— TOPEZ LÀ ! !

— Bob, je te signale que ta fille est en train de dormir... a déclaré Gloria. J'espère que tu l'oublies pas...

Il souriait d'une oreille à l'autre. Baissant le ton, il expliqua ses projets à Henri et le lendemain il embarqua quelques toiles dans sa voiture. Il vendit la première une semaine plus tard.

– Ce n'est qu'un début ! me confia-t-il très justement. Et je n'ai encore rien fait !...

« Ce qu'il a fait » m'annonça Gloria au téléphone, par un matin où le vent poussait des rafales à cent vingt. « Ce qu'il a fait, eh bien, il a pris la bagnole au petit jour et je me retrouve seule sans une goutte de lait, c'est bien simple ! Je suis clouée à la baraque avec Géraldine. Le prochain biberon est dans une heure ! »

– Je vois.

– Passe-moi Henri, s'il te plaît. Il faut se dépêcher d'aller à la pharmacie avant que ça ferme !

Une tempête s'était levée dans la nuit. Il ne pleuvait plus mais le ciel était jaune et même verdâtre par endroits. Je n'avais pas prévu de sortir. Il y avait de quoi se prendre un arbre sur la tête ou une cabane de jardin.

– C'est quelle marque ? j'ai demandé. Je vais y aller, t'as besoin de rien d'autre ?...

– Oh... mais Henri peut très bien...

– Ouais, je sais qu'il le peut. Alors ce lait, c'est quoi au juste ?...

En me précipitant dehors, je ne cherchais pas à lui être spécialement agréable. Je voulais simplement agir comme je l'aurais fait auparavant, je ne voulais pas être aussi con qu'elle. Elle pouvait continuer à jouer ce petit jeu si elle le désirait, mais seule. On allait voir lequel des deux allait se fatiguer le premier.

Vingt minutes plus tard, je débarquais chez elle. Le vent hurlait, rugissait, vous secouait dans tous les sens. J'avais eu du mal à me sortir de la voiture, je m'y étais repris à deux fois. Je me suis essuyé les yeux, je lui ai collé la boîte dans les bras et j'ai filé vers un fauteuil.

Je me suis glissé une main dans les cheveux pour retrouver un visage humain. Tout était si irréel dehors.

– Tu me diras combien je te dois, a-t-elle lancé.

J'ai pris un air décontracté. Je lui ai dit qu'en vérité je pensais que Bob allait tous nous étonner, qu'un matin il aurait liquidé tout le stock. Est-ce qu'elle voulait parier avec moi ? Elle s'est barrée dans la cuisine, le front penché sur la boîte de lait et concentrée là-dessus comme si le mode d'emploi était inscrit en hiéroglyphes. Je me suis encadré dans la porte.

– Tu lui donnes plus le sein ? j'ai demandé.

– Hein ?... Oh ! non, j'alterne.

– Ouais, c'est la bonne méthode. Et... enfin, t'as juste à mettre ce truc dans un peu d'eau et t'es tranquille.

– Oui, tout juste.

Le vent grondait. Le carreau d'une fenêtre vibrait frénétiquement. Mais la baraque résistait. Je me suis appuyé dans le chambranle avec la même gueule enfarinée qu'un type de l'Actor's Studio. Je regrettais de pas avoir trouvé un petit élastique dans ma poche ou un morceau de ficelle pour jouer avec. Je me suis simplement tripoté l'oreille. J'ai regardé fixement les vis qui maintenaient les gonds de la porte :

– Dis donc, tu te souviens de la fois où...

– Écoute, elle m'a coupé. Je suis pas très forte pour les souvenirs. Ça me fiche le bourdon.

J'ai ravalé mon bout de phrase en souriant, ce que je n'aurais pu accomplir sans une longue expérience, sans une certaine habitude de la vie.

– Hum... tu as raison, j'ai dit.

Elle avait plongé le biberon dans une casserole et ne le quittait pas des yeux. Elle avait retrouvé sa ligne et ses pantalons qui lui collaient au cul. Elle s'était planté une queue de cheval sur le crâne. Les poings sur les hanches.

– T'allumes pas le gaz ? j'ai demandé.

J'ai pas attendu la réponse, je suis retourné

dans l'autre pièce. Le vent sifflait comme une sirène furieuse et un monde invisible crépitait sur les vitres. Quel aveugle j'étais !

– Comment ça se passe ?... Elle te réveille encore la nuit ?

Pas de réponse. Je me suis approché de la fenêtre. Le Niagara dans la rue, une lumière d'outre-tombe. Je me demandais si elle allait me proposer du thé ou m'indiquer la porte, j'étais certain de rien.

Elle s'est amenée en tenant le biberon contre sa joue.

– Hoouuuuu... elle a soupiré. C'est toujours trop chaud ou trop froid !

– Ouais, faudrait que ce soit entre les deux !

Elle s'est laissée choir dans un fauteuil en face de moi, les genoux plus hauts que la tête. Elle a regardé sa montre, puis ses ongles.

– Mais enfin... D'où tu me sors cette tête d'ahurie ?... lui ai-je demandé calmement. C'est un nouveau genre que tu te donnes ?

J'ai pu constater à ce moment-là qu'elle se contrôlait beaucoup mieux qu'avant. Elle a simplement mordillé l'ongle de son pouce. Avalant le compliment sans s'étrangler. Plus fort encore, elle a ricané :

– Tu as raison, je ne dors pas assez... Ça se voit tant que ça ?...

Ça sonnait surtout d'une manière étrange. Mais il est moins fatigant d'être pris pour un con que de vouloir arracher trois mots à une pierre.

– Ouais... y a rien de pire que le manque de sommeil.

Elle s'est levée rapidement pour me servir un verre. Elle était troublée. Son numéro n'était pas encore d'une classe internationale. Elle serait parfaite dans dix ans.

– Merde, avec ce temps, j'ai pas fermé l'œil

de la nuit… a-t-elle ajouté. Bob est parti tôt ce matin…

Tout à coup, un volet se détacha et se mit à battre en plein vent.

– Oh mince ! Mais il va s'envoler !… braillat-elle.

Il y avait des chances.

– Méfie-toi, ça va souffler ! dis-je, me cramponnant à la poignée de l'espagnolette.

J'ouvris. Les démons s'engouffrèrent dans la pièce. Et ce satané volet avait disparu. Ce vent me saoulait. Je refermai la moitié de la fenêtre et me penchai légèrement au-dehors. C'était bien ce que je pensais, le volet s'était rabattu contre le mur. Il semblait se tenir tranquille. J'entendis un beau bruit de casse derrière moi, suivi d'un cri. Mon attention se relâcha une seconde. Alors le volet s'arracha du mur une nouvelle fois et me percuta le crâne de plein fouet.

Je partis à la renverse jusqu'au mur du fond. Battant des bras, je basculai par-dessus une table basse et m'écroulai pour de bon. Mais je gardais les yeux ouverts. Je vis Gloria debout devant moi, les bras le long du corps, raide comme une statue. Je tendis une main vers elle puis ma vision se brouilla. Je parvins toutefois à me mettre à genoux. Je sentais que du sang me coulait sur la figure, j'en voyais qui s'étalait sur le devant de ma chemise. Je m'assis sur mes talons en reniflant. Au bout de quelques secondes, je remarquai qu'elle était toujours là. Immobile, à me regarder, elle avait simplement refermé la fenêtre.

Je m'aplatis une main sur le front et me relevai tant bien que mal. Je m'adossai au mur.

– Bon sang, j'ai dit, va me chercher une serviette, quelque chose !…

Elle semblait hypnotisée. J'avais les jambes

molles. Son visage était sans expression, blanc, glacé.

– Oh bon Dieu !... j'ai gémi. MAIS VAS-TU TE MAGNER LE CUL ? ? ! !

16

Dès les premiers jours du printemps, je franchissais allègrement la barre des cent mille exemplaires. Maintenant, ça devenait une autre histoire. J'avais la désagréable impression d'être assis sur une pente savonneuse.

Mon banquier, cet innommable petit trou du cul, m'avait relancé au téléphone. Je lui avais répondu sérieusement d'aller se faire enculer et désormais, je portais mon fric à la boutique d'en face où tout le monde me souriait. Pour un type comme moi qui avait connu le degré zéro quand ce n'était pas les moins quelque chose, l'impression générale était qu'il en pleuvait, des chèques. Et mon excitation du début était déjà retombée. Dogelski rigolait au bout du fil :

– Deux cent mille cet été... Trois cent mille cet hiver ?... Je savais qu'un jour, ça marcherait !

Je recevais également du courrier en conséquence, mais je trouvais rarement le temps de répondre, pour ainsi dire pas du tout, je ne m'appelais pas Henry Miller. Et puis le téléphone sonnait. Je racontais qu'Il était pas là, qu'Il avait déménagé et que j'étais au courant de rien. Je ne méritais ni compliments ni injures, j'écrivais du mieux que je pouvais et ça ne devait pas aller plus loin. Qui j'étais et ce que je pensais ne regardait personne. Je n'étais pas plus avancé qu'un autre, je n'avais pas trouvé de solutions aux problèmes de l'humanité. Je ne savais pas si la fin du monde était proche, je n'avais pas de conseils particuliers à donner pour ceux qui démarraient, je ne faisais pas de politique, je n'avais pas de recette personnelle pour réussir un bon chili, je n'avais pas lu *Bagatelles pour un massacre*, je ne savais pas si l'avion était moins dangereux que le train, non je n'aurais pas pu jurer qu'écrire servît à quelque chose, non, je ne portais pas de caleçon.

Au bout du compte, je m'étais inscrit sur la liste rouge. Mais les plus malins se débrouillaient pour avoir mon numéro et chaque fois que le téléphone sonnait, je grimaçais. Je me suis donc acheté un répondeur. J'aurais jamais pu imaginer que j'en arriverais là. Lorsque j'ai vu le type venir m'installer tout le bazar, j'ai compris qu'un nouveau pas était franchi.

– Oui, mais putain, Bob, je voudrais t'y voir... Ça va bien un moment. Mais à la longue, tu finis par te demander si tu sais quelque chose, tu répètes les mêmes conneries inlassablement et si c'était pas des conneries, eh bien, ça le devient parce que tu n'as plus la pêche pour en parler, tes mots deviennent creux, tu connais tellement bien la route que tu ne regardes plus rien. Tu te sens fatigué.

Nous nous étions vidé pas mal de verres dans la cuisine et nous parlions de ce genre de chose, de ces petits problèmes bouleversants.

– Et je vais peut-être te faire rigoler, Bob, mais plus y a de gens qui s'intéressent à moi, plus je me sens seul.

Bob donnait une petite fête à l'occasion de la première dent de Géraldine ou je ne sais plus quoi. Henri était là. Marlène. Charles et Vera. Gloria. Plus quelques autres que je connaissais et d'autres que je connaissais moins bien. Cette solitude dont je parlais, ce n'était pas des blagues, mais je souriais. Difficile de parler de ses malheurs quand on tire à plus de cent mille et qu'un engouement passager vous propulse au-devant de la scène. Difficile de pleurnicher quand des centaines de millions de gens crevaient de faim et qu'un nombre incalculable de vies étaient bafouées. Je n'étais qu'un pauvre malade, je n'avais plus les yeux en face des trous, mais si je ne m'étais pas retenu j'aurais pu hurler. La faim dans le monde était un problème, tout autant que le non-respect des libertés. J'étais libre, j'avais le ventre plein, mais vers quoi pouvais-je me tourner, y avait-il un but à atteindre ? Tout ce qu'il y avait de meilleur en moi, toute mon énergie passait dans l'écriture, toutes mes idées, mais à quoi ça servait ? J'en faisais tout un plat avec mon style, mais qu'est-ce que ça voulait dire ? Est-ce que j'étais plus fort qu'un autre, plus intéressant qu'un autre, est-ce que je sauvais des vies, est-ce que j'aidais des gens à s'en sortir ? Est-ce qu'un livre pouvait donner du courage, est-ce que des mots mis bout à bout pouvaient suffire à remplir toute une vie ?

Un type qui était en prison m'écrivait. Des dizaines de pages. Il me disait de continuer. Merde ! merde ! MERDE ! ! ! Bob, remplis-moi encore une fois mon verre, je t'en supplie ! Il suffit que je boive un peu pour broyer du noir, alors que la vie est si simple. Ta solitude, tu te la prends et tu te la ravales, me disais-je, tu ne vas pas nous gâcher cette soirée.

— Bobby, le temps a passé, je lui ai expliqué. Je suis bien forcé d'ouvrir les yeux !

Il a secoué la tête. Il n'était pas convaincu. Personne me prenait au sérieux et ils avaient bien raison. Tout le monde avait ses problèmes et les miens n'avaient rien d'excitant. Je suis sorti un moment, après avoir rasé les murs. Ma solitude n'était qu'intérieure. Plus ça allait, plus on me collait au train. Je n'avais rien d'intéressant, rien de merveilleux, mais les journaux parlaient de moi, l'affaire était entendue. J'avais tellement de verres dans le nez que je ne pouvais pas me cacher la vérité. Il n'y avait aucun moyen de s'en sortir. Je pouvais vendre un million de machins sans que ça me fasse avancer d'un pas, sans que ça me fasse sortir dans la rue en chantant. Et on me téléphonait ou m'écrivait pour me demander un peu d'espoir, pour me remercier d'écrire des bouquins super, que j'en aurais pleuré. C'était mon jardin, je le connaissais bien, je l'adorais pour ainsi dire, Bob trouvait que c'était trop petit chez lui et du moment qu'il s'occupait de la vaisselle, eh bien, j'y voyais pas d'inconvénients ! Je connaissais ses trente mètres carrés comme le fond de ma poche, son moindre brin d'herbe. J'avais arrosé ses rosiers avec mes larmes, je m'étais endormi sur son gazon. Je me sentais en sécurité ici. Le ciel était calme.

— Tel que tu me vois, je lui ai dit, aussi nu et désolé que je puisse paraître, je ne suis pas fini !

J'ai terminé mon verre et je l'ai abandonné dans un coin.

— Hé !... allons, réveille-toi !...

Je m'en souviens comme si c'était hier. Une sacrée belle, magnifique matinée de printemps. Henri m'avait servi une grande tasse de café. Il avait mis de la musique. Quelqu'un avait balancé une couverture sur moi.

— Hé ! réveille-toi, c'est pas une heure décente pour un type de ton âge !...

Je me suis assis. Les yeux pochés. J'ai regardé Henri en bâillant, en me tenant la tête à deux mains.

— Ah Dieu du ciel ! j'ai soupiré.

— Oui, il a dit, j'ai eu du mal à te ramasser.

Je ne me rappelais de rien, j'avais dû tomber

de sommeil. Je me suis jeté sur mon café comme la pauvreté sur le monde.

Bob et Gloria étaient dans la cuisine et remettaient un peu d'ordre tandis que le lave-vaisselle ronflait. J'ai fait quelques pas dans la pièce avec la couverture sur les épaules. Je me suis arrêté devant la dernière toile d'Henri.

— Je viens de voir la même chose dans mon cauchemar, sais-tu ?

Je me félicitais de ne pas avoir trop bu, de ne pas m'être décroché une gueule de bois de trois jours. Je me sentais presque en pleine forme. Nous nous sommes resservi du café tous les quatre et j'ai appris que j'avais emmerdé tout le monde jusqu'au petit jour et qu'on ne savait plus si je pleurais ou si je riais.

— Ben je riais, j'ai dit.

Il n'y avait pas de quoi fouetter un chat. Un écrivain vit avec son désespoir comme un chien avec ses puces, il ne faut pas y prêter beaucoup d'attention. Surtout lorsqu'il atteint des tirages confortables et qu'il a bu un verre de trop. Naviguer entre le rire et les larmes, c'est son boulot, mais qu'il nous lâche un peu la jambe en dehors des heures d'ouverture, qu'il vienne pas gémir sous nos fenêtres tout au long de la nuit. Je n'ai pas osé leur demander ce que j'avais raconté.

« La prochaine fois, j'envisage de m'arracher tous les poils de la poitrine », j'ai plaisanté, ce qui a déclenché les gazouillements de Géraldine dans son panier.

J'étais sous la douche. Planté comme un bienheureux sous mon torrent d'eau chaude, dans une immobilité extatique. Je ne pensais pas que la vie pouvait s'installer dans une tranquillité durable, je me plongeais régulièrement dans *Le Livre des transformations*, mais je ne m'attendais à rien de désagréable, pas à cet instant précis. J'avais tort.

Gloria est entrée dans la salle de bains. Si j'avais été en train de chanter, je me serais arrêté tout de suite, rien qu'en voyant la tête qu'elle avait.

J'ai coupé l'eau à contrecœur.

– Ça ne va pas ? j'ai demandé.

Elle me regardait d'une manière intense. Sûrement pas parce que j'étais nu. À tout hasard, j'ai attrapé une serviette.

– Tu as perdu ta langue ?

Elle semblait chercher quelque chose en moi, à m'atteindre au fin fond de l'âme. Mais ça ne me dérangeait pas. Je me suis frictionné la tête. Ça me rappelait la fois où je m'étais ouvert le crâne avec son volet et que mon sang dégoulinait. J'avais dû la secouer, lui ramener les pieds sur terre.

Se reprenant, elle a rompu le charme, elle a baissé les yeux :

– Oh… tu as une seconde ?

Elle tenait ses mains dans son dos. J'eus tout à coup un terrible pressentiment. Son bras jaillit sous mon nez et l'espace d'un éclair elle m'enfonça une lame brillante en travers du corps.

– Je suis désolée, elle m'a dit. Ce type est ignoble.

Je reconnus aussitôt le journal qu'elle tenait dans la main. Je ricanai :

– Hum… qu'est-ce qu'il raconte aujourd'hui ? Que j'ai pillé le roman noir américain ?…

– Oh non, cette fois, c'est plus grave !

– Diable ! Est-ce que je serais juif et homosexuel ?…

– …

– Tu veux dire noir, juif et homosexuel ?…

– Non, regarde… Il dit que tu couches avec la femme de ton meilleur ami !…

Je lui arrachai le journal des mains. Tremblant de rage, je parcourus l'article. Je l'ai terminé adossé au mur, contre le carrelage glacé, les dents serrées. Gloria ne m'avait pas menti. À la fin, Machin écrivait qu'on connaissait déjà ma valeur en tant qu'écrivain, qu'il n'était pas inintéressant de la connaître en tant qu'individu. Je restai le souffle court.

– J'ai préféré te le montrer... C'est vraiment dégueulasse.

J'ai hoché la tête. J'ai commencé à m'habiller, oubliant complètement de m'essuyer. J'avais envie de m'asseoir.

– J'espère que tu vas poursuivre ce salaud en diffamation !

Je ne lui ai même pas répondu. Je me suis enfoncé deux doigts dans les yeux. Le miroir m'a renvoyé la tête d'un type qui allait pas des masses, qui donnait dans les aigreurs d'estomac.

– Qu'est-ce que tu vas faire ?

En quelques secondes, une colère froide m'a envahi. J'ai repris ce maudit journal et j'ai relu chaque mot concernant le fameux passage avec une délectation quasi démente.

– Il faut pas qu'Henri tombe là-dessus, il te le pardonnera jamais, tu sais... Il faut trouver quelque chose...

J'ai levé mon nez du journal. Elle se tordait les mains, elle semblait réfléchir à toute vitesse. Je l'entendais encore me dire qu'Henri me pardonnerait jamais.

– Bon sang, a-t-elle ajouté, c'est déjà un miracle qu'il soit pas encore au courant !...

On se serait crus revenus plus d'un an en arrière, quand elle faisait une connerie et que je me creusais la tête avec elle pour trouver le moyen de le cacher à Henri. Elle voulait m'aider, mais j'avais envie de la prendre et de lui balancer des claques pour me calmer, pour entendre un autre que moi crier. Je me suis ressaisi. Je grimaçais d'une fureur contenue et d'une certaine manière inexplicable.

– Et alors, j'ai grincé. Tu crois que je vais planquer ce canard dans mon froc ? !... Tu crois que je vais me l'avaler ? ? ! !...

Elle m'a lancé un regard brillant auquel je ne m'attendais pas du tout, un regard vibrant de défi, incroyablement féminin.

– Non ?... m'a-t-elle glissé.

Je l'ai empoignée par un bras. L'œil noir que je lui ai envoyé était pas mal non plus, j'en avais presque la paupière qui sautait.

– Non, j'ai grogné. Le moment est venu de crever l'abcès ! !

J'ai dévalé l'escalier avec le journal à la main. Bob m'a regardé passer d'un air étonné. J'étais en flammes. Fou à l'idée de me libérer de cette histoire, fou à l'idée de ce qui pouvait arriver. Une joie douloureuse, une angoisse enivrante m'électrisaient.

Je me suis arrêté au milieu de la pièce tout ensoleillée. Henri était devant sa toile, les yeux plissés, en position de combat. J'ai pris une lente, profonde, inimaginable inspiration. « Seigneur !... » j'ai pensé.

Je suis allé m'écrouler dans un fauteuil à côté de lui. Il n'a pas bougé d'un poil.

– Henri...

– Hum ?...

Il s'est assis sur son tabouret, s'est penché pour attraper un tube de noir. J'ai jeté le journal à ses pieds, j'ai entendu un coup de faux siffler dans les blés suivi d'un silence de mort.

– Il y a un article là-dedans qui nous concerne..., j'ai lâché d'une voix blanche. Mais je peux t'éviter de le lire...

Il s'est tourné vers moi. On s'est regardés. J'aurais préféré abandonner ma main gauche sur-le-champ mais j'ai pas eu cette chance.

– Ce type raconte que j'ai couché avec Marlène... C'est la vérité.

Je remercie le ciel de pas avoir baissé les yeux, d'avoir résisté au choc. Henri n'a pas bronché. J'avais envie de poser une main sur ses genoux pour ne pas qu'il s'envole, pour qu'il continue à rester immobile.

– Je regrette de pas t'en avoir parlé avant, j'ai ajouté dans un souffle.

J'ai vaguement noté la présence de Bob et Gloria sur le seuil de la cuisine, l'odeur de la peinture et un coup de klaxon timide dans la rue. J'allais très mal. Pendant quelques secondes abominables, j'ai cru que j'étais devenu sourd et paralysé. C'est tout juste si j'ai réussi à pianoter sur le bras de mon fauteuil. Henri me regardait comme si je venais d'exécuter un double saut périlleux arrière qu'il aurait surpris dans une glace. Ses yeux étaient deux fentes lumineuses, mais je ne le prenais ni en mal ni en bien. Je l'ai laissé faire.

Puis il s'est mis à hocher la tête, a fermé les yeux une seconde en se caressant le crâne d'une main.

– Pour te dire la vérité, il a soupiré, c'est une question que je m'étais souvent posée. Et je connaissais la réponse, bien sûr, on pouvait difficilement passer à côté. Au fait... Est-ce que c'était bon ?

Il ne me demandait pas ça d'une manière détachée ou pleine de rancœur ou ironique ou douloureuse. Il voulait simplement savoir.

– Ouais évidemment ! j'ai dit.

– Hum... moi il y a longtemps, je me souviens plus très bien. Merde... je m'en souviens parfaitement bien !... Qu'est-ce que je raconte ! C'était merveilleux.

Je me suis penché en avant, je me suis assis sur le bout des fesses.

– Est-ce que tu veux qu'on boive quelque chose ? j'ai demandé. J'ai la gorge un peu sèche.

– Pas quelque chose de fort...

– Non, une bière.

J'allais me lever, enfin, j'allais essayer, lorsqu'on a entendu claquer la porte d'entrée. Bob et Gloria venaient de se faire la malle.

– Tu vois, m'a expliqué Henri, ce genre d'histoire plonge tout le monde dans l'embarras. Ils voulaient pas en entendre plus.

– Ben, j'aime autant qu'on soit seuls pour en parler !...

Il a haussé les épaules :

– Mais de quoi veux-tu parler ?...

– Je vais chercher à boire.

– Enfin merde, de quoi voudrais-tu qu'on parle ? !...

– Non, c'est vrai, j'en sais rien.

– Nous avons divorcé lorsque Gloria avait quatre ans, n'oublie pas ça. Elle n'est plus ma femme, tu comprends ?

Oui, je comprenais, j'étais pas idiot. Et lui, qu'est-ce qu'il essayait de me faire croire ?...

– Tu sais, a-t-il enchaîné, quand tu es marié et que ta femme te trompe, il y a de quoi ne pas être content. C'est comme si quelqu'un entrait chez toi et se mettait à chier au milieu du salon. Mais heureusement, je n'ai plus de femme, plus de salon, je n'ai plus aucun problème de ce côté-là...

– Peut-être que c'est plus ta femme...

– Bon Dieu ! il m'a coupé. Mais comment je ferais pour ne plus l'aimer, c'est toi qui pourrais me l'expliquer ?... Il y a toutes sortes de femmes et il y a celles qu'on aime, je veux dire celles qui t'inspirent de l'amour avant tout et c'est une vraie bénédiction, quoi qu'il arrive, que tu les prennes, qu'elles te jettent ou que tu les jettes, qu'elles te fassent grimper au ciel ou qu'elles te déchirent le cœur, que tu les épouses ou que tu les divorces. Seulement elle n'est plus ma femme, elle pourrait s'amener demain avec un type dans chaque bras et m'annoncer qu'elle est enceinte, elle est libre. Et j'aurais toujours envie de la prendre dans mes bras. Est-ce que tu me suis ?…

Je le suivais d'autant mieux que j'avais plus ou moins retrouvé mon calme. Mais je me sentais mentalement encore un peu faiblard, je ne débordais pas d'énergie, je me massais les genoux.

– Ne crois pas que je sois un type avec les idées très larges, a-t-il ajouté, je ne deviens pas une espèce de fourre-tout en vieillissant.

Je suis allé chercher les bières. Il devait être aux environs de midi et tout était calme. Je ne savais pas si j'avais attrapé ça avec Betty, mais je m'attendais souvent à des explosions. Et lorsque ça ne venait pas, je sentais un grand vide à l'intérieur de moi et il me fallait un moment pour récupérer. Je ne savais pas quoi dire à Henri. C'était idiot, mais il me semble que j'aurais bien aimé qu'il me balance une vingtaine de coups de fouet. Il y avait un moment que je les méritais. Je sentais confusément que je devais payer pour quelque chose. Pas forcément pour ça. Je les méritais de toute façon parce que Betty était morte, parce que mes bouquins se vendaient, parce que je ne savais pas toujours bien où j'en étais, parce que je n'avais pas encore donné toute ma force. Je m'imaginais Dieu sait quoi à propos du Châtiment. J'étais un petit cul.

Nous bûmes nos canettes silencieusement. Puis il se leva et retourna devant sa peinture qu'il observa attentivement.

– Au fait, me dit-il, cette histoire ne va rien changer entre nous, si c'est ce que tu te demandes… Mais c'est parce que c'est toi.

Le soir, lorsque Marlène rentra, je me débrouillai pour lui glisser quelques mots pendant qu'Henri rinçait ses pinceaux dans la cuisine, je lui expliquai qu'il était au courant. Elle s'étira en souriant.

– Oh, eh bien, c'est parfait… Ouille… Quelle journée !… J'ai une faim de loup !

Durant les jours qui suivirent, j'ai repensé plus d'une fois à Machin et je me demandais d'où il avait eu vent de cette histoire, j'étais intrigué. Quelque chose me disait que Gloria était mêlée à tout ça, mais ce n'était qu'une vague impression et je n'aimais pas trop m'attarder là-dessus. Je n'en étais pas certain et puis je n'avais pas encore compris quel était son but. Que le torchon brûle entre Henri et moi, bien plus, qu'il se consume et qu'il cède, voilà ce qu'elle voulait ! Ce n'était pas compliqué. C'était aussi simple que cela.

Mais je n'en étais pas encore là. J'avais appelé Vera pour lui demander de me trouver l'adresse de Machin. Je lui avais raconté l'histoire en trois mots, je n'avais pas d'idée très précise, je ne savais pas exactement pourquoi je voulais cette adresse, c'était dans un premier temps. Elle jurait au bout du fil. Elle me proposa de publier tout ce que je voulais.

– Je t'assure, tu devrais te le payer une bonne fois pour toutes !

Oui, je ne savais pas encore, elle était gentille, enfin ça ne me disait trop rien, j'allais y réfléchir.

Charles était de son avis :

– Mon vieux, je ne sais pas si tu te souviens comme je me suis accroché avec ce critique au printemps dernier, et je te prie de croire qu'il y a eu des étincelles, je l'ai proprement descendu, tu te souviens ?…

Je lui ai dit que je m'en rappelais parfaitement, ce qui était exagéré.

– Je vois bien une série de trois articles, a-t-il ajouté. Au premier tu l'empoignes, au second tu serres et pour finir tu l'achèves ! D'ailleurs, si tu veux mon avis, je pense que tu as attendu trop longtemps. Il est évident que ce type te cherche. À ta place, j'aurais déjà pris le mors aux dents.

C'était une solution. Pourtant, à mesure que les jours passaient, je laissais peu à peu tomber. Machin avait vidé son sac, je ne voyais plus trop ce que j'avais à craindre et tout ce qu'il pourrait inventer sur mes livres ne m'intéressait pas. Je n'allais pas jusqu'à l'oublier, certes non, mais je décidais d'enterrer cette histoire, dont, au fond, je n'avais eu qu'à me féliciter.

Je l'enterrai tant et si bien qu'un matin, je proposai même à Henri de partir pour les Îles. Je ne savais pas très bien lesquelles au juste, ce n'était pas très important. Le dépliant que j'avais piqué sur le comptoir de la banque montrait simplement ces espèces de filles couchées sur le sable, une main plongée dans un lagon bleu, l'autre cramponnée à un verre d'orangeade. Henri était en train de signer des papiers lorsque le prospectus m'avait sauté aux yeux. Il y avait simplement écrit LES ÎLES ! !... en travers du ciel et c'est la raison pour laquelle j'avais tendu une main en avant et attrapé ce truc.

J'avais tout de suite fait le rapprochement avec Betty. Et merde, pourquoi pas ?... je me suis dit, merde, pourquoi pas ?... Le type qui s'occupait de mon argent venait de m'indiquer la somme exacte. Je n'étais pas encore habitué, j'avais toujours une seconde d'hésitation lorsqu'on me l'annonçait. C'était peut-être l'occasion de creuser dans mon magot à coups de pioche et de lui en mettre un coup. J'ai attendu qu'Henri ait terminé. Afin de nous simplifier la vie, nous venions d'ouvrir un compte commun. Se la simplifier au maximum, ce pouvait être écrire à l'abri d'un bungalow puis descendre tranquillement jusqu'à la plage dans les ombres de l'après-midi, avoir terminé une page, cligner des yeux sous les cocotiers.

– Dis-moi, qu'est-ce que t'en penses ?...

– Ah !... Gauguin !

– Tout juste !

Nous en parlâmes à Marlène. « Chiche ! » nous dit-elle et on avait topé. Elle se débrouillerait pour obtenir un congé ou bien elle claquerait la porte. Justement, Vera lui avait demandé de travailler avec elle et de lâcher ce « ridicule petit machin de province », comme elle disait. On s'était mis d'accord pour partir dans trois semaines. Le temps de s'occuper des passeports et j'avais promis à W. Dogelski de participer à une émission de télé.

Je n'en revenais pas que tout se soit passé si vite. Et je n'y ai cru réellement que le jour où je suis allé retirer nos billets d'avion. Je rigolais rien qu'à les regarder.

Gloria était nerveuse. Mais moi, je n'avais plus rien à cacher. Je voyais à la tête de Bob qu'on lui avait resserré la ceinture d'épines d'un cran. Pourtant, elle n'était plus enceinte, pourtant je ne lui avais pas demandé qui, d'après elle, avait bien pu renseigner Machin. Le pauvre Bob se tenait plutôt derrière elle, de préférence dans l'ombre et silencieux, jouant les géants taciturnes. Plusieurs fois j'essayai de le remonter un peu, je lui racontai certaines séances que j'avais connues avec Betty et je lui dressai les cheveux sur la tête.

– Oublie pas qu'elle n'a que vingt-deux ans, je lui disais. Elle a besoin de se dépenser. Tu verras, elle finira par se calmer... Mais encore une fois, je trouve que tu la ramènes pas assez. T'as le droit de lui montrer que tu existes, tu sais, ne considère pas ça comme un péché.

– Ouais... Ma première femme disait jamais rien... Ça fait une drôle de différence !... J'ai bien peur de pas avoir encore trouvé ce qui lui manquait...

– Bob, c'est l'air d'ici qui lui vaut rien. C'est le vent qui l'énerve...

– Ouais, peut-être... Enfin, ne va pas croire que c'est l'enfer, ça ne va pas aussi mal que ça.

– Oh, bien sûr...

À une dizaine de jours de notre départ, elle était très tendue. Nous étions allés manger au bord du lac, nous voulions profiter des premières journées un peu chaudes. La forêt qui l'entourait avait reverdi et le thermomètre franchissait les vingt degrés haut la main. Charles était avec nous.

Géraldine avait pleuré tout le long du repas et Bob avait mangé froid mais sans résultat. Gloria était d'avis de la laisser dans son panier. Elle trouvait Bob ridicule mais elle avait fini par le laisser se débrouiller et nous nous étions efforcés de parler d'autre chose, par exemple Henri nous avait lancé un défi à la rame et Gloria et moi en étions. Au dessert, Géraldine piquait une petite crise de nerfs et tournait au violet.

Gloria planta profondément sa cuillère dans son Wonderful dont elle avait déjà avalé les violettes de Parme. Elle se tourna vers Bob :

– Bob, recouche-la... Je te dis qu'elle est fatiguée.

– Ne te tracasse pas... je n'ai pas très envie de dessert...

– Bon sang ! je sais mieux que toi ce qu'elle a ! Elle a besoin de dormir !

– Eh, Bob, pourquoi n'essaierais-tu pas de la porter sur ton épaule ? Il paraît que ma mère me portait comme ça et...

— Ferme-la, Charles ! gronda-t-elle. Je ne t'ai pas sonné ! !

Charles n'était pas le type à se laisser marcher sur les pieds. Il y avait longtemps que ses livres se vendaient et il en tirait une certaine assurance. Mais cette fois, il est resté bouche bée, tant de fureur contenue l'a cloué sur place. Pour ma part, j'ai regardé ailleurs. Un vol de canards sauvages a traversé le ciel au-dessus du lac, enfin je n'étais pas un spécialiste, je n'en aurais pas mis ma tête à couper. Je les ai suivis des yeux en renversant la tête en arrière, je n'aurais pas su dire si c'étaient des sarcelles ou des eiders.

— Eh bien, a demandé Henri, est-ce qu'on la fait cette course ?...

J'ai sauté de ma chaise :

— D'accord, allons-y. Mais toi, je te préviens, te fiche pas à l'eau !...

Le lac était tout entier à nous. Toutes les barques étaient libres. Nous avions décidé de traverser le lac une première fois pour nous chauffer les muscles, puis arrivés à l'autre bout, nous attendrions que Marlène nous donne le signal du départ. Le lac nous observait dans un silencieux miroitement.

Au moment de grimper dans sa barque, Gloria faillit perdre l'équilibre, mais Charles la rattrapa par un bras. Il était visiblement heureux d'avoir pu lui venir en aide. Il devait s'imaginer qu'il effaçait ainsi le petit nuage qui s'était posé au-dessus de sa tête juste comme il attaquait sa crème caramel. Mais il en fut pour ses frais. D'un geste brusque, Gloria lui fit lâcher prise et l'abattit d'un regard.

— Bon Dieu ! Laisse-moi tranquille !... siffla-t-elle.

Henri était déjà parti. Elle sauta dans son canot et s'éloigna en trombe. Charles m'envoya une mine déconfite.

– Mais enfin…, gémit-il, qu'est-ce que je lui ai fait ? !…

J'ai profité que Bob et Marlène se tenaient un peu à l'écart, penchés au-dessus du couffin, pour lui dire le fond de ma pensée d'une voix douce :

– Pourquoi tu l'as pas balancée à la flotte ? je lui ai demandé, pourquoi tu t'es refusé ça ?…

– Eh bien… Mais…

– Merde, c'est tant pis pour toi…

Il a écarté les bras de son corps :

– Bon sang, elle allait se ficher à l'eau, je la rattrape…

J'ai mis un pied dans mon esquif, largué l'amarre. Je me suis assis en empoignant les avirons.

– Elle a changé, je lui ai déclaré. Moi aussi je l'ai remarqué.

Je me suis éloigné du bord en souquant dans un style ample et particulièrement délié. Le soleil cognait gentiment et je filais au milieu des odeurs printanières et du clapotis régulier de mes rames, je respirais profondément. Notre futur départ agaçait visiblement Gloria, ou l'ennuyait, la dérangeait, l'énervait. Il n'y avait aucun doute. Oui, mais je n'en faisais pas cas, je m'en moquais, je m'en balançais, j'en avais rien à foutre. Ce coin était paradisiaque.

Nous nous sommes mis tous les trois en ligne. Henri était en bras de chemise, l'œil allumé. Gloria s'attachait les cheveux. Les feuilles des arbres frissonnaient à peine, nos embarcations étaient immobiles et la piste était un miroir resplendissant et vierge. Nous pouvions voir les trois autres debout devant la ligne d'arrivée, pas plus gros que des moitiés d'allumettes. Dans quelque temps, j'ai pensé, je serai dans une pirogue avec un collier de fleurs enfoncé sur le crâne. Henri me découpera des rondelles de pastèque et on jettera les pelures aux requins. Ce voyage n'éveillait en moi qu'une succession d'images idiotes mais j'en riais de bon cœur. Je m'étais inventé un bermuda bleu ciel avec des étoiles roses, un chapeau de paille tressée à large bord. J'étais comme un enfant devant un manège lumineux. J'avais mes tickets dans la poche. Je voulais rien savoir d'autre. Je n'avais pas envie d'y réfléchir plus que ça. J'imagine que quelque part, une voix m'exhortait à ficher le camp en vitesse, va n'importe où, va au diable, mais ne reste pas là, bon sang, tirez-vous en vitesse. À l'autre bout, Marlène a agité un mouchoir blanc.

Trois paires de rames ont plongé sous l'eau et on s'est arrachés du rivage comme un seul homme. Peut-être bien qu'ils en ont piétiné d'excitation tout là-bas, tous autant qu'ils étaient. Mes canards sont repassés dans le ciel. Cols-verts, chipeaux, nyrocas ?...

Nous avions une bonne cadence. Le niveau était bien meilleur que je ne l'avais prévu, à moins que je ne me fusse surestimé, et nous filions comme des flèches. Henri avait beaucoup de force dans les bras, Gloria était un paquet de nerfs, j'avais besoin de toute ma science, j'avais raison de pratiquer un peu d'exercice tous les matins, ça servait toujours. Gloria était entre nous deux. Elle la voulait cette course, elle nous éclaboussait à tour de rôle tant elle ramait avec violence, elle était déchaînée. Maintenant, elle poussait un cri à chaque effort, han ou hiii, c'était selon et nous avions tous les trois le front emperlé.

À mi-course, rien n'était joué. Je ne donnais pas exactement mon maximum mais je n'en étais pas loin. Henri avait perdu une longueur, une petite longueur. Il s'est mis à brailler à son tour, à grogner hin, hiinn, on devait les entendre à des lieues à la ronde, une vraie bande de cinglés sur le lac, surtout que je ne voulais pas être en reste, han, hio !

J'avais vingt ans de moins qu'Henri, c'est ce qui a fait la différence. Le souffle, et pas celui de l'Écriture, pas la respiration de l'Écriture, simplement le va-et-vient de l'air dans les poumons. Hiinn hio ! Deux longueurs à présent. Gloria me collait à la roue, grimaçante, et mes bras étaient deux fois plus gros que les siens. Je savais que si je me détraquais sur la fin j'allais l'emporter. C'était une chose naturelle. Je ne savais pas encore si j'allais la laisser gagner. Elle était rouge, blanche et verte. Hiii hin ! !

Sans rire, nous filions bien les douze ou treize nœuds. Dès que le nez de sa barque dépassait un peu la mienne, je tirais un peu plus sur mes bras et je lui reprenais trente centimètres, quarante. Elle me dévorait des yeux. Han ! Han ! ! Et il y avait le ramdam des avirons crevant la surface, le grincement du bois dans les dames de nage. Des poissons sortaient la tête hors de l'eau pour voir ça. À deux cents mètres de l'arrivée, je n'avais encore rien décidé. Les arbres me paraissaient plus grands, les rives plus sauvages. Elle ne me cédait pas un pouce, elle était morte et j'étais couvert de sueur. Je devais pas me relâcher. Elle y mettait toute la gomme, ses bras étaient comme des locomotives et si je mollissais, elle allait me passer sous le nez. HAN ! HAN ! Alors ?... me suis-je dit. Alors, tu la laisses ? ! ...

Bob gueulait je ne sais quoi pour nous encourager. Je n'avais plus qu'une vingtaine de coups d'aviron à donner. Plus rien n'était simple avec elle. J'ai tiré de toutes mes forces sur mes bras et j'ai pris la tête. L'eau devait bouillir derrière moi. HAANNN ! ! Je suis allé chercher un de ces coups de rame à vous soulever une barque. Elle cassait le cul à tout le monde, ces derniers temps. HIOO ! !

Le coup d'après, par pure malice, je l'ai laissée revenir à ma hauteur. Nous n'étions plus qu'à une vingtaine de brasses de l'arrivée. Nous poussions nos cris à l'unisson. Je lui ai donné trente centimètres, puis je les lui ai repris. Bob et Marlène sautaient en l'air. J'ai jeté un coup d'œil à Gloria. Tout de même, j'étais content qu'on arrive. Bon alors, décide-toi, je me suis dit. Je l'ai dépassée. Puis j'ai ralenti. C'était difficile à doser. Est-ce qu'elle pensait qu'elle allait gagner autre chose que cette course ? Est-ce qu'elle s'imaginait prouver quoi que ce soit ? Non quand même pas, ai-je pensé. NE ME FAIS PAS RIGOLER ! !

Alors je lui ai donné sa victoire. Je me suis laissé coller pratiquement une demi-longueur, grimaçant comme un gars qui enverrait le maximum. Bob a carrément mis les pieds dans l'eau et l'a soulevée dans ses bras, braillant qu'elle était géniale, qu'elle avait filé comme le vent. Henri est venu se garer à côté de moi pendant que je me frottais les bras. Personne s'occupait des vaincus.

— Sincèrement, me dit-il, elle m'en a bouché un coin !

— Ouais, j'ai l'impression qu'on a passé l'âge de la fureur de vivre !...

— J'ai une énorme ampoule dans la main.

— Hum... moi c'est les épaules.

Ce fut le prix à payer pour avoir une soirée agréable, pour la sentir un peu détendue et presque souriante. Bien sûr, elle avait tout de même trouvé le moyen de traiter Bob d'imbécile car ses chaussures étaient trempées, mais on a vu que le cœur n'y était pas, que le plaisir de la victoire était encore sur ses lèvres. Ce n'était pas par gentillesse que j'avais cédé. Sur le moment, je n'aurais pas su expliquer pourquoi. Mes futurs biographes y verront sans doute un signe avant-coureur, ils diront que j'entamais ma

glissade sur ces pistes obscures qui vous condui-
sent tout droit à l'expiation. J'attends de pouvoir
lire tout ça avec impatience. Jésus Marie, noir
sur blanc !

Le jour où je devais participer à cette émission
de télé, moins d'un quart d'heure avant que je
ne prenne l'avion, le hasard a voulu qu'elle se
retrouvât seule avec moi tandis que je cirais mes
bottes.

– Alors, me dit-elle, c'est pour bientôt le
Grand Départ ?

– Dans dix minutes.

– Non, je veux dire cette petite virée dans les
Îles...

– Cinq jours.

– Ooohhhhh...

J'étais pressé. Je n'ai pas relevé son air
moqueur. J'ai filé à la cuisine pour me descendre
un dernier café, j'avais horreur de ces émissions,
elles me rendaient nerveux. « Allez-y, mon vieux,
racontez-nous un peu de quoi ça parle !... » J'ai
regardé par la fenêtre en secouant la tête. Elle
est arrivée dans mon dos :

– Veux-tu que je te donne mon avis ?

J'ai soufflé dans mon bol.

– À propos de quoi ?

– À propos de ce voyage.

Je n'ai pas répondu, j'ai enfilé mon blouson.

– Eh bien, a-t-elle ajouté, c'est tout simplement grotesque !...

J'ai eu juste le temps de sauter dans mon
avion. J'étais d'humeur maussade en m'asseyant
dans le studio. Et le type qui m'interviewait ne
m'a pas déridé. Je me suis contenté de répondre
à ses questions par oui ou par non, il était tout
décontenancé. À la sortie, j'ai demandé à Walter
Dogelski comment j'avais été. Il a levé les bras
au ciel. J'ai repris l'avion. À la tombée du jour,

tandis qu'un rayon de soleil rouge traversait la cuisine, j'ai attrapé Gloria par le bras.

– Pauvre idiote ! je lui ai dit. C'est la vie qui est grotesque.

Je l'ai lâchée pour me servir une bière et j'ai branché les informations. Je ne savais pas si elle avait compris.

17

Peu de temps avant notre départ, Vera descendit pour nous serrer une dernière fois dans ses bras. Et Charles par la même occasion. Elle ne comprenait pas pourquoi je n'avais pas donné de suite à l'article de Machin, elle me répétait que ça la dépassait complètement, que ce type n'était qu'une bête malfaisante. Je lui expliquai que j'étais contre la violence. Puis j'empochai à tout hasard l'adresse du gars et nous quittâmes le bar de l'aéroport avec un thé au citron dans le ventre.

– Alors, où en es-tu de ton roman ?

– Hum, ça avance... dis-je.

– Tu sais que ça marche très fort pour toi...

– Ben, ça dépend comment tu l'entends. Est-ce que tu veux parler de ma santé ou de ma vie sexuelle ?

– Le bruit court que tu vas ramasser un grand prix...

– Je voudrais être un écrivain maudit avec de l'argent plein les poches. Traîner dans des palaces démodés et n'avoir que cent lecteurs. Des mordus.

– Hi ! Hi !...

Elle s'extasia un moment sur la douceur de l'air et les derniers amandiers en fleur. Elle n'aurait pas quitté la capitale pour tout l'or du monde mais elle soupira après la chance qu'on avait, à son avis, nous ne nous rendions pas compte. Je connaissais la musique. Comme pour la punir, un orage éclata en fin d'après-midi et elle dut renoncer à s'installer dans le jardin de Charles qui pour lors s'était transformé en patinoire boueuse.

Il faisait déjà sombre lorsqu'une panne de courant s'abattit sur tout le quartier. Charles distribua quelques bougies et nous pûmes continuer à discuter de choses et d'autres, tous les trois, des joies et des peines des gros tirages, du dernier livre d'Untel, des prétendus mouvements littéraires, potins, ragots, cancans... Je n'aimais pas ça mais je dois avouer que, par moments, je me laissais aller. Nous n'avions rien de spécial à fabriquer en attendant les autres, nous tuions le temps. La pluie tombait à verse.

Elle portait pratiquement une jupe d'été et au bout d'un moment, elle n'y tint plus, le manque de lumière lui donnait froid aux jambes. Je me levai. Elle me proposa de tenir le parapluie et je ne dis pas non car elle voyageait avec deux gros sacs, et trois bras je ne les avais pas. Je pris une torche et nous sortîmes, courûmes entre les flaques.

J'attrapai les deux sacs et au moment où je fermais la porte, la voiture de Bob vint se garer juste derrière la mienne. Comme nous avions une lampe, nous les attendîmes. La nuit était presque complète. Bob sortit d'un côté, tête nue, avec Géraldine cachée dans son imperméable. De l'autre, un parapluie s'ouvrit et Gloria descendit à reculons. Bob passa en trombe devant nous avec un stylo-lampe serré entre les dents.

– Hé, tu veux un coup de main ? lançai-je à l'adresse de Gloria. T'as besoin de nous ?...

– Ouais ! Ouais !

Il y avait le couffin, plus le panier avec tous les ustensiles, plus les couches, sans oublier son sac personnel et le parapluie, et Dieu sait quoi encore. J'en avais connu une qui aurait déjà tout balancé par la portière. Mais Gloria semblait s'acharner. Nous nous approchâmes et elle colla le couffin avec le panier sous le bras de Vera tout en pestant contre cette saleté de temps. Elle referma la portière avec son pied puis regarda Vera.

— Adorable, cette petite jupe d'été. Mais tu n'as pas froid sans collants ?

Elle prit la tête sans attendre et nous remontâmes vers la maison au pas de course. Subitement, elle s'arrêta.

— Oh merde, dit-elle.

Vera qui arrivait juste derrière s'écrasa dans son dos. Sous le choc, elle glissa, perdit l'équilibre et tomba assise au milieu d'une flaque de boue.

— Oh non !... gémit-elle. Tout mais pas ça !...

Je l'éclairais timidement du bout de ma torche, tandis que la pluie se déversait sur mon crâne. Elle n'avait lâché ni le parapluie, ni les trucs que Gloria lui avait confiés. Sa jupe s'étalait autour d'elle comme un massif de bleuets et ses jambes étaient à demi enfoncées dans une pâte molle. Sa grimace me faisait mal au ventre.

— J'ai oublié les biberons dans la boîte à gants ! nous annonça Gloria, tu ne t'es pas fait mal, au moins ?...

Elle m'aida à sortir Vera de cette mélasse puis repartit vers les voitures en courant. Je ne pouvais qu'imaginer l'horreur de toute cette gadoue lui glissant le long des jambes. Sexuellement, je ne ressentis rien.

— Oh, jure-moi qu'elle ne l'a pas fait exprès ! me supplia-t-elle.

— Je te le jure ! j'ai affirmé.

Henri et Marlène arrivèrent un peu plus tard,

au moment où Vera sortait de la salle de bains. Nous étions à l'intérieur d'un gâteau d'anniversaire avec des bougies un peu partout et ça ne manquait pas de charme, des ombres dansaient autour de nous, les visages prenaient une intensité particulière, un plissement des yeux et vous ressembliez à un génie foudroyant, une grimace et c'étaient les tourments de l'enfer. Un sourire, la douceur du zen. Je débarrassai Henri de la marmite et tandis que tout le monde s'embrassait, je cavalai déposer le bijou à la cuisine. J'installai rapidement quelques bougies autour de la cuisinière et repris la cuisson à feu doux.

Je goûtai. Seigneur ! On ne m'avait pas tout pris. J'étais presque arrivé au summum de mon art. Préparer son chili la veille, voilà la vraie Sagesse. Voilà ce que je pense de la Cocotte minute. Je touillai doucement durant quelques secondes, fermant à demi les yeux, attendant que tout le parfum me monte au visage, puis je décidai de rajouter une larme de piment. Comme un écrivain qui attrape son stylo pour procéder aux ultimes retouches, je sortis mon sac d'épices de ma poche et le posai à côté de moi. Depuis que j'étais riche, je pouvais me payer l'assaisonnement Carroll Shelby, un des meilleurs.

> « Any man that eats chili
> can't be all bad. »
>> P. Garrett
>> Stinking Spring, N.M.
>> Dec. 21, 1880

Je versai le piment. Un rêve. Gloria s'encadra dans la porte.

– Oh merde, encore du chili ? !... ronchonnat-elle.

J'en suis resté comme deux ronds de flan, avec ma cuillère en l'air. Un truc où je m'étais donné entièrement, que je surveillais depuis la veille ! Un plat qui avait fait de moi une coqueluche littéraire, un plat que mes admirateurs dégustaient religieusement ! !

– Pauvre idiote ! je lui ai dit. Tu viderais pas une bouteille de mescal avec Lowry ?... Une absinthe avec Verlaine ?... Tu refuserais, peut-être, de partager son sandwich avec le grand Jack ?...

Elle me toisa puis disparut avec un ricanement sardonique. Ça ressemblait presque à un jeu. Je n'avais pas compris qu'elle était définitivement sortie de l'enfance. Je n'arrivais pas à la prendre tout à fait au sérieux. Peut-être était-ce parce que je ne le voulais pas vraiment, qui peut savoir ?... Eh bien, le monde était à notre image, d'une effroyable complexité. Seul mon chili parvint à me ramener vers des pensées plus sereines. « Comme les fleurs de pavot tombent calmement ! » écrivait Etsujin. Je replongeai doucement ma cuillère de bois dans un océan de pétales de roses, tandis qu'une petite pluie fine grésillait au carreau.

Henri m'apporta un verre et me demanda comment l'histoire se présentait.

– Eh bien, juge par toi-même..., lui répondis-je. Mais j'ai déjà l'avis de Gloria là-dessus.

Il s'avala une cuillère de haricots.

– Hum... Que Dieu me damne !

– Ouais. Enfin je n'en demande pas tant.

– Laisse-la, ajouta-t-il. Ne fais pas attention...

– Elle n'a jamais été la dernière à sauter sur mon chili, si je me souviens bien...

– Ouais, mais ne me fais pas l'inventaire de tout ce qu'on ne peut pas garder, ne me parle pas de tout ce qui change. Tu sais, je crois que c'est un de tes meilleurs chilis.

– Ben, je ne sais pas. Peut-être qu'il manque un demi-poivron. Je me le suis demandé à la deuxième cuillère.

– Non, je crois pas. Il est parfait. Encore meilleur que dans tes livres.

J'en ai rougi sous le compliment. Je me suis penché au-dessus de la casserole pour n'en rien laisser paraître. J'étais victime de cet effet-là à chaque fois qu'Henri me parlait de mes livres. Le jour où il m'avait dit que mes progrès l'étonnaient, que je commençais à savoir écrire, je m'étais discrètement approché de la fenêtre et je l'avais ouverte.

– Ne te gêne pas, reprends-en encore un peu, je lui ai dit.

« On croirait veiller un mort... » plaisanta-t-il en m'indiquant la cuisinière et les bougies que j'avais plantées aux quatre coins. Il me posa une main sur l'épaule et on regarda le chili pendant un petit moment.

– Tu sais, ajouta-t-il, je suis mieux à même de l'apprécier qu'une fille de vingt ans. Mais ne me demande pas ce qu'elle a dans la tête. Au fond, je ne l'ai jamais su, voilà ce que j'en pense.

– On est des types brisés par les femmes ! j'ai rigolé.

Il s'en mâchonna une cuillerée de plus près et secoua la tête :

– Mais non, qu'est-ce que tu me chantes avec ton demi-poivron ? ! ...

Je pense qu'il disait ça pour me faire plaisir, mais ce bout de poivron manquait, je n'étais pas dupe. D'une certaine manière, je ne pouvais plus me permettre la moindre petite merde avec un chili, toute mon image pouvait en prendre un coup. Je me sentais assez proche de ce que m'avait dit un jour Henry de Montherlant : « Jeune homme, mon succès est un malentendu. » J'avais bien peur d'être plus connu pour ma recette de haricots que pour la pureté de mon style. Parfois, je me demandais sérieusement ce qui allait se passer si la mode basculait vers la choucroute, si j'allais retourner dans le néant. D'ici là, j'espérais pouvoir écrire pour moi tout seul. D'ailleurs je sentais que ça venait, mais je dois reconnaître que j'avais un bon modèle sous les yeux, sans compter que j'arrivais à un âge intéressant. Perdre ses cheveux ou s'en accrocher des blancs, se découvrir des rides, se réveiller la nuit, tomber sur une photo vieille de dix ans, soupirer, tout cela n'était rien. J'avais un nouveau regard sur les choses, je souriais plus facilement.

– Henri, si je n'étais pas capable de m'apercevoir qu'il manque du poivron là-dedans, je ne serais pas ce que je parais être.

Bob se pointa mais il n'y connaissait rien en dehors des omelettes, toutes les omelettes qu'on pouvait imaginer. Cet idiot me demanda si je ne croyais pas qu'une petite pointe de sel, mais je répliquai aussitôt qu'il était malade et Henri lui haussa les épaules. Le sel, c'était de la poudre aux yeux.

– Bon, ai-je dit tout en secouant ma cuillère sur le bord de la marmite. Il faut encore attendre une vingtaine de minutes et puis ça ira…

À cet instant précis, une formidable explosion souffla la moitié de la baraque. C'est exactement l'effet que j'ai eu, ou alors qu'un avion venait d'arracher la moitié de la toiture. En fait, la baraque entière a poussé un craquement terrible. Nous nous sommes regardés tandis qu'ils s'agitaient déjà à côté.

– Ah, mais qu'est-ce qui nous arrive ? ? ? ! ! a beuglé Charles.

On a bondi dans le salon. Tout le monde était debout, le front traversé de lignes, attentif au silence profond qui retombait. J'entendis encore le vacarme du verre brisé, juste après le choc, c'était comme par une nuit en mer un chant de sirènes, comme un concert de clochettes en plein air dans un hiver glacé. Géraldine admirait ses mains dans son panier.

– Mais dites-moi que j'ai rêvé ! a lancé Charles d'une voix blanche.

En moins de deux, nous nous sommes précipités dehors. La pluie battait à nouveau et nous ne distinguions pratiquement rien, tout juste quelques reflets sur le sol où filaient de petits torrents d'eau. Nous sommes retournés prendre des lampes. Charles répétait qu'il ne comprenait pas, la maison était équipée d'un paratonnerre et il ne se connaissait pas d'ennemi. Pas plus avancés, nous ressortîmes, fouillâmes l'obscurité dans une bousculade générale. Il ne s'était pas écoulé plus d'une poignée de secondes depuis le début du drame.

Lorsque nous virâmes au coin de la maison, un spectacle saisissant s'offrit à nous. Doublement ahurissant pour Henri et moi.

– Juste ciel ! Ma véranda !! lança une voix gémissante.

– Incroyable ! siffla Henri.

Je restai un instant sans bouger, proprement arrêté au milieu d'une flaque. L'eau qui ruisselait sur ma figure me prouvait que je ne rêvais pas.

– Ça, je veux bien être pendu, déclara Bob. Mais qu'est-ce qui lui a pris à cet arbre-là ? !...

Tout à coup, le jardin s'illumina, ainsi que les lumières de la rue et quelques fenêtres dans la baraque. C'était un immense cyprès, cette fois, avec ses racines luisantes arrachées au sol. Malgré la pluie, il y avait une forte odeur de sève dans l'air et de terre retournée. Les filles sortirent avec des imperméables sur la tête. Vera se mit une main devant la bouche. Marlène se figea. Gloria me parut émerveillée. Elle s'avança et passa devant moi.

– Génial ! dit-elle.

Le lendemain matin, je suis revenu rôder près de l'arbre. J'étais seul. Charles et Vera devaient encore dormir. Il ne pleuvait plus mais l'air s'était rafraîchi pour plusieurs jours et je me fumais une cigarette contemplative avec tous les boutons de mon blouson fermés, les mains enfoncées dans les poches. Le nez piqué par un petit vent doux, je me tenais à une trentaine de mètres de l'arbre, considérant rêveusement son obliquité. C'était un bel arbre, tout vert, visiblement en bonne santé et pourtant il s'était bien abattu sur la maison. Je ne me lassais pas de l'observer. Je n'ai pas peur de dire que cette histoire me sciait réellement.

Puis, j'ai tourné un peu autour. Naturellement, il n'y avait rien à comprendre et j'ai laissé filer mon esprit librement. J'ai posé ma main sur le tronc. Ensuite je l'ai enfourché. J'ai empoigné une paire de rênes imaginaires et je l'ai sollicité des talons, le dos bien droit. J'ai poussé un petit cri sec : « Hiaap ! » D'un bond, on a dévalé des pentes couvertes d'herbes hautes et la lumière était formidable, les reflets couraient dans les ruisseaux jusqu'au bas de la vallée. J'étais arc-bouté sur les étriers. Je sentais bien que je ne pouvais pas me casser la gueule, mais par moments la descente était si raide que je m'imaginais je ne sais quel rodéo et plongeais par-dessus l'encolure, ne restant en selle que par la seule force de mes cuisses. Nous prîmes de la vitesse. Je poussai un cri terrifié et libérateur.

– Hum... Je te dérange ? demanda Charles.

Je me suis laissé glisser de l'arbre. Il grimaça, les mains enfoncées dans les poches de sa robe de chambre. Chaque fois que je voyais un type dans cette tenue, ça ne me donnait pas envie d'en acheter une. Les chaussons, c'était la même chose. Et les chapeaux tyroliens. Par moments, il fallait se pincer pour se persuader qu'il n'y avait pas si longtemps, Charles nous avait sorti le grand jeu, séquestration et coups de feu à travers la porte. Il avait toutefois un air romantique dans le petit matin. Comment ne pas être surpris par l'incroyable mystère de chacun d'entre nous, grands dieux !

– Je suis sidéré, dit-il en soulevant ses épaules.

– Ouais, je comprends ça.

– Mais enfin, quelle explication peux-tu donner à ça ? !...

– Je n'en vois qu'une, lui ai-je répondu. Il a trébuché dans l'obscurité.

– Tu veux boire un café ?

J'avais mal dormi, je m'étais réveillé tôt. J'avais juste eu envie de venir jeter un coup d'œil mais je ne voulais pas rester.

– Oh, n'en fais pas exprès pour moi...

– Non, c'est du soluble. Un coup sous le robinet d'eau chaude.

Je le laissai me raconter que son prochain roman allait se dérouler à Santa Cruz et je me sauvai. Pourquoi pas dans le Yukon ? J'embrayai puis démarrai.

À présent, le ciel était dégagé. Je descendis vers le centre-ville. J'avalai une saucisse à un coin de rue ainsi qu'un café italien, m'achetai quelques châtaignes grillées, puis entrai dans un magasin.

Le type me connaissait. À l'époque, lorsque je trouvais encore qu'un chèque était miraculeux, il avait été l'un des rares à nous consentir un léger crédit. Je revoyais toujours avec plaisir ces gens qui nous avaient sauvé la vie et au lieu de raser les murs, maintenant je discutais avec eux, maintenant ils me regardaient entrer avec un sourire jusqu'aux deux oreilles. Ça les amusait de pouvoir parler avec un écrivain, sans compter que celui-là on le voyait à la télé, c'était un vrai. Ils me demandaient régulièrement comment marchait l'inspiration et rien que ce mot leur donnait envie de rire. Au fond, j'aimais mieux ça, c'était plus naturel que ces maudites interviews, on pouvait parler de la pluie et du beau temps quand il n'y avait pas trop de monde. Il m'expliqua qu'il allait s'agrandir, que les rayons allaient grimper jusqu'au plafond, mais il se demandait si ce n'était pas une bêtise car il s'y était habitué.

— C'est comme vous, si on vous changeait de machine à écrire ! m'a-t-il déclaré tandis que nous rangions mes provisions dans des sacs.

Au moment de payer, il m'annonça qu'il ne comptait pas mon pack de bière puisque je lui prenais cinq bouteilles de bourbon. Un type charmant. Je rajoutai trois bouteilles de gin pour lui être agréable, plus quelques boîtes de tonic.

J'arrivai devant ma voiture les bras bien chargés. Il y avait bien sûr ce fichu problème de clés. J'étais en train de mesurer les chances que j'avais de poser tout ça en équilibre sur le capot, lorsque Gloria surgit près de moi.

— Quelle poche ?

Je lui indiquai la droite d'un signe de tête :

— Hin hin… dans mon blouson.

Elle m'ouvrit la porte et je pus me débarrasser de mes bouteilles. Je me relevai pour la remercier. Elle avait noué ses cheveux au-dessus de sa tête.

— Ça te va bien, je lui ai dit.

Ces derniers temps, elle n'avait plus qu'un seul registre, j'ai nommé le regard perçant. Je lui ai souri. Je lui ai demandé si elle voulait boire quelque chose ou avaler un croissant. Mais non, elle venait de se lever, elle en sortait de tout ça. Je l'observai quelques secondes.

— Mais pourquoi ? !…, lui ai-je dit en soupirant. Pourquoi ?…

— Pourquoi quoi ? répondit-elle.

Je m'en suis voulu de me laisser aller, mais c'était plus fort que moi. Je ne savais pas quel jour nous étions, les gens semblaient se balader autour de nous, c'était un de ces matins où vous auriez pu entrer dans une église, ou donner un billet à un type assis par terre, ou ramasser un chien, ou vous pointer par-derrière et poser un baiser dans le cou de votre petite amie.

– Comment se fait-il que tu sois si chiante ? lui ai-je demandé d'une voix douce. Ne te fâche pas. Mais c'est parce que j'y ai perdu au change, c'est normal que ça ne me plaise pas.

Elle a secoué la tête et regardé ailleurs, laissant échapper un rire bref.

– Ha ! Ha ! On dirait que cette histoire est devenue ton idée fixe. Lequel de nous deux est le plus chiant, à ton avis ?

Je décortiquai une de mes châtaignes et la lui donnai.

– J'ai l'impression que la dernière fois où je t'ai vue, c'est le jour où tu nous as plaqués dans cette forêt. Tu ne trouves pas ça drôle ?

– Ouais. Tu as vraiment de l'imagination.

Sans un mot de plus, elle traversa la rue et s'engouffra dans un libre-service. J'hésitai un instant puis lui emboîtai le pas. Je la retrouvai pliée en deux sur son chariot, comparant deux marques de sauce tomate. Je lui indiquai la meilleure.

– Et tu penses continuer longtemps comme ça, tu ne te sens pas fatiguée ?...

– Tu serais gentil de te pousser un peu, que je puisse avancer ?...

Je la suivis jusqu'au rayon suivant, tandis que des haut-parleurs diffusaient la liste des produits en réclame.

– Vraiment, tu n'as rien à me dire ?...

– Si tu y tiens, prends-moi de la purée en flocons.

Flegmatique, je m'exécutai, je lui jetai une boîte dans le fond du chariot. Lorsqu'elle voulut repartir, je bloquai le caddie avec mon pied.

– Tu te rends compte, à mon âge, me laisser emmerder par une fille de vingt ans ?...

– Laisse-moi passer !

Le type en blouse blanche, avachi sur un tabouret au bout du magasin, me jeta un œil. Pour le rassurer, je balançai un berlingot de lait dans le chariot et je retirai mon pied.

– Je t'en prie, dis-moi que je suis complètement idiot, dis-moi qu'il y a des problèmes autrement plus graves dans la vie.

Comme elle ne répondait pas, je lui ai ajouté un paquet de lasagnes aux épinards.

– Est-ce que je me trompe ?

Ce qui semblait l'intéresser, c'était une boîte de pain azyme. J'attrapai une baguette sous cellophane et la lui plantai entre les deux seins.

– Et où crois-tu que cette histoire va nous mener ? lui ai-je demandé sur un ton mi-figue, mi-raisin.

Elle tordit sa bouche. Je rompis lentement et lâchai la baguette au-dessus du caddie.

– Personne ne peut savoir..., soufflai-je.

– Je voudrais que tu CESSES de jeter tous ces machins dans mon chariot, tu as compris ? !

– Dans ton chariot ? D'accord !

Je repêchai les trucs et les reposai dans les rayons.

– Je voudrais quand même te dire une chose...

Je me suis interrompu car l'homme en blouse blanche venait de se lever et se dirigeait vers nous. Il fronça les sourcils en inspectant les rayons, faisant mine de ne pas nous voir.

– Eh bien..., s'interrogea-t-il, mais qu'est-ce qu'elles font là, ces petites lasagnes ? Et ce gros berlingot ? !...

J'attendis, pour reprendre la parole, qu'il se fût occupé du grand méchant pain. Je ne voulais pas la lâcher.

– Écoute-moi un peu..., je lui ai dit. Tu me

prives de quelque chose d'important. J'espère au moins que ça en vaut la peine...

Ce que disant, je l'avais attrapée par un bras. Mais elle se dégagea brusquement et son coude s'enfonça dans l'estomac d'une ménagère qui passait par là. Une grande maigre à la peau blanche, aux cheveux blonds décolorés, qui s'affaissa dans les produits d'entretien en râlant. Nous la relevâmes en nous excusant, lui expliquant qu'elle n'avait rien. L'autre s'amena en déployant ses ailes blanches, d'un air décidé.

– Oh, mais quelle journée !... dit-il, et il se précipita pour remettre en ligne ses produits de vaisselle.

Nous raccrochâmes la blonde à son chariot et nous nous éloignâmes sous une petite musique douce et sans vie.

Dehors, sous le soleil, je revins à la charge :

– Tu es à pied ?

Elle me répondit par l'affirmative, tout en me reprenant ses deux sacs des mains. Je lui proposai de la ramener mais elle trouvait que le temps ne s'y prêtait guère et vraiment, elle préférait marcher. Je la comprenais parfaitement, seulement n'était-elle pas chargée comme un âne, ses mains n'étaient-elles pas toutes gonflées et bleues, étranglées par les poignées de plastique ? Sans plus attendre, je rempoignai les sacs. Je ne rencontrai qu'une faible résistance. Heureusement, car j'aurais tiré dessus comme un damné, quand bien même tout se serait éparpillé sur cinquante mètres à la ronde.

À l'instant où je démarrai, elle mit la musique à plein tube. Il fallait les avoir en acier ou se laisser submerger par la tendre virginité du ciel bleu. Je lui clignai de l'œil et baissai un peu le son. Résultat, elle ouvrit son carreau, puis, passant un bras à la portière, ferma les yeux. Une fois de plus, je me demandais si j'essayais encore ou si je laissais tomber. Il restait tout de même quelque chose entre nous, mais je n'aurais pas su dire quoi.

« Eh bien, mais où est-ce que tu vas ? !... » me demanda-t-elle au bout d'un moment. La circulation était tellement tranquille que j'avais filé droit devant sans m'en rendre compte et j'avais presque atteint la sortie de la ville. J'en fus le premier surpris.

– Merde, figure-toi que je pensais à autre chose...

– Tu penses trop.

HHhhiiiiiii ! !... Je pilai après avoir jeté un coup d'œil dans le rétro. Plus muet qu'une carpe, je descendis ses bagages sur le trottoir puis je fonçai lui ouvrir sa porte sans le moins du monde me départir de mon calme.

– Je regrette qu'on en soit arrivé là tous les deux, je te le dis sincèrement. Si ça ne t'ennuie pas, je vais continuer ma route tout seul...

Son visage était blanc comme de la craie. Ses yeux, terribles. Il y a vingt ans, elle m'aurait donné des sueurs froides. On entendait que le tic-tac de mon warning, mais je me préparais à une sorte de hurlement. Elle s'était déjà agrippée au tissu de mes sièges. Malgré tout, je souriais.

– Tu me paieras ça ! elle a sifflé.

J'épluchai ma dernière châtaigne religieusement, me félicitant d'avoir coupé le moteur. Je louchai une seconde sur les bouteilles que j'avais rangées à l'arrière mais le moment était mal choisi. « Dommage, me suis-je dit, une petite gorgée d'alcool n'aurait fait de mal à personne. » C'était une grande fille à présent. Elle sortit et se dressa devant moi. La lumière semblait l'électriser.

Je rattrapai son poignet au vol, je lui expliquai que ce n'était pas la bonne solution, que j'y avais pensé moi aussi. Mais puisqu'on n'arrivait plus à se parler, à quoi bon user nos forces, essaye d'y réfléchir trois secondes.

– Il y a assez de gâchis comme ça, Gloria, est-il besoin d'en rajouter ?...

Peut-être que j'avais forcé la dose, que je l'avais joué un peu trop théâtral. Elle prit une voix complètement idiote pour répéter :

– Il y a assez de gâchis comme ça, Gloria, est-il besoin d'en rajouter ?...

Elle retrouva une voix normale pour me traiter de pauvre imbécile, d'espèce d'enculé.

Le ton était monté d'une manière incompréhensible, du moins pour moi, ou alors ça venait de la lumière comme je l'avais supposé. Il y a ainsi des matinées de printemps qui arracheraient des gisants à leur tombe, quand ce n'est pas multiplier les pains. J'imaginais ce que ça pouvait donner sur une fille. J'ai voulu calmer le jeu :

– Ne traite pas d'enculé un type qui vit avec ton père ! ai-je plaisanté.

Elle poussa un cri de rage. Sur le trottoir d'en face, un vieux a bondi d'un banc et nous a regardés, une main en visière. En moins de cinq minutes, je pouvais être sorti de là et garer la voiture sur un chemin de terre et me balader avec un bout de bois. Je lui fis signe que j'abandonnais, mais elle ne comprit pas.

– Merde ! Pourtant c'est vrai que vous êtes toujours collés l'un à l'autre ! ! Vous êtes pas fatigués ? ! !...

– Non, ça va... On essaye de tenir le coup...

Des mots se bousculaient sur ses lèvres. Elle faisait un effort terrible pour se maîtriser.

– Pourtant, il sait de quoi tu es capable..., lâcha-t-elle d'une voix tremblante de colère.

Je m'y attendais un peu à celle-là. Au bout du compte, cette histoire m'avait coûté très cher, jour après jour j'avais traîné ce boulet, merveilleux certes, mais épuisant. Cinq ans après la mort de Betty, Marlène avait été la première femme que je regardais réellement. J'aurais été stupide de penser que ça me coûterait trois fois rien, mais je ne m'imaginais pas être aussi copieusement servi. Il faut sans doute accepter l'idée qu'il est très dur de remonter en selle quand on s'est ramassé une sérieuse gamelle. Si tu ne choisis pas la civière, mon gars, prépare-toi à verser des larmes de sang. Ne t'étonne plus de rien si tu te relèves après avoir été compté jusqu'à neuf. Penchant la tête sur mon épaule, j'ai humé l'air environnant :

— Appelle ça comme tu voudras, j'ai dit.

— Il sait rien de toi ! gronda-t-elle. Il te connaît mal !

« Tiens donc, me suis-je dit, n'y aurait-il pas quelque chose d'intéressant sous la roche ? » Elle bouillait de fureur contenue. La mèche avait été longue mais bientôt, elle allait disparaître dans le tonneau. Pour une fois, j'étais content d'avoir pris de l'âge, j'avais l'impression de tenir nettement mieux sur mes jambes. Il y avait forcément des avantages. Par exemple, vous pouviez vous féliciter d'avoir tenu sur un aussi long bout. Je me tripotai un peu la pointe du nez pour le ramener à la vie, c'était de rester sans bouger.

— Mais toi, tu me connais... j'ai murmuré.

— Oh oui ! rugit-elle.

— Et Machin aussi me connaît...

Les ailes de son nez palpitaient doucement, ses yeux étaient sur le point de tomber de sa tête, ses lèvres étaient bleues.

— Oh... oui ! siffla-t-elle entre ses dents. Et j'espère qu'il a pas fini de nous en apprendre !...

Je reniflai doucement.

— Le ciel est par-dessus le toit, dis-je, si bleu, si calme...

Elle tremblait, ni plus ni moins. J'étais perplexe. Je la regardai une dernière fois et retournai derrière mon volant, claquant doucement la portière.

Durant deux jours, je tournai en rond. Henri me demanda si c'était notre prochain départ qui me mettait dans cet état-là. Je lui répondais que ça se pouvait, que je ne m'en rendais pas compte. Toutes les cinq minutes, je décrochais mon blouson pour aller faire un tour dehors. Vera prétendait qu'on ne me voyait plus ou alors j'étais dans la lune, à moins que je n'eusse perdu ma langue. Elle m'a regardé sous le nez et j'ai eu envie de lui en parler. Je lui expliquai que sur mon répondeur un type m'avait mis au vent de l'histoire, Machin se préparait à frapper une nouvelle fois.

— Si c'est vrai, son truc va paraître d'un jour à l'autre, me précisa-t-elle sur un ton lugubre.

— Et j'ai aucune idée de ce que ce connard a bien pu inventer, cette fois, mais pour ne rien te cacher, je flaire le mauvais coup.

— Hum, avec lui, on peut s'attendre au pire !

— Ouais, c'est ce que je suis en train de me répéter !...

— Tu as eu tort de ne pas t'en être occupé tout de suite. Moi je n'aurais jamais accepté ça. C'est à se demander si tu ne l'as pas cherché !...

— Ah, ben je n'avais pas encore vu ça sous cet angle !...

— Le monde des Lettres est un monde implacable où tous les coups sont permis, et je sais de quoi je parle. Ne prends jamais à la légère un type qui tient une chronique, règle numéro un.

— Enfin, n'empêche que je tiens plus en place. C'est comme si une ombre s'étendait sur moi, c'est un mauvais présage, non ?

— Tu veux parler de l'ombre d'un arbre ?...

— Je sais pas. J'en sais rien au juste.

Pour finir, je me décidai. J'avais commencé

la journée en me démettant à moitié l'épaule au cours d'un de mes exercices d'assouplissement entre deux chaises. Je suis' resté pendant une heure avec le bras tout ankylosé. J'en profitai pour m'asseoir à ma table et construire mentalement deux ou trois nouvelles phrases pour la suite de mon roman. Je peinais tant et plus. Je n'en trouvai qu'une seule de bonne. Lorsque j'essayai de brancher ma machine en soupirant, je ressentis tous les symptômes d'une grande fatigue nerveuse. Le petit bouton rouge ne s'allumait pas, mes touches claquaient dans le vide comme d'inutiles petites mâchoires déglinguées. Je la secouai en tous sens, mais en vain. Je gueulai tant et si bien qu'Henri s'amena pour voir ce qui m'arrivait. Il me prêta la sienne. Je restai un long moment avec elle, presque terrifié, puis j'écrivis ma seule et unique phrase, et je laissai tomber.

Il n'y a rien de pire au monde que d'être incapable d'aligner quelques lignes. Je m'écartai de ma table le menton collé à la poitrine, le regard éteint. J'étais comme un coureur à pied qui s'étale avec une crampe, un dompteur sans ses fauves, un océan sans marées, j'étais comme un Casanova sans ses couilles, un pauvre paralytique, une petite fiancée enchaînée. Je fis quelques exercices de respiration pour oublier tout ça. J'avais du mal à imaginer un Céline ou un Miller s'installer à un bureau sans qu'il en sorte quelque chose. Je ne voulais pas me le cacher, malgré tout.

J'ai fui ce vaste champ de désolation, cette triste lumière, je suis allé retrouver Henri. Il était en train de se tendre une toile sur un châssis de bois. Je m'écroulai dans un fauteuil. J'attrapai quelques magazines puis les rejetai.

– Mais tu trouves quand même le temps d'écrire ? je lui demandai.

– Bah, tu sais, dans le fond c'est pareil...

J'attrapai une de ses toiles et la regardai :

– Non merde, j'y comprends rien !... Et bon sang, j'essaye !

– Remarque, je n'en suis qu'aux balbutiements.

– Tu devrais alterner. Une toile, un poème.

Il grogna je ne sais trop quoi. Je passai la main derrière le fauteuil et ramenai une bouteille, je me penchai en avant pour attraper des verres. J'allais tout lui déballer mais je me ravisai. Je n'avais pas la moindre envie de remuer tout ça, je le savais parfaitement bien. Je préférai donc tenir Henri hors du coup, lui épargner cette lamentable histoire. Je le regardai tandis qu'il enfonçait ses clous de tapissier dans le bois tendre. Je n'aurais pas laissé tous les démons de l'enfer l'approcher, voilà ce que j'ai constaté.

Je partis aux alentours de 5 heures de l'après-midi.

18

Ah, quand j'avais vingt ans, j'adorais ça, traverser le pays dans la nuit comme un zombie. Et même maintenant, je trouvais que ça n'avait pas tant perdu son charme, mais je me serais contenté de trois ou quatre cents bornes alors qu'il y en avait huit cents. J'étais tellement pressé de régler cette affaire que je n'avais pas eu la patience d'attendre le vol de 10 heures du soir. J'avais demandé qu'on vérifie tous les niveaux en m'engageant sur l'autoroute.

J'ai regardé le jour tomber autour de moi, le pied aux deux tiers de l'accélérateur et la radio branchée sur un concert de Ram Narayan. Je rencontrai un peu de brume avant l'arrivée de la nuit. Je plongeai dedans.

Au bout d'un moment, je fus pris d'une angoisse. J'étais parti sur un coup de tête, sans même vérifier que Machin se trouvait chez lui. Je roulai pendant des kilomètres et des kilomètres en me mordillant les lèvres, puis je me fis une raison.

Je m'arrêtai à un snack pour acheter un sandwich, je ressortis avec une auto-stoppeuse. Elle était coiffée en brosse. Je l'embarquai pour ne pas qu'elle eût affaire à un salaud, elle semblait si jeune. J'espérais qu'elle me tiendrait compagnie, mais à peine ouvris-je la bouche qu'elle mit les choses au point :

– Garde ton baratin, elle me dit. Moi je crois plus en rien.

– T'es super-dure, je répliquai en secouant la tête.

Une demi-heure plus tard, elle dormait. Le fameux écrivain au volant de sa bagnole, les traits un peu plus bouffis que dans sa première jeunesse. Une fille, presque une enfant, repliée contre la portière. Le compteur illuminé comme une crèche. Ils roulaient. Lui, il avait la très nette impression qu'ils n'avaient plus de freins. Tout juste s'il savait encore où il allait. Ça lui rappelait ses premiers raids, le parfum des amphétamines, les arrêts buffet dans le petit matin, la boîte à gants remplie de cartes. De quoi sortir une flasque du vide-poches et boire aux générations passées et futures en conduisant d'une seule main.

Je me suis arrêté à plusieurs reprises pour me remplir de cafés brûlants. La fille me donnait envie de bâiller. Il y avait des heures que le plaisir de conduire s'était envolé, c'était effroyablement long et je commençais à fatiguer. L'idée du retour me rendait malade. J'envisageai de la coller dans le train.

Je m'enfilai sur le périphérique aux environs de minuit. La fille me remercia d'un salut militaire avant de sauter dans un taxi et j'allumai le plafonnier, je sortis l'adresse de ma poche, je dépliai le plan de la ville et je commençai mes recherches.

C'était un quartier calme et désert, avec une demi-lune dans le ciel et quelques arbres frissonnants dans un courant d'air qui enfilait la rue. Je dépassai au ralenti la baraque de Machin et me garai plus haut. Je coupai la radio. La nuit était fraîche, c'était le pôle Nord ici, comparé au coin d'où je venais, six ou sept degrés en dessous. J'ai poireauté un petit moment dans la voiture, il fallait que je me remette en condition, que je récapitule, que je retrouve la raison pour laquelle j'étais là. Je la connaissais mais je n'en étais pas persuadé. J'ai soufflé sur mes mains, puis je me suis envoyé toute une série de claques en me contemplant dans le rétro, histoire de me fouetter les sangs.

Je fumais littéralement en posant un pied sur le trottoir, mes joues étaient deux tomates cuites. Je m'étais juré de lui arracher les mots de la gorge et l'étrangler à moitié une fois qu'il aurait parlé. Ça me paraissait la bonne marche à suivre. Ce n'était pas très compliqué. C'est ridicule de penser qu'il faille toujours se casser la tête. Pas pour des gars comme Machin. Je me suis redressé avec mes huit cents kilomètres dans les reins et ma petite bouteille d'alcool dans les jambes. Je lâchai quelques jets de vapeur dans la rue.

Il s'agissait d'une grosse baraque séparée en plusieurs appartements. Je repérai son nom sur une boîte à lettres et grimpai sur un tapis rouge jusqu'au premier. J'allais me trouver mal si ce misérable salaud n'était pas chez lui. Je frappai, le cœur battant.

Dès qu'il m'ouvrit la porte, je respirai et lui

ne respira plus. Il était stupéfié. Rien que sa tête me consola de tout le chemin parcouru. Si je lui avais envoyé une droite sur-le-champ, je ne l'aurais pas manqué, car il était cloué sur place, mais je me laissai bercer par le spectacle, je ne me lassais pas de ses yeux de merlan frit.

— Tu as une minute ? me décidai-je à lui demander après avoir perdu de précieuses secondes.

J'essayai de le cueillir à la pointe du menton pour l'amener à ma main. Seulement, l'animal s'était ressaisi, il m'évita je ne sais trop comment et ce fut à mon tour d'être étonné, de ne plus rien y comprendre. Dans la seconde qui suivit, je me retrouvai étalé sur la moquette avec une clé de bras dans le dos. Machin me redressa la tête en m'attrapant par les cheveux :

— Pauvre crétin ! Tu m'as déjà frappé une fois !!!... siffla-t-il d'une voix hystérique. Ne recommence jamais ça !!

Deux autres types étaient assis sur mon dos mais je ne les voyais pas, je les entendais rigoler.

— Non, mais regardez-moi ça ! leur disait Machin, je rêve, regardez-moi un peu cet ahuri !

Ma visite semblait l'enchanter, simplement il ne savait pas trop par quel bout me prendre. Il m'envoya une beigne sur le dessus de la tête. J'encaissai sans un mot, à peine décoiffé. Sur ce, une fille s'amena, enfin je ne vis que ses jambes, bas coutures et talons aiguilles. Elle poussa un petit cri de joie :

— Ho... ne me le dites pas ! Je crois bien que j'ai deviné !!...

— Tout juste, ma chérie, TOUT JUSTE !! glapit Machin.

Il m'empoigna une nouvelle fois par les cheveux. Je notai tout ça mentalement ainsi que la manière dont il m'a secoué.

– Monsieur Ducon en personne ! me grimaçat-il. Monsieur le neandertalien !...

Il s'excitait tout seul. Il m'écrasa la tête sur le sol qu'une main miraculeuse avait recouvert de moquette. Je m'en tirai avec une sensation de chaleur sur le front.

– J'imagine qu'il va nous falloir préparer le goudron et les plumes ! lança-t-il sur un ton méprisant.

Je n'en étais pas encore revenu de me trouver dans cette situation et je m'en voulais à mort. Mais je ne pipai mot.

– Oui, flanquons-le tout nu dans la rue ! proposa la fille.

Les deux types se sont mis à glousser sur moi.

– Hum !... ça demande réflexion, opina Machin. Pas de précipitation, les enfants. Ce n'est pas tous les jours qu'on a la visite d'un grand écrivain. Au fait, j'espère que tu sais que je hais positivement tout ce que tu écris ? !...

Le plus fort de tout, c'est que je ne pouvais vraiment pas bouger d'un millimètre. J'étais cloué par terre, condamné à m'écouter leurs paroles et rongeant mon frein. J'étais écœuré, je tournai la tête de l'autre côté. Combien de fois avais-je éprouvé une rage impuissante dans cette vie, combien de fois avais-je pu mesurer mes limites !... Au fond, ces deux gars sur mon dos ne pesaient pas grand-chose, j'avais connu autrement pire que ça.

– Sincèrement, j'ai bien envie de lui casser quelques doigts, reprit Machin.

– Nous pourrions lui faire avaler toutes les pages de son dernier bouquin ! déclara l'un.

– L'évacuer par le vide-ordures !... renchérit l'autre.

Ils étaient pliés tous les quatre. J'étais comme une statue se recouvrant de guano. J'avais encore éprouvé ce sentiment le matin même tandis que

353

je restais pétrifié devant ma page, c'était une image lancinante, que je trouvais tristement prompte à ressurgir, personnellement. Mais mon bras était bien trop tordu en arrière pour que je puisse tenter quoi que ce soit. Je n'avais plus la liberté de mes gestes. Je ne pouvais que courir au-devant de mon destin. Machin m'enjamba pour revenir dans mon champ de vision puis s'accroupit près de moi.

– Tu as quelque chose de fascinant, me dit-il. Alors comme ça, du fin fond de ta campagne, tu t'es imaginé que le monde était à tes genoux, que tu allais m'étendre d'un coup de poing et retourner tranquillement à ton carré de luzerne ?... Sais-tu, mon petit vieux, que tu en es presque au stade du simple d'esprit ?

– De nos jours, répondis-je, on ne sait plus reconnaître un écrivain.

Il se releva d'un bond :

– Ah ma chérie ! Tu l'as entendu ? !... s'étrangla-t-il. Ce type est complètement mégalo ! !

– Si je me mettais à chanter, ce serait pour être Bob Dylan, j'ai ajouté.

– N'est-il pas impayable ?... demanda-t-il à la fille.

– Ahurissant ! Il est vraiment trop !...

L'un de ceux qui me chevauchaient m'ébouriffa les cheveux en rigolant.

– Bon sang !... Avec sa tenue de gardien de vaches !... grogna Machin. Il se croit dans la pampa, j'en suis sûr. Il n'a pas compris qu'écrire un livre c'était autre chose que de planter un champ de navets !

– Hé, les gars, ça traîne !... ricanai-je.

Tel un fauve, Machin bondit sur moi. Il m'alpagua rageusement, tire-bouchonnant mes vêtements avec un gémissement excédé.

– Je te conseille de te taire !... me souffla-t-il

à la figure. On fera comme il nous plaira. N'oublie pas que tu as forcé ma porte et que la loi m'autorise à me défendre. Je pourrais te réduire en bouillie, si je voulais.

Derrière lui, la fille s'était plongée dans une revue d'art.

– J'ai bien peur, ajouta-t-il, que le jour où tu as levé la main sur moi, il aurait mieux valu que tu te brises la jambe... Je ne suis pas quelqu'un qui lâche facilement, je crois bien te l'avoir prouvé, je suppose...

Je me souvins tout à coup de ce qui m'avait amené là.

– Je suis prêt à oublier le passé, j'ai dit. Mais je voudrais qu'on parle de ton prochain article...

Il m'attira un peu plus vers lui. Je frémissais sous son haleine.

– Ah, c'est donc ça !... Voilà ce qui t'a arraché à tes prairies, me grimaça-t-il. Tu es rudement bien informé, dis donc, tu es un drôle de petit malin !...

Je lui souriais, ce qu'il comprit de travers :

– Celui-là... je crois que tu vas en être content, grinça-t-il. Tu risques de t'en rappeler !...

– Eh bien, justement, j'aimerais autant pas.

– Qu'est-ce que tu veux que ça me fasse, ce que tu aimes et ce que tu aimes pas ?... aboya-t-il. Tu es tout ce que j'exècre sur le plan littéraire et tu vas vraiment bien avec. J'espère que cet article va te régler ton compte, si tu veux savoir. Je te garantis que j'y ai mis tout mon cœur !...

Il me suffisait de le regarder pour comprendre qu'il ne mentait pas. Malheureusement, il ne me restait que la parole. C'était beaucoup et peu à la fois. J'étais un écrivain qui se plaignait de n'avoir que les mots. Je souris un instant.

– Le jour où un type comme toi pigera quelque chose à l'Écriture, lui répondis-je d'une voix d'acier, le jour où tu sortiras ta tête de ton trou à merde, je me serai déjà réincarné sept fois !

– Écoutez ça !... Écoutez ça !! brailla-t-il aux autres. Ce connard va bientôt nous parler de son style... !

– Un éclair bleu dans le petit matin, j'ai dit.

– Oh merde, changez de disque... soupira la fille.

– On va pas rester comme ça pendant cent sept ans, s'impatienta une de mes charges.

Machin se passa une main sur la figure puis hocha la tête :

– Oui, c'est vrai... Il commence à devenir ennuyeux.

Ils me relevèrent en me cramponnant sérieusement.

– Bon sang ! en plus de ça, il pue l'alcool ! remarqua Machin.

« Comme d'autres avant moi et non des moindres... » pensai-je, tandis qu'ils m'aplatissaient contre le mur. Machin s'en prit une nouvelle fois à mon blouson mais j'étais sûr qu'il aurait préféré un truc avec des revers. Ce type-là manquait totalement d'humour et on ne pouvait rien contre ça, autant dire qu'il était déjà mort.

– Écoute-moi, me siffla-t-il au visage, on va te jeter dehors comme tu le mérites. Tu n'es vraiment pas de taille à faire la loi ici, enfonce-toi ça dans la cervelle si tu en as une !

– Laisse tomber cet article, lui dis-je, et on en reste là.

Ma proposition le rendit furieux. La fille envoya voler son magazine à travers la pièce et alluma la télé. Machin était exsangue.

– Mais décidément, tu ne comprends rien à rien ! s'emporta-t-il. Tu n'es vraiment pas en mesure de demander quoi que ce soit, t'en rends-tu compte, imbécile ? Je n'ai aucun marché à conclure avec toi. Cet article, tu vas m'en dire des nouvelles, je te le garantis !

Sur ce, ils m'entraînèrent sans ménagement vers la sortie. Je commençai à résister un peu sur le pas de la porte.

– Ne mets pas ma patience à bout, ai-je grogné. Ne publie pas cet article.

– HA ! HA ! rugit-il. Et qui va m'en empêcher ! ?...

– Moi je vais t'en empêcher !

De rage, il se mordit les lèvres et essaya de me précipiter dehors. Par chance, nous nous trouvions dans un petit bout de couloir pas très large et ils se gênaient. Je réussis à retenir tout le monde en me bloquant une jambe sur le mur d'en face.

– Allez dehors ! cria Machin me débraillant, s'en prenant à un pan de ma chemise. Hors de ma vue ! !

Je récupérai mon bras par l'opération du Saint-Esprit et m'arc-boutai dans tous les sens, la tête rentrée dans les épaules. S'ensuivit une grosse bousculade où je perdis quelques bons centimètres au milieu des grognements et des râles. Pour finir, je m'accrochai à la poignée de porte.

– Mais ce salaud est complètement enragé ! gronda Machin.

Je me pris quelques coups de pied tandis qu'on me tirait en arrière. Je ne savais pas ce que je voulais au juste, je crois que je ne voulais pas entendre cette porte se refermer derrière moi. Je lâchai lorsque l'un d'eux m'érafla le tibia religieusement avec le bord de sa chaussure. En une seconde, nous fûmes sur le palier et cette fois, je m'agrippai à la rampe.

– Lâche ça, LÂCHE ÇA ! !

Ils me secouèrent dans tous les sens, me tiraillèrent, me tombèrent dessus à bras raccourcis. La fille qui se tenait dans l'encadrement de la porte rappuya sur la minuterie. Je me demandais où étaient les voisins s'il y en avait, où était l'égalité, où était la justice. Lorsque je me trouvai empoigné par les cheveux, je fus obligé d'abandonner la rampe. Ils me traînèrent devant l'escalier. Juste avant de me balancer en bas, nous nous figeâmes une seconde et Machin m'envoya une dernière grimace :

– N'aie pas de regrets, me glissa-t-il. Tu n'y peux plus rien... Mon article sort demain matin !

Ils m'envoyèrent rouler dans l'escalier, je dégringolai jusqu'au milieu des marches, à moitié éreinté.

– Enfin, quand je dis demain matin..., me lança Machin en souriant à sa montre. Nous SOMMES demain matin !...

Ils m'abandonnèrent à mon sort et disparurent sur les accents d'une franche rigolade. Me redressant à l'aide d'un barreau de la rampe, je m'assis sur les marches, proprement endolori. Un air glacé montait dans l'escalier mais je n'avais pas froid, j'avais la figure en feu et en certaines parties de mon corps palpitaient de petites plaques brûlantes, je m'étais cogné un peu partout, mon cuir chevelu était incandescent. Malgré tout, je n'étais pas blessé. Je me sentais simplement très fatigué. Ce sont des choses qui arrivent quand on atteint le milieu de sa vie et que la pression devient trop forte. Toute ma colère s'était évanouie, tout était silencieux et sans forme.

Je jetai un dernier regard sur le palier du dessus puis me levai. Mon épaule était douloureuse. C'était celle que je m'étais à moitié arrachée le matin même, enfin la veille. Je descendis les dernières marches en frictionnant la pauvre chérie, encore fragile sur mes jambes, un poulain qui se lève le jour de sa naissance, un ivrogne qui rentrait chez lui. Lorsque j'ouvris la porte, le froid attisa mes brûlures. Je m'arrêtai un instant sur le trottoir pour respirer. C'était une mocheté de rue sans âme, presque terrifiante avec ses petits pavillons pointus et sombres. Je n'ai pas voulu m'assurer que Machin et les autres me guettaient derrière leur carreau, je n'ai pas cherché quoi que ce soit à leur balancer, je les avais oubliés. J'en avais marre, de tout, de A à Z.

Aux alentours de 4 heures du matin, je capitulai devant un motel. Même avec la radio à fond, je ne parvenais plus à garder les yeux ouverts. Et puis il m'aurait fallu un bloc de glace sur la tête tant mon esprit avait cafouillé, tellement j'avais retourné toutes ces histoires dans ma tête. Comme ces propos blessants que Machin avait tenus sur mon style. Pourtant... n'étais-je pas d'une rigueur et d'une fermeté incomparables, n'étais-je pas le plus fidèle serviteur de ma langue, n'étais-je pas celui qui se traînait à ses genoux ?... Est-ce que je les avais inventés mes cent cinquante mille lecteurs, est-ce que je ne comptais pas parmi les quelques-uns qui se donnaient du mal ?... Je leur en aurais foutu à tous, du langage parlé, moi qui me préparais à être traduit en japonais, moi qui faisais se pâmer une fille au Mexique. Quel plaisir ce connard de Machin pouvait-il avoir à baiser une momie, comment pouvait-on s'y prendre quand on n'avait pas la foi ? À plusieurs reprises, je faillis plonger du nez dans le fossé. Me traiter de vulgaire, moi qui étais un puriste. Quel pauvre petit trou du cul malveillant ! Quel ignare, quel jean-foutre !

Je pensais aussi à des choses moins marrantes, abominables pour tout dire. Qui me touchaient personnellement. J'étais obligé de me masser la nuque de temps en temps. Puis j'essayai de revenir à Machin et à toutes ses conneries, mais le cœur n'y était pas et son image s'estompait.

Je ne tenais jamais très longtemps dans les discussions littéraires.

Je me pris une chambre. De ma fenêtre, on voyait les voitures qui filaient. Moi je voyais des rotatives et des magazines qui s'empilaient. J'ai tenté de me fumer une dernière cigarette dans l'ombre mais je n'ai pas eu la force d'aller jusqu'au bout. La terre aurait tremblé que je ne sais pas si j'aurais pu lever le petit doigt. D'ailleurs, je me suis endormi tout habillé.

Je n'avais pas fermé les rideaux. J'ai ouvert un œil dans le jour naissant. Une aube verdâtre et mentholée. J'ai pris une douche puis deux cafés au comptoir pratiquement désert. Des filles passaient le balai dans la salle et retournaient des chaises. Rien n'était plus triste que la tête du serveur qui se tenait devant moi, essuyant une pile de soucoupes à la vitesse de la lumière. On voyait les traces du peigne dans sa chevelure, sa peau était blanche de sommeil, il avait encore des petits cacas aux yeux. Les filles étaient assommées sous le maquillage, elles bâillaient entre les tables. Rien n'était plus écœurant que ces gens qu'on avait tirés du lit. Voilà pourquoi je ne suis pas du matin, j'ai horreur de voir ça.

Je fis le plein et le type dégageait encore la tiédeur de ses draps bien qu'il caillât des meules, l'air vif et luisant venait torturer cette petite mine de papier mâché. Je fis deux cents kilomètres d'une traite, sans seulement cligner d'un œil. Puis je m'arrêtai au lever du soleil pour manger des œufs. Je crevai les jaunes, les délayai avec du ketchup et du piment de Cayenne et me les avalai à la petite cuillère. Le blanc, je le mangeai normalement. Cette fois, le personnel paraissait un peu plus vivant, il ne donnait plus cette pénible impression de sortir du tombeau. Le barman avait pris des couleurs, les filles marchaient avec les seins en avant, le pompiste astiqua mon pare-brise et insista pour vérifier les niveaux. Je refusai. C'est ce qu'ils veulent tous faire. La journée avait vraiment commencé.

Ce fut une bêtise de sortir de l'autoroute. J'allais bientôt m'en apercevoir. Je sais aujourd'hui que ça n'aurait pas changé grand-chose, mais j'aurais bien voulu être là quand même et les prononcer, ces paroles inutiles, peut-être que j'aurais pu gagner du temps. Je filai donc à travers la campagne et fonçai vers la ville la plus proche. Je me sentais nerveux. Tout ça ressemblait de plus en plus à une lamentable, à une énorme farce. Un rire désagréable me poursuivait, m'enveloppait et s'étendait à travers champs.

Je tombai un jour de marché, autant dire dans un seau de glu. J'attrapai mes lunettes de soleil pour cacher aux ménagères la violence de mon regard fou et je traversai l'histoire à deux à l'heure, quand je ne devais pas complètement m'arrêter. Trois rues plus loin, c'était le désert, le soleil tombait dans des rues vides et silencieuses. Une toute petite ville. Je me garai sur une place où deux arbres tenaient à grand-peine en compagnie d'un banc, d'un jet d'eau et de quelques pigeons. Puis je courus jusque chez le marchand de journaux.

Machin était déchaîné. Il ne m'avait jamais démoli à ce point-là, jamais avec autant de férocité. D'une certaine manière, ça voulait dire que j'étais en train de gagner, c'était presque comme s'il avouait que je savais écrire, ce dont il m'arrivait de douter par moments. La tartine était longue. Je sautai rapidement quelques passages fielleux avant de pénétrer brusquement dans la lumière de l'assaut final : Se souvenait-on que j'avais piqué la femme de mon meilleur ami ? N'était-il pas intéressant, pour la petite histoire, d'apprendre que je m'envoyais également sa fille ?...

J'écoutai un moment le bruissement de l'eau qui retombait en pluie. J'étais immobile et un pigeon s'approcha du banc pour me regarder. Je ne repartis qu'un peu après.

Il me restait encore un peu plus de deux heures de route. Quelques montagnes à traverser, puis une belle ligne droite pour finir. Je ne me suis plus occupé des limites de vitesse. J'ai eu tort. La Mercedes n'avait plus assez de sang dans les veines pour supporter un tel effort, surtout lorsque la route s'est mise à grimper. Une odeur d'huile chaude flottait dans l'habitacle mais je n'avais pas la tête à ça. Quand elle m'obligeait à rétrograder, je la maudissais, je soupirais de n'avoir que cette baleine entre les mains, ce veau mugissant.

Je fus pris d'un frisson lorsque je m'aperçus qu'elle fumait, qu'une vapeur blanche sortait du capot. Je la sentis mollir sous mon pied. Mourir, même. J'apercevais le sommet pas bien loin, c'était comme si j'avais pu le toucher. Ma bouche se dessécha rapidement. Des lumières rouges, en un mot aveuglantes, jaillirent du tableau de bord, des petits cœurs arrachés.

À trois cents mètres, que dis-je, à moins de cent mètres !... Je suis venu mourir sur un massif de genêts. J'ai entendu les épines gémir contre la carrosserie. Un arrêt définitif et total dans ce coin reculé du monde, alors que quelques secondes de plus et je pouvais dévaler l'autre versant. Et ce rire qui toujours me poursuivait. Je fis certains exercices de respiration, d'autant plus que le coin se prêtait à la méditation, à la recherche de la paix intérieure.

J'ouvris doucement ma portière et posai un pied sur un tapis d'aiguilles de pins. Le parfum des genêts était si sucré qu'il vous prenait à la gorge. Il régnait un silence inhumain, transparent et glacé comme une source. Le ciel était d'un bleu ciel idéal, un doigt d'hiver, deux doigts de printemps. J'abattis mes deux poings sur le toit. « Pourquoi m'as-tu fait ça ? !... » j'ai grogné.

Je n'avais pas croisé une seule voiture depuis que j'avais entamé ma montée, rien que des millions de sapins en rangs serrés et pas une âme qui vive. Cette fois j'en étais sûr, les dieux m'avaient abandonné. Je n'étais pas mieux loti qu'un naufragé errant sur la splendeur de la mer avec un émerveillement terrifié. Je regardai la route en me mordant les lèvres.

Soudain, j'entendis un bruit de moteur. J'ai eu peur d'être halluciné. Mais le bruit continuait, si fragile, si ténu il y a quelques instants et si net à présent ! Je ne tenais plus en place, je regrettais de ne pas avoir de fusées éclairantes, ou des rouges, ou des bleues. Je m'allumai une cigarette.

Un tracteur déboucha sur le sommet. Sur le coup, j'ai déchanté et j'ai pâli, mais tandis qu'il s'avançait lentement vers moi je me suis dit que c'était mieux que rien, mille fois mieux que rien et j'ai couru dans sa direction en agitant les bras.

C'était un type jeune, avec un bonnet et une salopette et des doigts aussi gros que des manches de pelles. Je lui expliquai dans quel merdier j'étais pendant qu'il hochait la tête.

– Ça vous prendrait cinq minutes, lui dis-je. Soyez chic.

Je m'empressai de lui glisser trois billets dans sa poche kangourou. Il descendit alors lentement de son engin et je l'emmenai voir la Mercedes figée dans une raideur cadavérique. J'en éprouvai un léger pincement au cœur. Combien de kilomètres avais-je parcourus avec elle, combien de paradis et d'enfers avais-je traversés en sa compagnie ? !... Ses pneus étaient neufs, son embrayage refait, et je m'étais occupé de sa robe, bignes et bosses avaient disparu sauf l'avant droit que je conservais embouti en souvenir du temps passé, un chrysanthème de rouille dont je ne pouvais me séparer, une pensée maladroite. Cette voiture, j'y tenais comme à la prunelle de mes yeux et je pouvais tirer à cinq cent mille dans l'heure qui suivait, je ne l'aurais pas abandonnée pour une autre. Dernièrement, j'avais longuement discuté avec mon garagiste et nous avions envisagé de changer le moteur. « Et ça sera reparti pour dix ans ! m'avait-il promis. Un de ces quatre, on se penchera sur la boîte de vitesses, tenez l'hiver prochain. Moi aussi je l'aime bien cette bagnole... Par moments, on dirait une personne vivante, vous trouvez pas, et pourtant j'en vois !... »

— Elle est morte ? me demanda le jeune gars.

— Non, je crois pas. Mais elle veut plus bouger.

Je m'allongeai dans l'herbe à côté de lui et il me montra où nous allions accrocher la chaîne. Il fallait se dépêcher car son patron l'attendait. Je n'étais pas le seul à avoir le feu aux trousses. On s'activa sur le bas-côté, juste en bordure de la forêt silencieuse et pure, et en moins de cinq minutes, tout fut réglé.

Il m'arracha d'une secousse, me sortit de l'ombre des arbres. Tandis qu'il me grimpait vers le sommet, je méditai un instant sur la consolation dérisoire qui consiste à avoir de la chance dans son malheur, car après tout mieux vaut être dans le noir total que de gratter ses dernières allumettes, rien ne vaut le pire ou le creux de la vague si l'on en croit certaines théories. Le type me laissa en équilibre sur le sommet. D'après lui, j'allais trouver une pompe à essence en arrivant en bas, j'allais bien voir. Je le remerciai, je lui dis que je ne savais pas comment je me serais démerdé sans lui.

C'est alors que j'entamai une longue descente. J'avais ouvert mon carreau car tout le versant était ensoleillé et l'air était doux. J'avais beau avoir l'esprit contrarié, je ne pouvais pas m'empêcher d'apprécier ma glissade silencieuse et solitaire sous les jupes des arbres, plus tendre qu'un vol plané, plus reposante que l'immobilité complète. À chaque virage, les pneus chuintaient doucement. Loin de la fureur et du bruit, loin de ces merdes qui me tombaient sur la tête.

En fait de poste à essence, je trouvai un machin sur le bord de la route avec un type qui réparait un lave-vaisselle. Je lui expliquai tout de même la situation, en parlant fort car il ne s'était pas décidé à baisser la radio. Il se leva, mais bizarrement ne s'approcha pas de ma voiture, il se contenta de la regarder de loin, comme si elle avait la gale. Je voyais le genre. Tandis qu'il grimaçait et se grattait la tête, j'en profitai pour lui demander le téléphone. Il m'indiqua les toilettes.

Je les laissai tous les deux, espérant qu'ils allaient lier connaissance pendant que je ne serais pas là, et m'engouffrai dans la cabine. J'attrapai le combiné mais rien, pas de tonalité, rien, uniquement le bruit de la chasse d'eau qui fuyait derrière la porte. J'essayai d'autres pièces sans plus de résultats, ni coups de poing ni grincements n'y changèrent quelque chose. Contrarié, je retournai auprès du gars.

– Écoutez, il marche pas votre truc. Venez voir si vous me croyez pas...

Il regarda du côté des toilettes d'un air méfiant :

– Vraiment ?... me dit-il. Tout est en train de se péter, ici...

Comme il ne bougeait toujours pas, j'ajoutai que c'était un coup de fil urgent, que je pourrais peut-être utiliser celui de la station, qu'en pensait-il ? Eh bien, ça ne l'aurait pas dérangé, mais le fil était arraché depuis quelques jours et il n'avait pas encore eu le temps d'y jeter un œil.

— Vous savez ce que c'est... C'est bien simple, je sais plus où donner de la tête.

— Vous voulez dire qu'il y a aucun moyen de téléphoner d'ici, qu'il faut qu'un truc pareil m'arrive ? ? !...

Je ne lui posais pas précisément la question, je voulais simplement m'assurer que je restais pour de bon en carafe, que ce n'était pas un mauvais rêve mais une triste réalité.

— Merde ! MERDE !! j'ai ajouté.

J'étais à moins de cent cinquante kilomètres de la baraque, il était presque 2 heures de l'après-midi.

— Vous m'avez l'air pressé, a déclaré le gars.

Je me suis passé une main dans les cheveux, puis je me suis caressé la nuque dans la foulée :

— Ouais, j'ai soupiré.

Honnêtement, j'ai accusé le coup. Je suis allé m'asseoir dans la Mercedes, les deux jambes dehors. Le type a hoché la tête un instant avec une espèce de moue complice, prenant l'air de celui qui est au courant et que les ennuis de la vie ne pouvaient plus étonner. Puis il s'est penché à nouveau sur sa machine.

J'ai dû me secouer pour m'arracher à la torpeur que distillait ce désolant tableau. Je suis retourné m'expliquer avec le téléphone. J'ai failli devenir enragé dans la cabine. J'ai même trouvé le moyen de récupérer des pièces qui ne m'appartenaient pas, mais impossible d'avoir cette fichue tonalité, le désert total, le noir complet, le silence inter-galactique. J'ai raccroché doucement le combiné après avoir perdu tout espoir. Démolir cet appareil n'était plus de mon âge, malheureusement.

— On est loin de la ville ?

– Bah… une vingtaine.

– Vous avez pas de vélo ?

– Non, mais le car doit passer dans une demi-heure.

Je fis quelques pas jusqu'à la route déserte, jetai un coup d'œil incrédule de chaque côté, puis retournai près du gars.

– J'ai jamais vu ça…, lui ai-je dit. Il passe jamais une voiture sur cette route ?!

– Ben, s'il en passait, je serais pas en train de m'amuser avec un lave-vaisselle !…

Je me suis assis à côté de lui.

– C'est complètement délirant, je lui ai dit.

– Ouais, c'est depuis qu'ils ont ouvert une nouvelle portion d'autoroute. Pour moi, c'est comme s'ils avaient inondé la vallée. Je pourrais aussi bien vendre des planches de surf ou des cannes à pêche.

– Bon sang, on a l'impression que la terre est plate et qu'on vient d'arriver au bout.

– Et comment ! Quand je rentre chez moi, le soir, ça me donne des frissons dans le dos !…

Je voulais bien le croire, d'ailleurs tout le coin m'affectait, l'herbe qui poussait entre les dalles de ciment, les fenêtres sales, les pubs vieilles d'au moins dix ans qui se balançaient doucement au-dessus des pompes, les petits fanions déchirés. À sa demande, je lui tendis sa pince crocodile.

– Avec un peu de chance, ce foutu car ne va pas s'amener…, ricanai-je.

– Non, vous inquiétez pas.

– Merde, je suis prêt à tout !

Je lançai un caillou dans une petite flaque d'huile desséchée et sombre.

– Et vous ? le questionnai-je. Le soir, il y a quelqu'un qui vient vous chercher ?…

– Ah non, moi je rentre avec la dépanneuse !…

J'ai pris mes genoux dans mes mains et j'ai

regardé le ciel. Mes lèvres avaient un goût de nicotine, mes genoux étaient douloureux.

– Alors comme ça, j'ai murmuré, vous voulez me faire croire qu'il y a une dépanneuse dans le coin ?...

– Ouais, même qu'elle est garée là-bas derrière.

Je mordis mes lèvres amères. J'en bondis sur mes pieds.

– Me faites pas une blague..., je l'ai supplié.

– Non, c'est la vérité, mais je peux pas quitter le garage, vous savez, je suis obligé de m'occuper de ce lave-vaisselle. Mon vieux, si vous connaissiez ma femme !...

– Oh Dieu soit loué ! j'ai respiré. Que le ciel soit loué !

– Eh attendez, je vous dis que je peux vraiment pas...

– Bon sang ! ne me sortez pas un truc pareil, laissez-moi vous parler... l'entortillai-je.

J'enlevai le morceau après une âpre discussion, mais à deux conditions : d'abord que l'on passe prévenir sa femme et ensuite qu'on s'arrête à une banque car il ne voulait pas de chèques, surtout pas. La mort dans l'âme, j'avais cédé, j'aurais d'ailleurs accepté n'importe quoi pour qu'on me sorte du trou. Je pensais bien que le voyage serait un petit peu plus long mais d'un autre côté, j'aurais été ennuyé d'abandonner la Mercedes dans cet endroit désolé, même pour quelques jours, ça ne m'aurait pas rassuré. « Et puis, je me suis dit, ça ira quand même plus vite que si je me traînais à genoux. »

Nous sommes donc partis en début d'après-midi avec la Mercedes au train, la pauvre étant dressée sur ses roues arrière, un foulard coincé dans la malle. Le soleil brillait mais je n'avais pas chaud, ma portière se fermait mal et je voyais le macadam défiler à mes pieds dans une giclée d'air frais. Bien que nous ne dépassions pas les soixante-dix à l'heure, l'autre était plié sur le volant et fredonnait un air mélancolique qui me remplissait de joie. Je comptais deux, voire trois heures de route à tout casser. J'étais à la fois serein et angoissé. Serein, car à tout prendre, il n'y avait pas le feu aux poudres, j'avais toujours tendance à exagérer. Je criais sous les coups avant de me les recevoir, j'étais comme ça depuis la mort de Betty et je le savais, si bien que j'arrivais parfois à me raisonner. Mais ce n'était pas suffisant. D'où l'angoisse, d'où cet inexplicable sentiment d'obscurité, d'où l'impression d'être poursuivi par le monstre des marais.

Au bout d'un moment, le fameux car nous doubla en mugissant comme la sirène d'un transatlantique. J'essayai de m'installer confortablement, les bras croisés et la nuque appuyée sur le dossier lorsque la dépanneuse s'engagea sur un chemin de terre. Je me retournai pour voir la Mercedes danser dans la poussière, agonisant au bout de son hameçon.

– Mais qu'est-ce qu'on fabrique sur ce chemin ? j'ai demandé.

– Ah, si je la préviens pas, elle me tue !...

C'est moi qu'elle assassina. C'était une grande fille avec les joues rouges, qui ratissait je ne sais quoi dans un jardin. Ils discutèrent un moment avant de disparaître dans la baraque. Je sortis un chewing-gum de ma poche. Lorsqu'ils se montrèrent, il n'avait plus beaucoup de goût et je baignais dans une sorte de catalepsie douce-amère. La fille se pointa à mon carreau.

– Eh, me dit-elle, vous êtes bien gentil, mais ça ne marche pas !...

En fait, j'étais beaucoup plus gentil qu'elle ne le croyait et nous parvînmes à nous mettre d'accord sur un nouveau chiffre. Pour ce prix-là, j'aurais pu en trouver qui m'auraient porté sur leurs épaules, mais tout ce que je désirais c'était de repartir, trancher sans répit tous ces grappins qui se plantaient dans mon dos. Le type regrimpa à mes côtés avec un sourire jusqu'aux deux oreilles :

– Bon sang, on va pouvoir s'acheter une télé couleur !... me confia-t-il.

– Si on arrive avant la nuit, je t'offre une petite table à roulettes.

Il était un peu plus jeune que moi et maintenant que certains détails étaient réglés, il prenait du plaisir à cette virée, il prétendait que ça lui dégourdissait les jambes. Les miennes s'ankylosaient dans les courants d'air.

– C'est dommage que la radio marche pas, me dit-il comme si c'était la chose la plus drôle du monde. C'est pour le retour, ça sera pas marrant !...

Un instant, je repensai à tout ce voyage, à ces dernières vingt-quatre heures, je trouvai que c'était parfaitement réussi.

Nous nous arrêtâmes à une banque. Je l'envoyai chercher des bières et des sandwichs, j'avais une espèce de barre dans le ventre et je pensais que ça irait mieux si je mangeais un peu. Le type derrière le guichet m'a lancé un œil soupçonneux. C'est une maladie qu'ils ont, je me débrouille toujours pour ne pas les toucher. Il me laissa appuyer deux ou trois fois sur le bouton avant de me laisser sortir, sur quoi, me retournant, je lui gueulai en le montrant du doigt :

– Toi, donne-moi ton nom ! Prépare-toi à avoir des emmerdes !

Je pus lire sur son visage que je l'avais secoué pour la journée.

– Toi, je t'ai repéré. Ne l'oublie pas ! lui grimaçai-je en reculant sur le trottoir.

De retour à la dépanneuse, je me séparai de mon paquet de billets et attrapai un sandwich.

– Allons-y, j'ai dit. Non-stop !

Il devait être 3 heures et demie, peut-être 4, normalement j'aurais déjà dû être rentré, j'aurais dû me trouver dans un bain moussant bien chaud avec un verre sur le rebord de la baignoire et un dépliant sur les Îles tendu à bout de bras. Je noyai mon chagrin avec une bière tiède. Je croisai mes pieds sur la boîte à gants.

Jamais je ne me suis autant traîné sur une route, jamais kilomètres ne me parurent aussi longs. Tout juste si je n'avais pas mal au cœur. À croire qu'un aimant me repoussait et freinait les roues. Ou que j'essayais de remonter un courant.

– Ouais, c'est toujours ce que ça fait quand on est pressé, m'assurait le gars. Y a pas l'ombre d'un pli !

À mi-course, le ciel s'était voilé et je connaissais pratiquement toute sa vie. Quand je lui appris que j'étais écrivain, il faillit nous flanquer contre un arbre.

– Mince ! Voilà un truc qui en jette !... dit-il après avoir repris le contrôle de son véhicule.

– Ouais, y a beaucoup de brillant.

– Et c'est quoi comme genre ?

– Hum, je sais pas comment dire. J'en sais rien.

Pendant ce temps-là, le peu de voitures circulant sur la route nous doublait, même les très vieilles, même celles dont on n'aurait pas donné trois sous. Il était dit que je devais boire la coupe jusqu'à la lie et que tout serait mis en œuvre pour me désoler. Comme je ne parlais pas beaucoup, le type chantait. Je l'écoutais, un œil fixé sur la route, repérant une borne au loin puis attendant qu'on la dépasse pour soustraire un kilomètre en serrant les dents. L'épreuve était si pénible que j'en tirais presque du plaisir. On avait rien d'autre à attendre de telles aventures, que d'être le nez plongé dans ses excréments. J'avais ce que je méritais. Je moisissais sur cette route et je l'avais cherché. « Ha ! ha ! me disais-je, le moment va arriver où on sera doublé par un vélo. Ah, si je vois ça, je meurs, je le jure ! Ah, j'ai trop mal ! » Malgré tout, mètre par mètre, nous avancions.

À une station-service, il insista pour me payer un café. Je commençais à prendre froid aux jambes avec cette porte déglinguée. On resta debout au bar. Il me demanda pourquoi j'en profitais pas pour téléphoner. J'avouai que j'avais complètement oublié et je cavalai jusqu'au sous-sol. Malheureusement, la place était prise. Et trois autres personnes attendaient le long du mur. Leurs yeux étaient vides. J'ai baissé la tête puis j'ai tourné les talons.

– Mauvaises nouvelles ?

– Non. Mais par moments, on ne peut pas lutter.

– Vous, on voit que vous êtes un écrivain ! plaisanta-t-il.

Nous rembarquâmes dans la dépanneuse. Au premier coup de démarreur, le moteur refusa de se mettre en route. Le type me regarda d'un air ahuri.

– Ça t'étonne, toi ?... lui ai-je demandé d'une voix d'outre-tombe.

Pourtant, au deuxième essai, le sort se volatilisa et nous pûmes reprendre la route. Le jour avait perdu sa clarté, glissait doucement dans les limbes.

J'étais fatigué. Et cette route qui n'en finissait pas. Dire que c'était tout ce que j'avais cherché lorsque j'avais vingt ans, sans jamais la trouver, et je mettais la main dessus à quarante maintenant que l'envie m'en avait passé. Je m'arrachai un sourire. J'aurais donné un doigt de ma main pour m'endormir et me réveiller devant la porte de la maison, mais on ne me fit aucune proposition et je gardai les yeux grands ouverts, figé dans une raideur hypnotique, tandis que mon gars fredonnait et que mes pieds étaient plongés dans une bassine de glace.

À son avis, je n'étais pas très causant pour un type qui écrivait des bouquins, ce n'était pas ce qu'il aurait imaginé. Je le priai de ne pas m'en vouloir, mais il tombait mal.

– Bah, me dit-il, il y a des jours comme ça où on a pas envie de parler. Ça arrive à tout le monde. Ouais, on est tous logés à la même enseigne.

J'avais le crâne en miettes. En fait de dernière ligne droite, la route se chiffonna en une succession de virages et tous les feux rouges s'allumèrent dans les bleds, les gens sortaient d'on ne sait où et détachaient leurs bagnoles des trottoirs et emplissaient les rues. Je n'avais pas prévu ça lorsque j'avais imaginé que nous n'en avions que pour deux ou trois heures. Je devais me croire sur une autoroute avec l'aiguille qui ne montait ni ne descendait, qui tremblotait simplement aux alentours de soixante-dix. Le ciel se cuivrait à mesure que les voies s'encombraient.

Je mourus mille fois. Tandis que nous avalions les derniers kilomètres, le soir se mit à tomber. D'une certaine manière, j'étais à bout de souffle. Nous arrivâmes dans une lumière flamboyante par l'autre côté de la ville. Et il était temps que le cauchemar se termine, j'étais au bord de l'épuisement, je n'en finissais pas de cligner des yeux.

Nous conduisîmes directement la Mercedes au garage. Je sautai enfin sur le sol. Il me fallut encore remercier mon compagnon de voyage et lui payer sa table à roulettes. Expliquer au garagiste qu'il pouvait me commander un moteur.

Vérifier que j'oubliais rien dans la boîte à gants. Puis je respirai profondément et, le journal sous le bras, je partis à grands pas vers la baraque, revenant tout doucement à la vie.

Du bout de la rue, je vis que le rez-de-chaussée était allumé ainsi que la chambre d'Henri. Je jetai un rapide coup d'œil à ma montre. Théoriquement, Marlène n'était pas encore rentrée. Tout le monde devait se demander où j'étais passé. Je serrai le journal dans mes mains et stoppai sur le trottoir. « Dans trois jours nous serons dans les Îles, est-ce que ça vaut pas le coup d'essayer ? N'y a-t-il pas une chance de s'envoler et de passer au-dessus de cette avalanche de boue ?... » Ce n'était pas impossible. Je pouvais trouver le moyen de garder le silence sur cette histoire. Plus tard, j'arriverais bien à coincer Henri sur un coin de plage ou sur un sentier lumineux bordé de fleurs aussi grosses que ma tête et je lui parlerais calmement. Qu'est-ce que j'allais me noircir la vie à tout lui déballer sur-le-champ ! ?... D'ailleurs, étais-je en état de discuter, pouvais-je supporter de relire l'article de Machin deux fois dans la même journée ? !... Je décidai donc de voir venir. Je cachai le journal dans mon blouson et profitai de mes derniers pas pour m'inventer une vague histoire, quelque chose comme un coup de spleen à l'idée de m'embarquer pour les tropiques.

La pièce du bas était vide. Je l'entendis marcher au-dessus de ma tête tandis que je me laissais choir sur un fauteuil. J'étais heureux d'être complètement naze, car je me sentais prêt à apprécier la moindre chose, j'avais l'impression de m'être barré depuis dix ans. J'attrapai la bouteille dans mon dos.

– Hé, lâche tes pinceaux ! je criai. Viens me dire bonjour ! !...

J'enlevai mon blouson, glissai le journal dans une pile de vieilles revues et retirai mes bottes. Marlène n'allait plus tarder à présent, je sortis trois verres.

Je filai à la cuisine chercher des glaçons. J'en ressortis avec un balai et cognai au plafond :

– Hé, je monte pas, je suis claqué. Tu sais que j'ai horreur de boire tout seul !...

Chaque minute qui passait me ramollissait un peu plus, j'évacuais toute la tension nerveuse que j'avais accumulée au cours de cette galopade. Mentalement, je bâtissais déjà un pont suspendu entre le fauteuil et mon lit.

Je me descendis la première gorgée tout seul, fermant les yeux sur la brûlure réconfortante qui me montait droit au cerveau. Je n'avais même pas faim. Je cramponnais la bouteille par le cou. Je souriais car quelque chose me disait que je n'étais pas près de la lâcher.

– Hey ! mais qu'est-ce que tu branles ?...

Soudain, je me redressai dans mon fauteuil, raide comme un bout de bois. Mais qu'est-ce qu'il fabriquait, là-haut ? !... Et dans la même seconde je pensais merde, il est dans sa chambre avec ce foutu journal et il refuse de descendre !... Seigneur, c'était tout ce que je craignais ! ! J'étais certain de ne pas me tromper. Je restai paralysé pendant une minute entière. On aurait dit qu'on se trouvait dans une maison hantée. J'avais le cul comme un bloc de pierre.

Je me suis levé péniblement. Un coup d'œil dans la glace et je me fis peur. C'était moi dans dix ans et que restait-il de mes yeux verts, de leur éclat souriant, à quoi avait servi cette gymnastique que je m'appuyais tous les matins, est-ce que ce type-là était tout à fait vivant ?... Je grimpai les marches complètement écœuré, le dos voûté. Est-ce qu'il faudrait que je lui dise que je ne baisais pas sa fille, est-ce qu'il faudrait en arriver là, nous rouler dans cette discussion abominable, lui et moi ? !... J'en étais malade d'avance. Je me rassurai un peu en voyant que j'avais embarqué la bouteille avec moi. Arrivé sur le palier j'avais rassemblé mes dernières forces. Je coinçai la bouteille sous mon bras pour me frotter les yeux.

– C'est très bien, mon vieux, marmonnai-je. Tu l'auras voulu !

Lorsque je me plantai devant sa chambre, je fus saisi par un courant glacé. Cette sensation me tomba dessus avec une telle violence que je pliai presque des genoux. Je dus accomplir un effort terrible pour repérer le bouton de la porte et m'en emparer. Je le serrai comme une pierre maudite. J'en avais mal dans le bras. Malgré la douleur, j'ouvris.

– Il est parti. Il est plus là ! me lança Gloria.

Elle était assise sur le lit, le dos bien droit. Je compris immédiatement qu'elle ne mentait pas, je ressentis très physiquement que cette pièce était vide, qu'une présence invisible l'avait désertée. Je regardai Gloria en grimaçant car la douleur dans mon bras devenait de plus en plus vive. Je savais ce que c'était, ce n'était pas quelque chose qu'on pouvait oublier. Elle se leva. Je vis ses lèvres bouger mais je n'entendis rien. Je reculai jusqu'au mur afin de m'y appuyer. Malheureusement, je passai dans l'encadrement de la porte, perdis l'équilibre et m'étalai lourdement dans le couloir. Je me recroquevillai sur le sol, les yeux fixés sur la lumière du plafond. Une nouvelle fois, j'ai su que j'allais mourir. Ma poitrine était broyée dans un formidable étau. Soudain, la lumière disparut. Je venais de réussir à me tourner sur le ventre. C'était un bel effort mais qu'espérais-je maintenant que la faux avait sifflé, maintenant que je glissais vers le royaume des morts ?... Je fus pris d'une vive affection pour ce corps qui employait ses derniers sursauts à ramper sur la moquette, vers quelque but dérisoire, me semblait-il, vu le peu de temps qu'il lui restait. Ce n'était pas une de ces vieilles carcasses usées, à la peau ramollie, mais une branche qui paraissait encore saine, il aurait mérité d'avoir encore de très belles années devant lui. Et il grognait et gémissait.

C'était sans doute son dernier voyage. Le couloir ne mesurait que quelques mètres, mais gageons que c'était le bout du monde pour lui, chaque centimètre équivalant à une heure de marche en plein soleil, sans rien boire, sans godasses, sans chapeau. La fille ne lui était pas d'un grand secours, son comportement était bizarre car tantôt elle l'attrapait et le serrait dans ses bras, tantôt elle s'écartait de lui et se mordait les lèvres.

Il lui fallut une bonne minute pour atteindre la porte de sa chambre. Son visage était d'une pâleur inquiétante, ses lèvres bleues, sa grimace repoussante. Il se tourna vers la fille, à un moment où chaque seconde comptait, où le moindre grain de sable était précieux... La fille poussa un gémissement douloureux, se figea pendant une éternité. Puis elle se décida à ouvrir la porte.

Déjà, il avait tendu un bras vers sa table où trônait une grosse machine électrique. Peut-être désirait-il écrire une dernière ligne, car après tout, il était écrivain et c'était une manière de finir en beauté. La fille braillait au-dessus de lui, pleurnichait, poussait des cris de rage, des S.O.S., le tirait par une manche, le repoussait, s'agrippait à sa chemise. Ce n'était pas une petite mort tranquille, c'était une querelle de chiffonniers, deux ivrognes qui roulaient aux pieds d'une table, deux amants au cours d'un règlement de comptes.

Il envoya la dernière goutte de ses forces dans son bras droit et sa main partit en l'air. Il eût été étonnant qu'il réalisât cet exploit une deuxième fois. Ses doigts se refermèrent sur la poignée du tiroir et toute la table en trembla. Tiroir qu'il arracha brutalement et qu'il se prit sur la tête. Des feuilles s'envolèrent, des blanches et des zébrées, une pluie de stylos, des paquets de chewing-gum. Un couteau, des clés, des punaises, des factures, du tabac, un miroir et un tube de comprimés qui roula vers la lumière du couloir avec un cliquetis de chaînes puis s'immobilisa dans un sinistre ricanement.

19

Je suis resté une douzaine de jours à l'hôpital, en observation. Mais ça tombait bien car je n'avais rien à faire dehors. Mon médecin prétendait que mon cas était sérieux, mais est-ce que la vie était sérieuse, est-ce que j'allais me ronger les sangs à cause de ça ?... Si je restais tranquillement dans cette chambre, ce n'était pas parce que mes artères se bouchaient, mais parce que je ne savais pas où aller, dans le sens où je n'avais envie d'aller nulle part.

Le type qui occupait le lit voisin du mien se soignait une belle cirrhose. Lorsque le docteur entrait dans notre chambre, on avait toujours l'impression qu'il était étonné de nous trouver encore en vie.

– C'est mon troisième séjour ici, m'avait expliqué le foie malade. Je le connais bien, il donne jamais cher de ta peau, ce gars-là !

J'avais demandé une chambre individuelle, mais un trépané avait pris la dernière quelques heures avant mon arrivée. Je m'étais retrouvé avec un représentant de chaussures aux cheveux argentés qui jouait passablement aux échecs, il s'appelait Samuel. Parfois, le matin, ils venaient lui enfoncer de longues aiguilles dans le ventre et ils le badigeonnaient avec un produit orange, ce qui était du plus bel effet. Ensuite, il restait couché sur le dos avec la panse à l'air et un petit sparadrap sous le nombril. On ne voyait plus que ça dans la chambre, cet énorme ventre barbouillé, parcouru de grosses veines, cet astre tourmenté et horrifiant. Je devais me tourner de l'autre côté, je tenais pas une minute, je devais attendre qu'il se décide à bouger et qu'il me jette un drap là-dessus.

– Bon, tu me préviendras, je lui disais. Je vais taper un peu de mon roman.

Il n'y a rien de plus long qu'une journée d'hôpital. Et je ne dormais pas beaucoup. Marlène m'avait apporté une petite machine qui fonctionnait sur piles et soit je la prenais sur mes genoux, soit je la posais par terre et je tapais du haut de mon lit, couché sur le ventre, position que j'adoptais surtout la nuit pour ne pas déranger Samuel avec la lumière. Je planquais la lampe sous le lit, c'était le moment que je préférais car je pouvais enfin me laisser aller et au moins, tout y marchait comme je le voulais, rien ne me tombait dessus par surprise et ça m'aidait à supporter ce qui m'arrivait à moi, le pire que j'aurais pu imaginer, la plus glauque des ténèbres qui ait jamais envahi le cœur d'un homme, n'ayons pas peur des mots. J'écrivais des plaisanteries glacées, de longues pages arides que je déchirais au matin quand je m'écartais trop de mon histoire, j'avais toutes les peines du monde à travailler sur des ambiances euphoriques, trois lignes de paix insouciante je ne les écrivais pas. Et la nuit, Samuel grinçait des dents et gémissait.

Vers 6 heures du matin, lorsque j'étais plongé dans mon premier sommeil, les infirmières entraient en coup de vent et nous arrachaient, nous les malades, les estropiés, les mourants, à la seule chose qui nous éloignait de nos souffrances, et ça grognait dans les chambres, ça couinait, ça gueulait, et le jour n'était même pas encore levé qu'on vous collait un thermomètre et qu'une fille balèze vous prenait la tension. Je restais dans un état comateux jusqu'à l'heure du petit déjeuner, je rêvais tout éveillé tandis que les chariots se télescopaient dans le couloir et que l'aube frémissait.

– Veux-tu que je te dise, me déclarait Sam, tu devrais faire comme tout le monde, tu devrais dormir la nuit si tu veux tenir le coup. Pense pas à autre chose sinon tu vas plus penser du tout... mon vieux, après l'hosto, c'est le cimetière, ne l'oublie pas !

Je ne répondais rien. La vérité était : comment aurais-je pu au contraire m'en sortir sans ces lignes. En jouant aux échecs, en lisant des nouvelles de Thomas Pynchon, en écoutant Sam me raconter ses aventures sexuelles ?...

– J'en ai connu une... du pied du lit, je lui tirais dans la bouche !...

– AH ! POUR L'AMOUR DU CIEL, SAM... TAIS-TOI !! JE VEUX PAS ENTENDRE DES CHOSES PAREILLES !!...

Je l'imaginais avec son ventre énorme, je distinguais vaguement un visage de femme et sur ce le café arrivait et il n'avait plus le même goût.

– Merde, je t'ai déjà dit que ces histoires m'intéressaient pas !...

– Mais enfin, t'es bizarre... est-ce qu'on est pas entre hommes ?!...

Je lui mettais une branlée aux échecs. Ensuite, en attendant l'heure du déjeuner, je redressais mes oreillers et je regardais par la fenêtre et je bouquinais un peu, tandis qu'on me fixait des bracelets aux poignets et aux chevilles et qu'un type me trimballait une petite poire sur la poitrine à l'aide d'un gel dégoûtant, tout ça pour l'écouter battre, pour mesurer je ne sais trop quoi.

Un peu plus tard, le docteur de service venait nous dire bonjour, histoire de soutenir le moral des troupes. À la suite de quoi s'étendait le grand vide qui nous séparait du repas de midi, une attente mêlée d'angoisse quand on savait de quoi était capable l'ordinateur. Sur le menu, vous aviez coché steak-frites mais il pouvait vous arriver une purée de céleri-côte de porc pour un régime sans sel. Dans ces cas-là, la journée était foutue, il ne vous restait plus que vos yeux pour pleurer. L'attente de ces repas nous rendait tous dingues. Même lorsqu'on n'avait pas faim, on se demandait ce qu'ils foutaient.

Sam était au régime sec. Je partageais ma ration de vin avec lui car il m'avait persuadé que c'était justement ce qui pouvait le tuer, de ne plus boire une seule goutte d'alcool.

– Mais ça, ils l'ont pas encore compris, grognait-il. Ils sont du genre, pour te soigner un ongle, à te couper les deux bras !

La différence entre lui et moi, c'était que lui pensait avoir vécu ses plus belles années. Le bonhomme est toujours vaillant, mais la caisse n'est plus en parfait état, plaisantait-il, et puis il avait eu les filles les plus belles et il n'avait rien demandé de plus, il avait été comblé. L'alcool l'avait démoli mais le jeu avait été régulier. S'il essayait de tenir, c'était simplement pour le sport, ajoutait-il, peut-être aussi dans l'espoir de cueillir un dernier sourire de fille en sortant dans la rue.

Pour les visites, Marlène venait me voir tous les jours, mais pas une seule fois nous n'avons parlé d'Henri. Ses traits étaient un peu tirés. Et puis la présence de Sam n'arrangeait pas les choses, il faut bien le dire, il fallait s'accrocher pour que ça ne tourne pas à la visite maladroite, pour ne pas rester comme des cons la main dans la main. Sam la trouvait jolie.

— Elle a peut-être le cul un peu bas, jugeait-il. Mais c'est tout.

Je ne voulais pas non plus que nous parlions de mon état de santé. Je voulais qu'elle me raconte sa journée, qu'elle me parle de choses sans intérêt, sans aucune importance. Elle était parfaite, juste un peu tendue, comme je l'ai laissé entendre. Et moi, donc ! Et moi, alors !...

Un après-midi, ils se sont tous pointés et Sam en a oublié de refermer sa veste de pyjama. Vera s'est assise sur mon lit en croisant haut les jambes. Charles m'a jeté un paquet de revues sur les genoux. Bob cramponnait les barreaux de mon lit en souriant maladroitement et Gloria se tenait derrière tout le monde. Mais j'ai pu croiser son regard une bonne fois, pendant quelques terribles secondes.

— Ce qui me ferait plaisir après ma mort ?... répondis-je à Gloria tout en pensant à autre chose, eh bien, c'est qu'il vienne plus de gens sur ma tombe que sur celle d'Elvis Presley !

Personne ne semblait avoir remarqué mon échange avec Gloria, tout le monde était content de me voir retrouver la forme. Je n'ai plus regardé Gloria jusqu'à ce qu'ils s'en aillent. Ils avaient dû se passer le mot car aucun d'eux ne fit allusion à la disparition d'Henri et ça donnait une ambiance bizarre, c'était comme si chacun avait eu un revolver braqué dans le dos. De toute manière, l'un d'eux aurait-il prononcé le nom d'Henri que j'aurais refusé de l'entendre. Pour finir, je leur demandai de ne plus venir me voir car ça me donnait l'impression d'être malade, et puis je n'étais pas là pour cent sept ans, on allait bientôt se retrouver, alors venez plus au-dessus de mon lit pour me balancer vos microbes, souriais-je, soyez gentils, mais que ça ne vous empêche pas d'avoir une pensée pour moi.

« Hé ! mais dis-moi, t'es entouré que de jolies femmes !... » m'avait déclaré Sam, tandis qu'on nous servait enfin le repas du soir. J'avais hoché la tête en éprouvant la fermeté de ma crème caramel du bout de ma fourchette. Jolies n'était pas le mot, disons qu'elles avaient une forte personnalité, ce qui était encore plus terrible, mais moi je n'y étais pour rien, ce n'était pas moi qui les avais placées sur mon chemin. Tout ce que je voyais, c'était les étincelles.

– Une fois, j'en ai pris trois en même temps, soupira-t-il. C'était pour mes trente ans !...

Je me remis rapidement. En fait, ce n'était pas pire qu'une vilaine cuite et physiquement, je passai l'épreuve sans y laisser trop de plumes, deux kilos à en croire la balance. Quand je croisais dans les couloirs ces types qui boitaient, ces bras, ces jambes, ces mains coupées, ces crânes entourés de pansements, ces colonnes déglinguées, ces brûlés, ces cancéreux, ces alcooliques, je me sentais un peu honteux. Un matin, un type qui se lavait les dents à côté de moi avait les deux jambes coupées et le lavabo lui arrivait juste sous le menton. Je retournai à ma chambre la bouche encore pleine de dentifrice, une serviette enroulée autour de mon cou.

On me proposa même de sortir plus tôt que prévu mais je refusai. Il me suffisait de jeter un coup d'œil par la fenêtre pour voir que ça ne me disait rien. J'étais aussi bien couché sur ce lit, à guetter l'arrivée des repas, qu'un caméléon posté sur sa branche. Et puis, on était à l'abri de l'extérieur, du moins en grande partie, et je ne me prenais pas pour plus malin que je ne l'étais, je ne pensais pas que j'étais le type de tous les combats.

Durant les derniers jours, j'en suis venu à me demander s'il n'y aurait pas moyen d'obtenir une prolongation, si je ne méritais pas qu'on m'observe un peu plus.

– Mais alors là, t'es cinglé ! prétendait Sam. Personne n'aurait envie de moisir ici. Personne ! T'es bien sûr que c'est pas dans ton cerveau que des trucs se sont bouchés ? !... Ma parole, il y a quand même quelque chose de bizarre chez toi !...

– Oui, mais Sam, comprends-moi... À quoi me servirait-il de faire trois pas dehors si je dois m'écrouler au bout de la rue ? N'oublie pas que c'est ma deuxième crise, le docteur te dira que ce n'est pas de la rigolade !...

– Bah... T'écris trop de bouquins, me dit-il. Regarde-moi un peu le ciel bleu qu'ils se payent dehors !...

Il n'avait pas réussi à me persuader. Nous traînâmes jusqu'à l'heure des visites avec ce parfum de printemps entre nous, car lui ne pensait qu'à sortir tandis que je lui roquais sous le nez et chamboulais toute son attaque. Ce jour-là, en même temps que Marlène, la sœur de Sam se pointa et elle me confia une bouteille de porto en me demandant de jurer qu'il n'en aurait pas plus d'un demi-verre tous les soirs. Je lui dis qu'elle pouvait compter sur moi, que je ne dormais que d'un œil. Sam protesta en vain. Je fis la sourde oreille. J'annonçai à Marlène qu'en définitive, il se pouvait que je reste un peu plus longtemps que prévu mais que je n'en savais pas plus. Et je regardai ailleurs.

Plus tard, lorsqu'elles furent parties et qu'un silence affamé retombait sur l'hôpital, Sam me supplia de lui donner la bouteille, c'était juste pour la voir, disait-il, simplement pour lire l'étiquette, j'avais sa parole d'honneur. Je résistai un instant puis la lui passai avant qu'il ne m'use complètement. Pourtant, ainsi qu'il me l'avait promis, il se contenta de reluquer l'étiquette en souriant et il contempla la couleur du porto dans la lumière. Et donc, je n'intervins pas jusqu'à ce qu'il me la rendît.

– Écoute, je vais te faire une proposition, murmura-t-il sans lâcher la bouteille des yeux.

– Non, sûrement pas.

– Écoute, imagine que je ne boive pas mon demi-verre ce soir, est-ce que demain tu m'en donneras un verre entier ?...

– Non, sincèrement, je crois pas.

– Bon sang ! Mais est-ce que c'est pas régulier ? !...

Notre discussion fut interrompue par les fesses de l'infirmière qui s'amenait des cuisines. Elle entrait toujours ainsi, à reculons, tirant à elle le gros chariot chromé, les joues rougies par l'exercice. Nous mangeâmes rapidement, puis, lorsque nous fûmes de nouveau tranquilles, je ressortis la bouteille de la table de nuit et fis apparaître deux verres dans la lumière électrique.

– Peut-être que je vais t'en prendre une petite goutte..., lui ai-je dit. Il y a des années que je n'ai pas bu de porto.

Il m'envoya une grimace :

– Ah ! pourquoi ?... Mais qu'est-ce que ça peut bien te faire ? ? ! !...

– Ne me prends pas pour un con, Sam. Je suis sur le point de franchir la barre des Deux Cent Mille.

– Bon !... D'accord !... N'en parlons plus, soupira-t-il.

Je versai un premier verre tout doucement, l'esprit tourné vers d'autres problèmes.

– Enfin, quoi qu'il en soit, ajouta-t-il, je vais passer mon tour pour cette fois, je crois bien...

J'ai bu le mien.

– Il est délicieux ! j'ai dit. Qu'est-ce que tu espères tenter comme coup ? !...

Il battit l'air d'un bras :

– Oh rien... je me sens un peu barbouillé.

– Tu es malade ?

– Non, pas malade, barbouillé.

Le fait est qu'il s'est endormi très tôt, oubliant même d'éteindre sa lumière, ce dont je m'occupai obligeamment non sans retenir une grimace à l'instant où je posai mes pieds nus sur cette saleté de linoléum. La nuit promettait d'être longue. Je restai un moment avec mes revues tout en sachant que je n'allais pas en tirer grand-chose, parfois je ne prenais pas la peine de les lire à l'endroit car mon esprit n'enregistrait rien du tout et je les entendais glisser au pied du lit avec un petit cri d'omelette, un peu de mode, un peu de sang et ces éternelles histoires de trous de cul. Le silence était presque total, si peu troublé par quelque cri étouffé ou gémissement lointain qu'il brillait comme un lac. Je me bus lentement autant de doigts de porto qu'il y en a dans la main d'un homme solitaire. Je restai longuement en tête à tête avec moi-même, puis frissonnant, j'attrapai ma machine et retournai dans les jupes de mon roman.

À l'occasion d'un passage qui s'y prêtait, je pus brailler et hurler et vociférer tout mon saoul. J'en mouillai presque mes draps de sueur, quatre pages où les mots s'alignaient en rangs serrés, sans un blanc, sans une rature, un cri parfaitement inhumain et par bonheur silencieux. Je louchai quelques secondes sur la bouteille de porto, mais Sam s'agita dans son sommeil et se retourna en râlant faiblement. À chacun son cauchemar, je me suis dit. Pauvres de nous !

Je m'apprêtais à empoigner mon verre lorsque Sam se dressa sur un coude, mi-éveillé, mi-dormant, les cheveux en l'air.

– Sam ?... murmurai-je.

Il eut deux spasmes vides. Il ouvrit à peine les yeux. Comme je repoussais ma machine, un profond gargouillis monta de son ventre et il cracha dans ma direction un terrible jet de sang qui retomba sur le sol en splatchant comme une sauce épaisse.

– SAM ! !... je gueulai.

Un flot rouge jaillit une nouvelle fois de sa bouche, renversant mon verre, inondant la table de nuit. J'étais pétrifié, je ne savais pas trop dans quelle mesure je ne saignais pas moi aussi. Puis tous ses draps se remplirent de sang et gouttèrent sur le sol à la suite d'une troisième fournée.

D'un bond, j'enfonçai la sonnette d'alarme, d'un autre je sautai dans le couloir. Et je me mis à cavaler. Dégringolai des marches. Nouveau sprint jusqu'à la salle de garde. Justement, l'interne se préparait à monter. Je n'eus pas besoin de lui donner des détails. Il grimaça puis essaya de me semer mais je lui collai au train et nous arrivâmes dans un mouchoir.

Sam ne bougeait plus. Du sang, il y en avait partout.

« Massage cardiaque ! » grogna l'autre en s'engouffrant dans la pièce. Il y flottait une odeur épouvantable.

Il retourna Sam sur le dos et retroussa ses manches à toute allure avant de se mettre au boulot. Mais il s'aperçut très vite que ça n'allait pas, Sam rebondissait sur les ressorts, sa tête ballottait.

– Ah ! mais putain ! rugit-il. Où est-elle cette foutue planche ? ! !...

Lui-même était déjà couvert de sang.

– Attrape-lui les jambes ! me lança-t-il tout de go.

Nous l'allongeâmes sur le sol, au milieu d'une

grande flaque. Je reculai, écœuré, avec un dernier regard pour Sam. Han ! Hunn !

J'embarquai mon manuscrit, la bouteille de porto, une couverture. Dans le couloir, je croisai du personnel cavalant à la rescousse. Tout juste s'ils ne m'ont pas renversé.

C'est à la suite de la mort de Sam que le lendemain matin, je me suis retrouvé dehors. J'ai signé tout ce qu'ils ont voulu. Il faisait bon, presque chaud. Vers midi, on devrait sûrement sentir l'approche de l'été parti comme c'était. Je rentrai avec mon sac en bandoulière, par le chemin le plus direct.

J'ai poussé la porte avec mon pied, tandis que les clés réintégraient ma poche. Après quelques secondes, je suis entré et j'ai refermé derrière moi.

J'ai mis mon sac au linge sale. Puis je suis resté debout près de mon répondeur à écouter les messages. Par moments, rien ne vaut la voix légère d'une inconnue vous annonçant qu'elle s'endort avec tous vos livres à côté d'elle, je me la suis repassée plusieurs fois. Dogelski me demandait de descendre. Je l'appelai et lui expliquai que nous l'avions échappé belle tous les deux, que l'on me conseillait le plus grand calme. Non, je ne pensais pas pouvoir venir avant un petit moment, qu'il annule tous les trucs en vue. J'allais m'enfermer avec mon roman, oui, de ce côté-là, tout allait bien. Il me parla aussi de ce prix où j'avais mes chances, mais comme ce n'était pas le Nobel, je m'en désintéressai. Le dernier truc enregistré était un appel de Machin, il voulait savoir si j'étais bien rentré.

Je me suis jeté un steak surgelé dans la poêle. Je me suis ouvert la fenêtre. Mais ça manquait d'un peu de musique, je suis allé en mettre un peu ici et là, j'ai fleuri la maison avec le dernier

Ian Tyson, chose que nous n'étions qu'une poignée à connaître entre parenthèses, un truc que Gloria nous avait ramené un beau matin. J'ai ouvert une bière que j'ai bue dans la même seconde. J'ai ôté mon pull. Je savais jamais si les haricots verts il fallait les rincer ou les cuire dans leur jus. Ils disaient rien sur la boîte.

J'ai terminé par une orange que je me suis découpée en spirale. J'ai lancé la peau par terre pour savoir si je me marierais dans l'année. Elle s'est cassée en deux seulement, je ne me souvenais plus si ça voulait dire oui ou non. Sur ce, j'ai chargé le lave-vaisselle. Mais au lieu de démarrer normalement, il s'est mis à trembler. J'ai levé un œil. Je l'ai observé un instant puis j'ai décidé d'aller chercher ma boîte à outils. Je prenais toujours du plaisir à travailler de mes mains. Armé de ma trousse de secours, je suis revenu me planter devant l'engin. À présent, c'était comme s'il toussait, comme s'il s'étranglait. Je me suis allumé une cigarette.

– Va te faire enculer ! lui ai-je ri au nez, abandonnant mes outils et mon assiette sale, et du mur la prise arrachant.

Peu après, je me suis allongé sur le tapis et j'ai décidé de classer les disques par ordre alphabétique. J'ai procédé par petits tas. Pourtant, au fur et à mesure que j'avançais, l'idée ne me paraissait plus très bonne. J'ai grimpé dans un fauteuil et j'ai tout laissé en plan. Par moments, je revoyais Sam, il me souriait puis m'envoyait une grande gerbe de sang.

Pendant quelques minutes, j'ai essayé de me tenir devant la télé en espérant somnoler, mais j'ai rapidement déchanté. Je n'ai pas eu la chance de tomber sur un interlude, ça twistait sur toutes les chaînes, et que je t'envoie des ondes sexuelles avec les yeux passés au charbon de bois. Le retour du twist, c'était quand même quelque chose à vous arracher des larmes, ce n'était pas le grand bond en avant.

J'ai pris mon roman sous le bras et j'ai battu en retraite vers ma chambre au beau milieu de l'après-midi. La machine d'Henri était toujours sur ma table. Je l'ai attrapée et je l'ai fourrée dans un placard le plus calmement du monde. S'il y a une chose qu'on peut cultiver, les années aidant, c'est la force intérieure. À mon stade, je pouvais pratiquement saisir un manche de casserole brûlant et traverser la chambre en ravalant ma grimace. Ce n'est qu'une question d'entraînement.

Par bonheur, mon roman n'était pas d'une forme trop classique. Je m'y glissais assez librement et les acteurs m'aimaient bien, ils se serraient toujours pour me laisser une place, que j'arrive en rigolant, que je cligne de l'œil aux femmes ou que je sois désespéré, ou fin saoul, ou complètement naze. Quelques-uns d'entre eux pensaient que je restais trop flou dans mes portraits, que je ne mettais pas toute la gomme. « Mais oui, je sais bien… avais-je soupiré cent fois, c'est de mon côté behavioriste. Mais dites-vous bien une chose, mes jolis, plus je vous aime et plus c'est dur pour moi. N'oubliez pas que je suis un auteur pudique, donc peu sensible à l'introspection. » Je donnais alors le départ à toutes sortes de plaisanteries et pour ma part, je les menaçais en souriant de me rallier au nouveau roman ou de les cloîtrer dans un machin façon XIXe siècle comme il s'en écrivait encore couramment.

Ainsi que j'aurais pu m'y attendre, ma machine ne marchait toujours pas. C'était quand même beaucoup me demander. Ce n'était pas au-dessus de mes forces mais je dus m'y préparer mentalement. Après quoi je me suis levé et je suis allé récupérer celle d'Henri dans le placard et je l'ai aplatie sur mon bureau sans ménagement. L'écrivain en moi me dépassait de plusieurs têtes.

J'ai travaillé jusqu'à ce que les ombres du soir se dressent dans ma chambre. Ma nuque était comme un morceau de bois. Je ne l'ai même pas entendue monter. Simplement, la porte s'est ouverte.

– Hum... j'arrive de l'hôpital, elle a soupiré.

– Oh !... ai-je murmuré en secouant la tête. J'en ai eu assez.

J'ai remarqué aussitôt qu'elle était jambes nues. Je me suis écarté de ma table, tandis qu'elle allait s'asseoir sur un coin du lit.

– Seigneur, j'ai plus de jambes... m'annonça-t-elle de but en blanc.

Elle portait une espèce de grand pull noir qui lui tombait à mi-cuisse et tout un tas de ces broches qu'on lui avait trouvées pour son anniversaire.

– Oh, et puis ça y est... ajouta-t-elle. Je quitte le journal.

– Oh... Ah bon ?...

– Oui, finalement j'ai envie de travailler avec Vera. Elle a fini par me convaincre.

– Hum, elle a raison. Ça sera mieux pour toi.

Elle s'allongea à moitié, dressée sur les coudes, puis renversa sa tête vers le plafond.

– Alors, comment s'est passée cette journée ? s'enquit-elle.

– Ma foi... Ils t'ont rien dit à l'hôpital ?

– Non. Ils m'ont rattrapée dans l'escalier pour me prévenir que tu étais parti, c'est tout...

– Eh bien, Sam est mort dans la nuit.

– Oh !... nonnnn !

– Si. J'ai eu la bouteille pour moi tout seul. Tu vois, c'est une journée un peu bizarre. J'ai eu le goût à rien.

– Tu as faim ?... Tu veux qu'on mange quelque chose ?...

Nous descendîmes. Je jetai deux steaks surgelés dans une poêle et filai retrouver Marlène avec des glaçons. Je fis le beau devant mon Martini-gin, format trente centilitres. Celui-là, je crois que j'aurais pu me battre pour l'avoir. Il n'était à personne d'autre qu'à moi. Je l'avalai en fermant les yeux.

La nuit était tombée. On entendait les steaks grésiller dans la cuisine. J'avais passé ma tête sous la jupe de Marlène et j'avais empoigné son slip, je l'avais descendu au dernier étage. L'instant d'avant, j'étais encore en train de lui dire regarde-moi ça, dis-moi de quoi on a l'air à présent, maintenant qu'il est parti, qu'est-ce qu'il va se passer entre toi et moi ?...

Elle en savait rien. Elle semblait complètement perdue dans ce fauteuil. J'avais eu qu'à me laisser tomber entre ses jambes. Ses cuisses étaient chaudes comme de l'or, son slip humide. J'avais planté mon nez, telle une gaufrette, dans son vagin rose, écartant un côté du slip léopard à la manière d'un petit rideau dans une maison de poupées. Puis je l'enlevai et le glissai dans ma poche.

Dès lors, je ne pensais plus à rien. M'attrapant par la tête, elle brisa mes dernières défenses et je me mis à baver comme une fontaine d'eau tiède, faisant briller son entrecuisse comme une peau de phoque. J'enroulai le bas de sa robe autour de ses reins. Qu'on y voie clair, me dis-je en soulevant ses jambes, découvrant du même coup la parfaite propreté de son anus. Elle ondula. J'ondulai de concert tout en lui tripotant les seins. Je mis mon nez, mon menton, mon oreille dans sa fente, m'étonnant de ressentir un léger effet de succion d'une délicatesse incroyable et que je n'avais pas repéré la première fois. Je crus défaillir dans l'instant. Puis il se répandit dans la pièce une odeur de brûlé.

Je sautai sur mes pieds en couinant. À l'aller, je retirai ma chemise. J'éteignis le gaz. Au retour, j'ouvris mon pantalon. Je dévorai sa bouche. Mon esprit s'était refermé comme une huître. Tout n'était que tiédeur, sucreries, suintements. Jamais souffrance ne s'était transformée en pareille douceur. Jamais langue ne fut plus agile que la mienne. Jamais con grand ouvert ne vit un tel acharnement.

Je me réveillai le lendemain sur les coups de 10 heures. Seul et accompagné d'une légère gueule de bois. Pour une fois, mon lit sentait autre chose que ma propre odeur mais je ne restai pas là à bayer aux corneilles, pas dans ce silence de mort. Je me levai d'un bond et descendis brancher la musique.

Je passai toute la matinée à faire du ménage et tout ce que je trouvais un peu trop dur, je le montais dans sa chambre. Bien que je ne fusse plus un petit garçon, j'en bavais des ronds de chapeau. Au bout d'un moment, l'idée me vint qu'un verre me faciliterait les choses, mais je me trompais. Parcourir toute la baraque à la chasse du détail douloureux ou de l'objet blessant, tomber sur une de ses chaussettes ou sur un bout de cigare oublié dans un coin, j'en vis de toutes les couleurs. Et l'alcool, loin de les atténuer ainsi que je l'espérais, les aviva.

Je n'étais pas ce qu'on pouvait appeler un nouveau venu dans ce genre de situation. J'avais déjà eu ce problème après la mort de Betty et je savais combien il était difficile de retrouver une place bien nette. Des objets ressurgissaient de l'ombre, des semaines, des mois après. Je ne me faisais pas d'illusions. Pour me sortir de là, pour me dégager de l'ornière où je m'étais enfoncé, j'employai la mauvaise méthode. Je m'avalai un verre de plus.

Je me fis l'effet d'être attelé à une charrue et de labourer un champ de pierres, les naseaux fumants, par une belle matinée lumineuse où de fines particules de poussières dansaient. Je montais et redescendais, essuyant mon front dans mon tee-shirt et me desséchant purement et simplement, perdant toutes mes eaux si l'on peut dire, m'activant comme un malheureux. Bob me surprit alors que j'étais aux prises avec un bouquin de poèmes. Il s'était ouvert sous mes yeux et dans la même seconde, il s'en était fini de moi, je m'étais écroulé sur une chaise, blessé, soumis.

— Oh, je te dérange ?...

— Mais non, Bob, pas du tout...

Il avait des bras impressionnants qui giclaient de sa chemisette. Bûcheron l'hiver, bûcheron pendant l'été.

— Alors, ça boume ?... qu'il me dit.

— Ouais, ils m'ont relâché plus tôt que prévu. Je trouve que c'est bon signe...

— Ben oui... sûrement.

Il s'approcha de la fenêtre, glissant ses mains dans ses poches de derrière, puis se pencha au rideau :

— Par tous les saints !... quel temps !

— Ouais. Tu vois que pour finir, tu as eu raison de déménager...

Il se retourna. Il semblait aussi gêné que si Géraldine avait chié sur mon tapis.

— Écoute, c'est au sujet de cet article... soupira-t-il. C'est des choses dont j'aime pas parler... Mais je supporte pas non plus les situations bizarres, alors voilà... Faut que je te dise que les types que Gloria a connus avant moi, j'en rêve pas toutes les nuits. J'ai d'autres soucis, si tu vois ce que je veux dire... J'ai rien contre l'idée qu'elle ait pris du bon temps... Enfin, je voulais que ça soit bien clair entre nous, tu crois pas...

Même quand ça paraît simple, il vaut mieux s'expliquer. Alors ce qui s'est passé entre Gloria et toi, on vient d'en parler et on en parlera plus.

– Mais Bob..., lui répondis-je d'une voix douce. Il s'est rien passé entre Gloria et moi...

Il se contenta de sourire, visiblement ça ne l'intéressait pas de savoir si je l'avais fait ou pas, ce qui comptait, c'était qu'il avait pu se débarrasser de cette corvée, c'était que son chemin redevienne clair et lumineux. Je l'aimais bien, Bob, bien qu'il n'eût pas son pareil pour mettre les pieds dans le plat.

– Je comprends pas qu'il soit parti comme ça, me lança-t-il sans prévenir.

J'accusai le coup en me levant.

– Y a rien à comprendre, Bob. C'est comme ça.

– Ouais, mais tel que !... Sans dire un mot à personne...

– Bob ! je l'ai coupé. Voilà encore une histoire dont on vient de parler et dont on ne parlera plus !...

Je tremblais de rage. On aurait dit que mon petit déménagement de l'après-midi m'avait mis à plat nerveusement. C'est ridicule de penser qu'avec deux cent mille lecteurs sur le cul on est un autre homme. On n'est rien de plus, on ne pèse pas plus lourd qu'une fiente de pigeon. On peut être emporté par un courant d'air. Aucun homme ne vaut plus qu'un autre dans la main du Tout-Puissant. Je me laissais donc mollement aller à cette petite colère. J'attrapai le bouquin de poèmes et le balançai derrière le canapé.

Dès que Bob fut parti, je plongeai à quatre pattes et je le rattrapai. Puis je retournai sur ma chaise. Au bout de quelques lignes, je redécollai. Mais j'ai déjà parlé de cette impression qu'on avait d'être soulevé, il vous arrachait carrément au sol.

La nuit me tomba sur le dos d'un seul coup et je levai mon nez dans un silence étourdissant. Je redressai la barre en sautant sur les trucs de la télé, je regardai un type en train de tirer une locomotive avec ses dents, un autre se traverser la joue avec une aiguille à chapeau, une fille dans un numéro de reins cassés qui se ramenait la tête entre les jambes. La vie était telle que je n'eus pas peur de remplir mon verre. Il y a des périodes où l'on boit plus qu'à d'autres, je l'ai souvent remarqué. À présent, un autre type se mettait la tête sous la patte d'un éléphant, un autre dans la gueule d'un lion.

Lorsque Marlène rentra, j'étais dans la zone limite. Je l'embrassai dans les cheveux.

– Bon, elle me dit, j'ai pas envie de rester là. On va aller manger dehors...

Je n'avais pas plus envie de sortir que de tourner en rond dans la baraque mais je me retrouvai dans la rue avant d'avoir pu réfléchir à la question. J'hésitai un instant sur le trottoir :

– Merde, où est ma bagnole ? grognai-je.

Sans répondre, elle m'enferma dans sa mini, du côté où il n'y avait pas de volant. Elle nous arrêta devant un restau grec. La musique n'était pas bonne pour mon cœur et les petites maisons blanches accrochées au mur me rendirent mélancolique. Je descendis mon verre d'ouzo en couvant des yeux mon concombre râpé dans son grand manteau blanc. Dans un élan, j'attrapai la main de Marlène par-dessus la table :

– T'es ma Bouboulina... je lui ai dit.

Nous fîmes quelques pas en sortant, j'avais absolument besoin de respirer, de refroidir mes oreilles. J'achetai des châtaignes au bout de la rue.

– C'est le dernier jour, m'annonça le gars. Demain, je passe aux cacahuètes !

Nous descendîmes silencieusement du côté du

parc et je n'étais pas saoul au point de ne pas m'apercevoir qu'un orage allait éclater. Mais je ne tentai rien. Je pouvais presque voir des lumières exploser dans le ciel tandis qu'une sourde rumeur s'enflait, et je ne m'étonnais pas, elles ont de drôles de pouvoirs, elles seraient capables d'ouvrir une crevasse de feu juste devant vos pieds.

À vrai dire, nous déboulâmes au beau milieu d'une fête foraine. Des ampoules multicolores étaient accrochées dans les arbres et des morceaux de musique fusaient d'un peu partout. Ce qui ne signifiait pas que je m'étais trompé au sujet de l'orage, son front était soucieux, ses lèvres pincées. Naturellement, mes châtaignes, elle en voulait pas. Nous nous enfonçâmes au milieu des cris et des rires, et je lui proposai d'aller voir la femme à barbe. Elle s'arrêta. Ses yeux brillaient tellement que des types se retournèrent sur elle.

— Gloria a refusé de me répondre, me dit-elle.

Des yeux, je cherchai la baraque où l'on balançait des balles dans des boîtes de conserve.

— Elle a tout inventé, répondis-je en me remettant à marcher.

Elle me suivit jusqu'au stand de tir.

— Mais pourquoi ? !...

— Est-ce que je sais pourquoi ? ! !... Est-ce que je suis dans la tête des gens ? ? ! !... ricanai-je.

Je loupai toutes mes pipes. J'avais l'impression qu'on m'avait découpé des lamelles de peau et que j'étais en train de marcher dessus. Je reposai mon fusil la mort dans l'âme. Je fis quelques pas et envoyai un furieux coup de poing dans un coussinet de cuir. Une cloche tinta.

— Et si je le savais, murmurai-je, à quoi ça m'avancerait ? !...

J'allais reprendre ma sombre route lorsqu'une main s'abattit sur mon épaule. Je me retournai sur une fille bardée de cuir, les cheveux dressés sur la tête et plus grimaçante qu'un démon.

– Eh ! mec !... me siffla-t-elle. Où est-ce que tu te crois, ma parole ? !...

L'alcool aidant, je ne compris pas ce qu'elle me voulait. Elle me montra les dents, planta ses poings dans ses hanches :

– Dis voir... Est-ce que tu crois que je fous mes pièces là-dedans pour tes beaux yeux ? !... Est-ce que tu crois que c'est parce que je suis une nana que je vais me laisser enculer par un pauvre taré dans ton genre ? ! ?...

Je n'eus pas le temps de m'excuser ou quoi que ce soit qu'elle me décocha une violente droite à l'estomac. Je tombai à genoux, le souffle coupé, la regardant disparaître vers les feux de la grande roue.

Marlène me soutint jusqu'au train fantôme. Pendant quelques minutes, je crus que j'allais dégueuler. Puis cette pénible sensation s'estompa doucement et nous nous reposâmes un instant sur les marches, dans la lumière des lampions.

– Tu sais... ce n'est pas la même chose que si je l'avais élevée. Je crois qu'elle m'aime, sincèrement, mais elle ne me considère pas comme sa mère. Je crois qu'il n'y a qu'Henri qu'elle aime vraiment.

– Ah, bon Dieu ! J'ai pas envie de parler de ça !...

Elle m'accrocha par une manche. Derrière nous, des gens piétinaient l'estrade qui conduisait aux guichets et des types rigolaient, des femmes serraient les fesses.

– Et moi JE VEUX qu'on en parle ! gronda-t-elle. Je ne te demande pas ton avis. Moi ça ne m'intéresse pas de souffrir en silence. Moi je ne suis pas un écrivain torturé !... D'ailleurs, j'en ai par-dessus la tête des écrivains. Vous êtes tous cinglés ! Vous n'êtes bons qu'à vous gâcher la vie !...

– Mais enfin, qu'est-ce que tu veux que je te dise ? !... Comment veux-tu que je sache pourquoi elle a semé un tel bordel entre nous !

D'une main, elle ramena ses cheveux en arrière et je pus constater la pâleur de son visage. C'est le moment que je choisis pour me moucher. Je me retrouvai alors comme un idiot, avec son slip dans les mains.

– Oh non !... gémit-elle en pouffant de rire. Tu ne peux pas me faire un truc comme ça !... J'ai pas envie de rigoler !...

Je me l'enfilai sur la tête, l'élastique autour du front. Dans la queue, les gens commençaient à se pousser du coude. Je regardai Marlène en souriant, les mains croisées autour de mes genoux. J'attendis jusqu'à ce qu'elle me retire ce truc de sur la tête et il me semble que c'est ce que tout le monde attendait, car des gens ont applaudi.

Plus loin, je lui achetai une barbe à papa et tandis que nous marchions dans le château hanté, je la pris dans mes bras en arrivant au donjon, à côté d'un squelette peint en vert fluo.

– J'arrive pas à lui en vouloir..., j'ai murmuré. J'ai l'impression qu'elle a obéi à un ordre venu d'en haut.

Une petite fille cramponnée au cou d'une vieille demanda si on était des fantômes.

– Ah... ne raconte pas de bêtises !... soupira Marlène.

Un truc gluant se colla à ma cheville mais je le repoussai du pied.

– Alors toi, ajouta-t-elle, tu n'as même pas envie de savoir ?... Tu vas continuer à faire semblant de rien ? ?...

Décidément, j'avais le chic pour tomber sur des filles qui en voulaient. La vie, mon tempérament, mes lectures, tout me portait à croire que rien n'avait d'importance et elles, elles auraient remué ciel et terre pour trois fois rien et je dois admettre que ça me fascinait, que j'en tirais une langue de dix mètres de long. Bien sûr, ma position était plus difficile à tenir, elles avaient tendance à penser un peu hâtivement que je n'avais pas de couilles, comme on dit, elles me trouvaient plus difficile à remuer qu'un sac de pommes de terre. Mais quand on a quelques convictions dans la vie, il faut s'attendre à en subir les conséquences. Un jour sans couilles, un jour sans fierté, un jour sans estomac.

Il fallait les voir se dresser la nuit au milieu du lit, il fallait les voir avancer dans la tourmente, même qu'on se demandait ce qui pouvait les arrêter, que je te tombe et que je me relève, et que je t'envoie valser tous les soigneurs dans leur coin, il fallait les voir attraper le monde à pleins bras, ne pas oublier de se trouver dans les parages quand elles fourbissaient leurs armes, surtout ne pas manquer ça. J'étais émerveillé, j'en étais presque jaloux. Je m'imaginais poussant un cri terrible et cassant toute la baraque, piétinant le château fantôme et filant à travers le pays pour semer l'apocalypse. C'était tentant.

Enfin bref, à première vue ça ne me disait rien de m'empoigner avec Gloria. Non seulement je n'en avais pas envie, mais c'était la dernière chose que j'aurais voulu faire. Pour moi, le pire était déjà arrivé. Je ne me sentais pas le cœur de pratiquer une autopsie. Qu'on me laisse tranquille, j'étais en train de recevoir mon châtiment. Et Gloria n'y était pas pour grand-chose. Je n'avais pas inventé le coup des arbres. Si personne ne s'en souvenait, moi je m'en souvenais !...

Je pensai à tout ça en moins de trois secondes. Soudain, une créature invisible nous frôla les cheveux. Marlène poussa un cri. Saisissant l'occasion pour ne pas répondre, je l'entraînai du côté des oubliettes.

Après tout un tas de conneries, nous franchîmes à nouveau le pont-levis. D'un commun accord, nous évitâmes le grand huit. Je me payai une dernière bière avant de quitter les lieux. La nuit était presque chaude. Je pouvais me rappeler mot pour mot la première lettre que j'avais écrite lorsque j'étais amoureux. Je disais à la fille : « Retrouve-moi ce soir au pied du grand huit. Il faut que je te parle. J'ai pensé à toi pendant le cours de maths. Pourquoi écoutes-tu ce qu'on te raconte ? Pourquoi est-ce que je serais incapable de grimper là-dessus ? !... » Je souris à l'idée qu'une nouvelle fois je venais de passer au travers. Mais le temps qu'on arrive à la voiture et mon sourire était tombé en morceaux.

20

Trois jours plus tard, alors que je fouillais dans le fond de mon tiroir, je suis tombé sur les billets d'avion. Puis le téléphone a sonné. Je ne pouvais plus me permettre de rester branché sur le répondeur, je devais prendre chaque coup de fil. Je savais qu'il ne m'appellerait pas, mais avec un peu de chance, il pouvait se tromper de numéro. J'ai sauté dans les escaliers.

— Dogelski à l'appareil...
— Sam Shepard..., j'ai ricané.
— Dites-moi, comment allez-vous ?
— Très mal.
— Non, vraiment ?
— Je plaisante.
— Oh, vous pouvez !... Savez-vous qu'en ce

moment nous sommes littéralement en train de casser la baraque ?...

– Diable !

– Nous en tirons deux cent mille de plus !

– Oh !...

– J'ai aussi trois gros contrats sur mon bureau. Il faudra que vous passiez, un de ces jours...

– Écoutez, Walter, ne croyez pas que je le fasse exprès, mais...

– Vous avez raison, il n'y a pas urgence. Chaque jour, il en arrive de nouveaux. J'exagère à peine. Et je ne parle pas des journalistes...

– Eh bien... en ce moment, je n'ai pas vraiment la tête à ça...

– Votre roman, j'imagine...

– Oui, je le crains.

Après avoir raccroché, je suis allé chercher la Mercedes au garage. Chemin faisant, j'ai trouvé que l'histoire ne manquait pas de piquant. Lorsque j'avais enfin été édité, Betty était déjà morte. Et aujourd'hui que Dogelski m'annonçait un franc succès, Henri avait fichu le camp. Il pouvait s'en tomber des arbres, moi j'étais déjà six pieds sous terre. À ma vue, le garagiste s'est amené en se frottant les mains.

– Ah !... Elle tourne comme un moulin à prières !... m'a-t-il confié.

Il l'a mise en marche pour que je l'écoute. Lui avait déjà les yeux fermés, un doigt pointé vers son oreille. Pendant qu'il me préparait la facture, j'ai rassemblé rapidement les papiers qui traînaient par terre, les paquets de tabac, les vieux journaux. Je les ai jetés dans un sac que j'ai porté jusqu'aux poubelles et de là, je suis allé me laver les mains. Les lavabos se tenaient derrière. Et c'est en contournant le garage que je suis tombé sur un ange assis dans un rayon de soleil.

Elle n'avait pas plus de huit ans, mais je fus

immédiatement frappé par sa beauté et j'ai ralenti le pas. Elle fredonnait quelque chose tout en lançant une balle brillante sur le mur. Impossible de savoir si elle m'avait vu mais quoi qu'il en soit, je ne semblais pas l'avoir dérangée. Je me suis arrêté un instant pour la regarder. Elle tenait sur ses genoux une poupée emmaillotée dans un tissu blanc.

– Elle est malade ? j'ai demandé.

– Non, elle est morte. Mais ça fait plusieurs jours ! m'a-t-elle précisé d'une voix claire.

– Oh, je suis désolé.

– Titus lui a mangé les deux jambes pendant que j'étais à l'école. Mon père l'a puni, bien sûr, mais il a pas encore réparé ma poupée. Il dit qu'il faut réparer les voitures d'abord.

Elle a caressé une joue de la poupée avant de relancer sa balle sur le mur. Je l'ai observée encore un moment, tandis qu'elle m'oubliait. J'étais incapable de faire un pas et de m'avancer dans ce tableau. La régularité avec laquelle la balle revenait dans sa main était stupéfiante et le mouvement de son bras était toujours le même. Son visage avait pris un air absent. Je me suis rendu compte que je tenais là quelque chose d'important. J'avais éprouvé un sentiment identique la première fois où j'avais ouvert un livre sur le zen. Intrigué, je me suis penché vers elle tout doucement, j'ai descendu ma bouche à la hauteur de son oreille. Il n'y avait plus aucun bruit dans le coin, hormis celui de la balle.

– Tu es une vraie championne, j'ai murmuré.

– Oh !... c'est facile.

– Eh bien, je ne sais pas... Peut-être que pour toi c'est facile...

– Oh, n'importe qui peut y arriver !

– Ouais, ça doit être agréable.

– C'est une superballe... Tu veux la voir ?

Aussitôt, elle l'a bloquée dans sa main et me l'a placée sous le nez.

C'était une espèce de gélatine transparente, de la taille d'une balle de golf, avec des étoiles à l'intérieur. J'ai hoché la tête puis je me suis relevé.

– O.K., je te remercie..., je lui ai dit.

– Oh, mais y a pas de quoi...

Je n'ai pas donné suite à cette histoire de me laver les mains. Je suis parti dans l'autre sens et une fois sur le trottoir, j'ai remonté la rue. Un peu plus loin, après un coup d'œil dans la vitrine, j'ai poussé la porte d'un magasin, légèrement excité. J'ai dû attendre mon tour, qu'une vieille soufflât dans une série de mirlitons avant de se décider pour le modèle à plumes. Une petite veine palpitait sur sa tempe.

Lorsque je suis sorti, j'ai d'abord jeté un coup d'œil à droite et à gauche. Le trottoir était libre. J'ai lâché ma superballe à mes pieds, elle est revenue dans ma main.

– Ah ! Dieu tout-puissant ! !

Au garage, ma facture n'était toujours pas prête. Je me suis adossé à la Mercedes et j'ai regardé ma superballe dans la lumière. Moi ce n'était pas des étoiles mais des paillettes multicolores, incrustées dans la masse. Je l'ai envoyée rebondir timidement sur le mur de la station et je l'ai rattrapée. J'ai pensé que ce n'était pas trop mal pour un premier essai. Je l'ai serrée dans ma main comme une grosse pépite.

Elle était d'une élasticité surprenante, d'un poids et d'un contact agréables, elle semblait presque habitée par une volonté personnelle. Au bout de quelques envois, je me suis enhardi, trouvant le bon angle entre le mur, le sol et ma main. Elle avait raison, ce n'était pas si difficile que ça. Une femme qui prenait de l'essence me regardait, une blonde décolorée avec des lèvres épaisses et la portière ouverte sur ses cuisses. Mais elle aurait lancé sa culotte à mes pieds que je n'aurais pas abandonné mon délicieux exercice. Je commençais à trouver une cadence.

J'étais encore maladroit, bien sûr, mais je pressentais réellement quelque chose.

Légèrement grisé, j'ai voulu essayer de nouvelles figures. J'en ai réussi une très belle, avec un impeccable effet sur le retour. Une seconde que j'ai rattrapée de justesse. Quand tout à coup, la blonde a fait surgir sa bagnole entre ma superballe et moi. Je l'ai entendue rebondir sur le capot pendant que la fille m'envoyait son œil de braise.

– Tu devrais essayer le yoyo…, m'a-t-elle glissé avant de redémarrer en trombe.

Tout s'est passé si vite que j'ai cru avoir rêvé. Mais dans ma main, je ne sentais plus ma superballe. Mais qui est-ce qui m'avait fichu une salope pareille, est-ce que ça pouvait exister ? !… J'étais vert de rage. J'ai lancé autour de moi un regard inquiet.

Jouant d'un coup de chance fabuleux, je l'ai repérée sur le trottoir d'en face alors qu'elle rebondissait doucement. Puis elle a roulé dans le caniveau. Je n'ai pas eu le temps d'amorcer le moindre geste. J'ai serré les dents en voyant ma superballe disparaître dans un trou d'égout.

J'ai dû en sortir une autre de ma poche. Une verte, avec des filaments dorés.

En rentrant, je tombai sur Vera et Marlène attablées devant un poulet froid.

– Oh, mon chéri, me dit Vera, on ne t'a pas attendu, on ne pouvait plus tenir !…

Il lui arrivait parfois de m'appeler « mon chéri », surtout depuis que j'étais entré au club des deux cent mille, il y avait quelques trucs de la grande ville dont elle ne pouvait se débarrasser. Je lui répondis qu'elles avaient bien fait, que je n'avais pas faim.

– Allons, assieds-toi, me proposa Marlène. Tu ne manges rien depuis trois jours...

– Je suis dans la dernière ligne droite de mon roman.

Elles se firent signe que j'étais dérangé. Je pris une bière pour leur tenir compagnie puis j'attendis que la conversation reprenne pour sortir ma superballe et l'envoyer gentiment sur le mur d'un air dégagé. Elles n'y prêtèrent pas beaucoup d'attention. Pendant qu'elles discutaient, je me levai et allai jusqu'à la fenêtre pour voir ce que ça donnait en marchant. Je n'employai plus les bandes mais passai directement du sol à ma main par de petits lancés secs et précis. C'était beaucoup plus simple, mais le mouvement du poignet était joli. Je sentais qu'il y avait une harmonie à trouver. Je regardai dans la rue tandis que ma superballe revenait et revenait et revenait dans ma paume. Puis j'ai senti que la voix de Vera se braquait dans mon dos :

– Jamais on a vu ça, je t'assure. Personne n'a jamais écrit de pareilles infamies sur quelqu'un. Sais-tu que si tu voulais, tu pourrais l'envoyer en taule !...

– Ouais, répondis-je sans me retourner. Je suis en train d'étudier la question. Je ne veux pas le louper, tu comprends...

– Oh ça oui, j'imagine !...

– Peut-être que je vais ouvrir une chronique dans ton journal pour raconter ses histoires sexuelles. J'irai fouiller dans sa poubelle. J'interrogerai sa concierge et les commerçants du coin, qu'est-ce que tu en penses ? Je peux aussi m'embarquer un duvet et bivouaquer devant son cul !...

– Tu n'es pas drôle.

– Écoute, je suis assez préoccupé en ce moment... Ne viens pas m'emmerder avec cette histoire ridicule, sois gentille. Je serais incapable d'y penser plus d'une seconde d'affilée...

Je profitai du silence qui s'ensuivit pour sortir de la cuisine accompagné de ma superballe. Je manquais encore certainement d'aisance mais dans les jours qui allaient suivre, j'allais progresser rapidement.

Car enfin, je ne la quittais plus, sauf pour dormir. Par moments, je n'y faisais même plus attention. Je sortais avec elle, je la serrais dans ma poche ou je l'envoyais sur le mur d'en face, je l'essayais dans les magasins ou quand je grimpais sur un tabouret de bar. Dans le quartier, je commençais à être connu en tant qu'écrivain et les gens du voisinage me regardaient d'un air attendri. J'aurais pu me payer n'importe quelle lubie, me ramener en patins à roulettes ou monté sur un cheval blanc, ils m'auraient tout passé. J'étais celui qu'on voyait à la télé, dans les journaux, celui qui avait sa pile de livres dans les grandes surfaces, j'étais le monsieur qui écrivait de si charmants bouquins. S'ils m'avaient trouvé ivre mort dans la rue, ils m'auraient ramené chez moi.

Lorsque je travaillais, je la posais à côté de moi. Mais je pouvais aussi me prendre la tête d'une main et de l'autre, envoyer ma balle à travers la chambre. J'avais installé ma table en conséquence. Je la lançais d'un coup sec sur le sol puis elle rebondissait sur le mur devant moi, montait au plafond avant de revenir dans ma main avec un petit claquement rassurant. J'aimais bien aussi la prendre entre le pouce et l'index, et la laisser tomber de quelques centimètres de haut sur la table, la rattraper en pinçant les doigts. La jeter simplement par terre à côté de moi n'était pas ce qui m'amusait le plus, mais là je pouvais tenir des heures durant, en parfaite symbiose, dirais-je.

Les autres avaient des avis partagés sur la question. Bob et Charles n'y voyaient pas d'inconvénients, Vera était agacée et Marlène soupirait. Gloria ne disait rien. Quand par un malheureux hasard ou par la force des choses nous nous trouvions dans la même pièce, elle se tenait à l'écart et je ne la regardais pas. En vérité, je ne les voyais pas très bien, tous autant qu'ils étaient, je vivais dans une espèce de brouillard isolant, au rythme de ma superballe.

Un matin, j'empoignai le téléphone et j'appelai Dogelski.

– Oh ! C'est vous ?... me dit-il. Mes félicitations, vous allez être traduit en russe !... Vous voyez, tout va très vite aujourd'hui. C'en est même un peu grotesque, vous ne trouvez pas ?...

– Walter..., soufflai-je, j'ai besoin de votre aide ! Nous sommes à cinquante-cinquante sur les gros coups, est-ce que ça vaut aussi pour les jours sombres ?...

– Eh bien, c'est ainsi que je l'avais compris !...

– Écoutez-moi..., il faut que je déménage. Ne me demandez pas pour quelles raisons, mais croyez-moi, je ne terminerai jamais ce roman si je ne fiche pas le camp ailleurs !...

– Oh...

– Oui, je ne rigole pas. Trouvez-moi quelqu'un qui me prête une maison.

– Hum... vous avez une préférence ?

– Oui. Une maison dans les bois et le premier voisin à une dizaine de bornes. Et même, pas de voisins du tout !

– Oui, je vois. Eh bien, vous n'avez qu'à prendre la mienne. Je vous envoie les clés dans l'heure qui suit.

Je n'étais pas certain d'avoir trouvé la bonne solution et je n'aurais même pas pu jurer que c'en était une. Mais comme les jours menaçaient de ressembler aux jours et que le moindre espoir était une pure folie, je compris que je n'avais plus rien à perdre et me sentis prêt à essayer tout ce qui me tombait sous la main. D'autant plus que ça n'allait pas très fort entre Marlène et moi, ainsi qu'on pouvait l'imaginer. C'était comme si nous avions dû passer entre les gouttes d'une averse, que dis-je, d'une pluie de sang. Enfilés l'un dans l'autre, nous recollions les morceaux, mais dès que la séance était finie ou lorsque le petit matin arrivait, nous étions à nouveau confrontés à un silence terrible, de plus en plus lancinant. Honnêtement, je n'avais pas l'impression de lui apporter grand-chose. Je n'y pouvais rien, je n'avais plus en moi les forces nécessaires et le spectacle de ma faiblesse, de mon incapacité à lui donner ce qu'elle méritait, m'était une autre source de tristesse, un autre sujet de désolation.

Il y avait à présent une quinzaine de jours que j'avais quitté l'hôpital. Avec ma superballe, j'avais réussi à limiter les dégâts, mais sans plus. C'était un peu comme si, tombant dans un gouffre, j'avais pu agripper une branche, ça ne me disait pas comment j'allais m'y prendre pour remonter. Je n'arrivais pas à savoir si ce coup de téléphone était un retour à la vie ou les derniers sursauts d'un agonisant. J'avoue que quelques heures plus tôt, l'idée de changer de décor ne m'avait pas encore effleuré. Je m'étais réveillé pas plus en forme que les autres jours et au cours de la matinée, je ne sais comment, je m'étais retrouvé dans la chambre d'Henri, assis sur une chaise, et ce n'était pas pire que les autres fois, je jouais tranquillement avec ma balle et j'aimais l'odeur de cette chambre. Je croyais être seul. Jusqu'à ce que Marlène arrive dans mon dos et vienne se planter devant moi. Bien sûr, je fais celui qui n'a pas remarqué son air sombre et qui trouve tout naturel d'être assis dans cette pièce. Plus que jamais, je suis concentré sur ma balle, mais d'un œil je surveille Marlène. Elle est arrêtée devant la commode et tripote les quelques objets qui s'y trouvent, des trucs qu'Henri a laissés. Nous sommes silencieux. Lorsqu'elle se retourne vers moi, elle tient dans ses mains le réveille-matin. Me regarde. Puis le jette violemment sur la glace qui est accrochée au mur et qui se brise immédiatement.

– Mais il est parti !!... me crie-t-elle aux oreilles. Tu n'as pas encore compris qu'il était PARTI ??!!...

Je ne réponds pas. J'attends qu'elle sorte. Je ne sursaute pas d'un poil au moment où la porte claque, car j'y suis tout à fait préparé.

Je restai seul une bonne partie de l'après-midi. Cloué dans un fauteuil et à mon avis moins imbibé que la moyenne des types qui se seraient trouvés à ma place. Sur les indications de Dogelski, j'avais fini par trouver l'emplacement de la baraque, une carte dépliée sur les genoux. Ce n'était pas très loin, à peine une heure de route, et je remarquai qu'effectivement il y avait de la verdure dans le coin. J'essayai de me persuader que je n'allais pas encore redescendre d'un étage, que cette décision n'était pas un cran de plus à mon collier clouté. Tantôt c'était oui, tantôt c'était non. Toutefois, je n'avais pas tergiversé pour appeler Dogelski. Dès que l'idée de ficher le camp m'avait traversé l'esprit, alors que je me levais pour ramasser les morceaux de verre, je n'avais pas senti le besoin de réfléchir à la question. Dans la minute qui suivait, j'étais sorti de la chambre. La baraque était vide, j'avais attrapé le téléphone. Je voulais croire que ma main avait été guidée, maintenant que je m'interrogeais.

Je ne passai pas trois heures à boucler ma valise. Je n'avais plus rien. Je ne trouvais pas tellement normal qu'un type se fasse démolir deux fois dans sa vie. Surtout moi, sensible comme je l'étais. Je ne m'étonnais pas de mon succès littéraire. La vie m'avait toujours donné et pris en même temps. Moi, mon numéro, ce n'était pas pendu jusqu'à ce que mort s'ensuive. Moi c'était pendu par les jambes jusqu'à la fin de mes jours. J'étais condamné à la solitude avec des centaines de milliers de lecteurs sur les bras. Peut-être que j'aurais préféré être un homme brisé et un écrivain maudit, ce qui ne manquait pas de grandeur au bout du compte, ce qui aurait pu donner une noirceur magnifique, un désespoir aussi pur que le diamant. Mais ce n'était pas mon lot et chacun doit faire avec ce qu'il a. Moi j'étais le cul-de-jatte qui collectionnait les Rolls.

Je retournai dans mon fauteuil et attendis. Bien qu'un peu éméché, je restais maître de ma superballe, il suffisait d'y aller un peu plus doucement. Je sombrai jusqu'à la tombée du soir, à demi hypnotisé par le silence et baignant vaguement dans la pénombre jusqu'à ce que Marlène arrivât.

Je sentis qu'elle était encore sous le coup de son éclat à propos d'Henri, qu'elle était contrariée, mais malgré tout, je n'y allai pas par quatre chemins :

– J'ai décidé de partir d'ici, lui annonçai-je.

Elle attrapa ma balle au vol.

– Seul ? demanda-t-elle.

Nous partîmes le lendemain, dans le milieu de l'après-midi, au terme d'une empoignade éprouvante avec Gloria. Nous n'avions pas pu filer en douce car j'étais le dernier des connards. Il y avait toujours cette misérable chance qui planait dans mon esprit et j'avais demandé à Bob de passer de temps en temps pour s'occuper du répondeur et de me prévenir, le cas échéant.

Ainsi donc, non seulement je dévoilais notre départ mais je laissais aussi notre adresse. Ce qui était finement joué. Mais étais-je encore capable d'agir de manière intelligente ?...

Au courrier de midi, donc, je reçus les clés. Dans un petit mot, Walter me demandait d'arroser les plantes, si j'y pensais, et de lui écrire un livre formidable. Charles et Vera étaient déjà là pour nous souhaiter bon voyage. D'après eux, nous en avions rudement besoin, il fallait voir nos têtes. Pour ma part, je ne tenais plus en place, j'avais littéralement le feu aux fesses, il me tardait de savoir si mon idée était bonne. C'était une matinée resplendissante. Nous n'attendions plus que Bob et Gloria pour partir. Pour gagner du temps, je rangeai nos deux sacs dans le coffre. Je vidai le cendrier. Qu'est-ce qu'ils foutaient ?

Je trinquai une nouvelle fois avec Charles puis, n'y tenant plus, je mis tout le monde dehors.

– On va pas les attendre cent sept ans, déclarai-je. Ils devraient être là depuis une demi-heure, il faut pas charrier. Charles, tu leur donneras les clés de la baraque...

Sur le trottoir, Vera nous jura pour la énième fois que nous les verrions débarquer un week-end. Elle avait beau être une fille que j'aimais bien, peut-être une amie, je priai pour qu'elle se casse une jambe le jour où elle mettrait sa menace à exécution. Puis Marlène et moi, nous grimpâmes dans la Mercedes et descendîmes nos carreaux.

J'étais en train d'enfiler les clés dans le contact lorsque Bob gara sa voiture sur le trottoir d'en face. Il en sortit aussitôt et s'amena vers moi d'un air gêné. Il empoigna ma portière.

– Merde, me sourit-il, on a pas fait attention à l'heure !...

Gloria passa devant le capot avec Géraldine

dans les bras et s'avança du côté de Marlène.
Je posai ma main sur celle de Bob.

– C'est pas grave, Bob. C'est pas ça qui m'aurait vexé...

Je me tournai de l'autre côté, juste au moment
où Gloria s'encadrait à la hauteur de Marlène.
Elle était blanche comme une morte.

– Bon sang, on peut dire que rien ne vous
arrête !... lança-t-elle. Est-ce que ça ne ressemble
pas à une petite lune de miel ? !...

Je vis les traits de Marlène se figer, je sentis
les miens se durcir.

– Merde. À un de ces quatre !... j'ai dit, baissant la tête sur la clé de contact.

– Ah Seigneur ! siffla-t-elle. Je voudrais qu'il
soit là pour vous voir. Je voudrais qu'il sache
le genre de type que tu es !...

– Ça suffit, Gloria !... s'interposa Marlène. Tu
es ridicule.

– Ouais, je suis ridicule ! Mais moi je ne l'ai
pas abandonné après quelques années de
mariage, moi je ne lui ai pas piqué sa femme !...

– Gloria !...

– Ah, petite conne ! j'ai grincé.

Géraldine se mit à ronchonner dans ses bras.
Gloria nous regardait tour à tour, le visage tremblant de colère. Nous étions coincés dans la
Mercedes, à la merci de tous ses coups. Du
moins avais-je l'impression d'être enfermé dans
une camisole de force. Elle nous envoya une
grimace délirante.

– Pouah !... Quel tableau écœurant ! rugit-elle.

Je bondis sur ma porte mais Bob la bloqua
en y plantant ses avant-bras. Il prit un air bouleversé.

– Ah, je t'en prie... m'implora-t-il.

Je fermai les yeux, mis le contact.

– Tu ne vas pas t'en tirer comme ça ! entendis-
je au moment où je démarrai.

Marlène resta figée sur son siège durant tout le voyage, sans un seul regard vers moi et murée dans un silence électrique. Moi-même, je n'avais rien à dire et ne craignais qu'une chose en fait, que nous nous abîmions dans la bouillie des mots. Je roulais vite, trop vite pour un moteur en rodage, mais pas le moindre remords ne m'effleurait, pas la plus petite étincelle d'humanité ne relevait mon pied. Et pour finir, le silence coula sur nos plaies comme un sirop de Tolu sur des gorges rouges.

La baraque de Walter était nichée dans les bois au bord d'un étang et nous avions laissé le dernier village à trois kilomètres derrière nous, empruntant un chemin forestier qui filait sous les branches et qu'une lumière diffuse éclairait tendrement. Je m'attendais à voir les sept nains traverser devant moi.

C'était une baraque épatante, et pas une de ces merdes tristes et prétentieuses comme il s'en pousse un peu partout, mais une maison de bois à un étage avec une véranda qui donnait sur l'étang. En d'autres occasions, une si agréable surprise m'aurait poussé à me frotter les mains ou à soupirer d'aise, mais je descendis sans un mot et m'occupai des sacs.

Nous ouvrîmes les volets du bas. C'était bien. Je repérai aussitôt une petite table devant la fenêtre. C'est un réflexe bien connu chez les écrivains. Dans un deuxième temps, on se met à chercher les prises. Mais ce ne fut pas mon cas puisqu'à présent la mienne pouvait fonctionner sur piles. La pauvre, je l'avais oubliée à l'hôpital. C'était d'ailleurs en allant la récupérer que j'avais perdu une de mes superballes, ce qui ne m'arrivait pratiquement jamais car j'avais atteint un bon niveau. Mais cette fois, elle avait roulé sous le fauteuil d'un paralytique et je l'avais abandonnée, j'avais fait comme si je l'avais perdue de vue.

Nous ouvrîmes les volets à l'étage. C'était très bien. Le premier, je retrouvai l'usage de la parole.

– Bon..., on devrait s'occuper des courses avant la nuit...

Je la pris par les épaules car elle pleurait silencieusement. Nous le fîmes sur le lit, quelques instant plus tard, tandis que l'étang se couvrait de reflets mordorés. Je lui avais laissé le haut mais ses cuisses avaient la chair de poule et ses fesses étaient glacées. Je n'allai pas voir les miennes.

Nous revînmes du village à la nuit tombée, le coffre rempli de provisions ainsi que la banquette arrière. La journée semblait commencée depuis mille ans. Avant de nous mettre à tout ranger, je lui servis un grand verre. Puis je mis de la musique. Puis je préparai un feu. Petit à petit, je renflouai le navire. Je la vis remonter doucement vers la lumière et reprendre vie peu à peu. Je ne sortis pas ma balle, de peur de réduire tous mes efforts à néant. Du feu, j'ai tisonné les braises. De l'eau, j'ai retiré les spaghettis. D'elle, je me suis occupé, comme d'une princesse dans son palais, à croire qu'il en allait de ma tête. Ce que je voulais surtout, c'était que nous ne parlions de rien, sans pour autant tomber dans un silence éloquent. L'espace était mince, le slalom difficile et je me criais : « Père, garde-toi à gauche, Père, garde-toi à droite ! !... », tandis que nous nous enfoncions lentement dans la nuit, et que les étoiles scintillaient, et que le feu crépitait, et que les crapauds coassaient, et que les grenouilles coassaient.

Il y avait un grand arbre, sur la gauche, et quoi qu'il en soit, il était le seul à se trouver aux abords immédiats de la baraque, je n'avais rien contre les jeunes pousses, les fourrés, les buissons. Marlène dormait encore. J'ai bu mon café debout dans le coin cuisine, les jambes coupées par les rayons obliques du soleil et le cerveau lentement envahi par une idée fixe. Je suis sorti.

Dans l'appentis, j'ai trouvé une barque et tout un matériel de pêche soigneusement entretenus. Il y avait aussi quelques outils, de vieux cirés, des pots de peinture, un établi. Et une superbe hache, bien affûtée, bien lourde. Ce n'était pas de gaieté de cœur, d'autant plus qu'il se dressait dans la lumière matinale et que le ciel se découpait tout autour. Mais je ne pouvais plus rien me permettre.

J'étais minuscule, dessous. Je lui ai expliqué la situation en trois mots et je lui ai dit que je n'espérais pas être un jour pardonné pour ce que j'allais faire. Puis je lui ai balancé le premier coup de hache.

Au bout d'un moment, Marlène est apparue à la fenêtre. J'étais couvert de sueur des pieds à la tête. Peut-être que c'était le bruit qui l'avait réveillée.

– Oh !… Mais qu'est-ce que tu fabriques ? !…

Je lui ai souri sans répondre. Je suis passé de l'autre côté de l'arbre et j'ai attaqué une nouvelle entaille. Par moments, lorsque je m'arrêtais, je ne pouvais même plus déplier mes petites mains. Mes ampoules avaient crevé depuis belle lurette.

– Mais… Dogelski ? !…

– Ne t'inquiète pas pour Dogelski. Je lui expliquerai…

S'il y en avait un qui pouvait comprendre, c'était bien lui. Il en voyait tous les jours, des comme moi. Pas vraiment dangereux, mais complètement fous à lier, des qui se prenaient pour le centre du monde, des qui chialaient, des qui se tortillaient, toute la clique des damnés de la terre, des qui se prenaient les couilles, des qui dégueulaient et dégueulaient des mots et des mots sans passion, sans colère, sans âme, des grands, des petits, des connards, des génies, des ordures. Franchement, je pouvais bien le lui couper, son arbre. D'autres auraient sans doute fait pire que ça. Peut-être même, des types qui tiraient deux fois moins que moi.

Bref, l'arbre se mit à grincer comme une porte et le faîte vacilla. J'ai envoyé ma hache dans les derniers tendons, dans le cœur tendre, puis il est parti d'un seul coup en avant, dans un craquement lugubre, fouettant du bout des branches ses plus proches voisins glacés d'effroi. Marlène s'est retirée de la fenêtre et je me suis accroupi deux secondes pour souffler.

– C'est un bon exercice pour un type qui sort de l'hôpital..., soupira-t-elle en réapparaissant par la porte du bas.

Malgré ses conseils, j'ai passé une partie de la matinée à le débiter en tranches. C'était mon vice. J'ai scié toutes les branches, j'ai récupéré le petit bois pendant que Marlène inspectait la baraque et finissait de ranger. Ensuite, j'ai sorti la barque et je l'ai tirée au bord de l'eau. Je l'ai mouillée. J'ai sauté dedans. Il faisait tellement bon que le type le plus malheureux du monde aurait lâché un dernier sourire de ravissement. J'ai attrapé mes lunettes de soleil et je me suis éloigné du bord dans un langoureux clapotis.

Qu'il était doux d'arracher une poignée de lumière à ce monde ténébreux ! Qu'il était chouette ce merveilleux étang. Les rives étaient sombres, plongeaient dans l'épaisseur des bois, mais quel ciel magnifique j'avais au-dessus de la tête, quelle clarté en comparaison ! Par pur plaisir, j'ai envoyé ma superballe en l'air. Je ne savais pas exactement ce qui s'était passé dans la tête de Gloria. Je n'avais qu'une vague idée des sentiments qui l'habitaient. Moi-même, d'ailleurs, je n'aurais pas su dire très précisément ce que j'éprouvais pour elle. Maintenant que j'y réfléchissais, je me rendais compte que nous avions eu des rapports ambigus, mais je n'y avais jamais attaché beaucoup d'importance, je trouvais ça normal quand elle venait se coller à moi et je sortais d'une telle histoire que je ne pouvais pas refuser un peu de chaleur. Honnêtement, je n'avais jamais songé très sérieusement à la baiser, je me contentais de ces rapports un peu particuliers, ni son père, ni son copain, ni son amant, ni son frère, et j'ai eu ma ration de bons moments en m'en tenant à ce rôle. Mais la manière dont elle avait pris ça, elle... Oh, eh bien, il aurait fallu le lui demander. Ce que je voyais, c'était dans quelle sinistre farce on se débattait. Et on y était jusqu'au cou.

– Viens manger !... C'est prêt !!... me cria Marlène.

Je n'avais pas faim, mais je préférais ne pas discuter. J'eus alors une bonne surprise.

– AH ! MAIS PUTAIN... MAIS J'AI OUBLIÉ LES RAMES ! !...

Dans l'après-midi, je me suis installé sur la véranda et j'ai plongé mon nez dans mon roman. Dogelski m'a appelé pour savoir si tout allait bien et j'ai répondu que tout était parfait. Lorsque je suis ressorti, j'ai aperçu Marlène sur l'étang. Je suis descendu à l'abri des arbres pour l'observer et goûter à la complexité des choses. Elle était tout ce que je voulais, tout ce que je demandais, tout ce que j'espérais chez une femme, mais un écran invisible nous séparait. Maintenant que nous étions ensemble, je ne savais plus quoi faire d'elle, je ne me sentais plus capable d'être à la hauteur, plus dans ces conditions. Je me suis aperçu qu'au fond, je me retrouvais dans une merde dont je n'étais jamais sorti. Plus seul, plus accablé, plus lessivé que jamais. À ce rythme-là, je pouvais m'attendre à passer la barre des cinq cent mille dans les premiers jours de l'hiver.

– Alors... ça a marché ?... m'a-t-elle demandé, plus belle, plus profonde, plus énigmatique qu'on pouvait le désirer.

– Oh, humm... ai-je grogné en m'étirant.

Le soir, je l'ai emmenée écouter les grenouilles. Nous nous sommes assis au bord de l'eau, tout près d'un rayon de lune. Je lui ai fait signe de dresser l'oreille. On a attendu un moment.

– Finalement, c'est bien d'être avec un type qui ne parle pas, m'a-t-elle confié. On peut apprécier les merveilles de la nature...

Le coassement que nous avons entendu tout de suite après ne montait pas des berges humides. Il est sorti tout droit de ma gorge.

En fait, pendant les jours qui suivirent, je passais mon temps à l'observer, à la surveiller par-dessus mes lunettes. J'aurais pu la dessiner de mémoire. Seulement, même lorsque je la prenais dans mes bras, même lorsque nous marchions ensemble, même lorsque j'écartais ses jambes, j'avais l'impression de rester caché, de la regarder de loin, de l'épier en gardant mes distances comme un pauvre lépreux. J'étais Quasimodo. Je ne dormais pas la nuit. Je l'aimais mais je n'avais à lui offrir que mes difformités, mes bras tordus, ma sale gueule, ma superbe bosse. Et je ne pouvais pas la soulever au-dessus de ma tête en braillant : « Sanctuary ! Sanctuary !!... », car c'était plutôt de moi qu'il fallait la protéger, de ce ridicule chaos qu'était ma vie. Quand un type garde un peu d'élégance, il ne fait pas monter une femme dans un rafiot pourri.

Je crois qu'elle le comprenait. Par moments, lorsque je travaillais sous la véranda et que, me grattant la tête, je l'apercevais, il m'arrivait de me demander de quel mal j'étais atteint, quel truc m'empêchait de sauter sur mes jambes, mais pas un seul de mes muscles ne bougeait et je regardais mes mains d'un air dégoûté. « Dommage qu'elle m'arrache pas les yeux, je me disais, dommage qu'elle me vide pas de tout mon sang. » En passant, elle me touchait le bras ou l'épaule du bout des doigts et lorsque je rouvrais les yeux, je n'étais pas mort. J'étais un écrivain vivant. Et mon style se dépouillait à vue d'œil, comme on pouvait l'imaginer.

Tous les jours, je me débrouillais pour me payer un tour de barque. Seul. J'entretenais de bons rapports avec l'étang, je m'y sentais réellement à l'aise. Bizarrement, je pouvais penser aux pires des choses, à Gloria, à Henri, à tout ce qui m'arrivait sans qu'un maudit tourbillon ne m'embarquât dans un cortège de grimaces, sans que le moindre gémissement ne m'échappât. Bien sûr, je n'y pensais pas par plaisir, mais lorsque ces images pénétraient dans mon esprit, je ne les chassais pas, je tirais doucement sur mes rames et je sillonnais tout le coin pendant un moment. C'était un bon exercice. Et pour un type qui ne mangeait plus beaucoup, qui ne dormait presque pas, je me débrouillais plutôt bien. D'ailleurs, je ne me sentais pas faible, je me découvrais même de nouvelles forces. Je crois que les rames auraient fondu avant mes bras si j'avais décidé de mettre la gomme. Ça me faisait une belle jambe.

Pour la forme, j'embarquais une canne à pêche. Je ne mettais rien au bout de l'hameçon mais je surveillais le bouchon très sérieusement. Je rentrais avec mon panier toujours vide. Devant Marlène, je haussais les épaules en soupirant et je lui racontais que j'en avais pas vu la queue d'un. Alors que j'en rencontrais des tas, des verts, des argentés, des gris de la taille de mon bras qui venaient tournicoter dans les parages de ma ligne, qui affleuraient la surface et la ridaient tranquillement.

Une fois, pourtant, l'un d'eux mordit à l'hameçon. Il pleuvait, ce jour-là, mais j'avais embarqué un ciré et le chapeau adéquat, et je m'étais planté au milieu de l'étang qui frissonnait comme de l'huile dans une poêle. J'étais resté plus d'une heure sans bouger, les épaules massées par la pluie ou peu s'en fallait, plié sous mon ciré dégoulinant. Je surveillais mon bouchon du coin de l'œil, mais Dieu seul aurait pu dire ce à quoi je pensais réellement. C'était sans importance, des élucubrations sans fin mélangées à des morceaux de roman, rien qui ne méritât deux lignes, rien qui ne pût faire le poids avec la danse d'un nénuphar jaune sous les gouttes. Tout à coup, mon bouchon s'enfonça dans l'onde.

– Ah m... ! grognai-je tandis que mon fil se dévidait.

Je me redressai si brusquement que mon chapeau chut et que je me retrouvai nu-tête. J'ouvris mon ciré pour attraper mon couteau. À la seconde, je fus trempé, mais elle n'était pas froide. Dans ma situation, j'aurais pu m'attendre à quelque chose de glacé ou carrément une pluie de boue rouge. Je sortis mon S.522 et sectionnai le fil de Nylon. Je restai un moment debout, attendant une espèce de signe, mais je ne vis rien. Je me rassis lentement, ramassai mon chapeau et le secouai sur mon genou.

« Veux-tu que je te dise ? me lança-t-elle un matin alors qu'elle était occupée à me triturer la nuque avec de l'huile d'amande douce, rapport à un léger torticolis qui pointait son nez, veux-tu que je te dise, il y a peut-être un peu trop de piment, mais c'est tout... ! » Rien qu'à l'odeur, n'importe quel imbécile aurait compris que j'avais loupé mon coup. Je m'en voulais à mort.

– Ouais, voilà où j'en suis !... grinçai-je. Rien ne me sera épargné !

Ses mains se figèrent sur ma nuque. J'ai prié de toutes mes forces pour qu'elle m'étrangle mais le doux va-et-vient a repris. Dépité, j'ai envoyé ma balle sur le mur. Il montait de ma tambouille comme une odeur de champ de bataille.

– Eh bien, soupira-t-elle, il faut croire que tout ne peut pas être parfait dans la vie. Même toi, tu peux rater un chili...

Je me surpris alors à lui répondre, moi qui au fil des jours tendais vers le silence absolu. Est-ce qu'enfin j'avais touché le fond ? !... Est-ce que cette satanée branche avait fini par se péter ? ? ! !... Il était encore trop tôt pour le dire. Mais la journée était particulièrement belle et l'étang lumineux comme un réveillon sous la neige.

– Merde, ricanai-je. On aura vraiment tout vu ! Parfois, je suis étonné de trouver encore le sol sous mes pieds !

– Oh... je crois que ça arrive à tout le monde...

– Bon Dieu, Marlène... Qu'est-ce que j'ai branlé à part écrire quelques histoires ? !... Où est-ce que j'en suis après quarante années de ma vie ? !...

– Ma parole... mais tu as mangé du cheval aujourd'hui !... plaisanta-t-elle. Voilà que tu prononces plus d'une phrase d'affilée !...

Je retombai dans un silence de pierre en compagnie de ma superballe. Je lui tendis mon cou.

– Tu sais, reprit-elle d'une voix douce, je ne t'ai jamais rien demandé. Je n'attends pas que tu m'emmènes vers un pays fleuri parce que moi aussi j'ai passé l'âge. Alors ne te casse pas la tête avec ça. Cela dit, je suis tout de même assez fière. Je suis la seule personne au monde à qui tu as servi un chili raté.

Je l'amenai entre mes jambes et posai ma tête sur son ventre. Elle portait un bas de survêtement sans forme, elle devait le trimbaler depuis dix ans. Un vrai miracle qu'il y eût encore un élastique à la ceinture, mais si peu tendu que c'en était une bénédiction. Enfoui dans son odeur, je craquais littéralement, il me vint presque un sourire. Lorsqu'une femme plonge sa main dans mes cheveux, je ne suis plus tout à fait le même.

Je l'assis à califourchon sur mes genoux.

— Tu te fais trop de soucis avec cette histoire, me murmura-t-elle. Prends plutôt exemple sur Henri...

— Je comprends pas ce que tu veux dire.

— Eh bien, il a refusé de se laisser emmerder avec ça. Il a pris la décision qui s'imposait.

Ce pantalon, on pouvait l'ouvrir comme un sac, j'aurais pu plonger la tête la première dedans. Le tableau que j'avais sous les yeux était d'une simplicité reposante. Un triangle de couleur tendu entre deux cuisses blanches, inutile d'aller chercher plus loin.

— Tu vois, ajouta-t-elle, je ne crois pas qu'il se soit demandé si l'article de Machin disait vrai ou non. Je le connais quand même assez bien. Je me souviens d'une chose qu'il voulait que j'apprenne par cœur. « Commencer une querelle, c'est lâcher les eaux. Avant que s'exaspère la dispute, cède. » C'est une parole du roi Salomon.

Je ne pus m'empêcher de secouer la tête en souriant :

— Comment peux-tu être en train de penser au roi Salomon alors que je viens de faire sauter ta dernière agrafe ?!...

— Eh bien, j'ai l'impression qu'il y a si longtemps qu'on ne s'est pas parlé... Il faut bien que j'en profite !...

Ses yeux prirent un nouvel éclat, maintenant que mes efforts se précisaient.

– Toi et moi, c'était une partie perdue d'avance, reprit-elle. Mais avoue que nous avons eu des moments magnifiques... Il faudra jamais rien regretter !

– Est-ce que tu essayes de soigner la douleur par la douleur ?... fis-je d'une voix blanche.

– C'est comme ça, tu sais... Les hommes qu'on aime le plus ne sont pas forcément ceux avec qui on reste. Ça serait trop simple.

Ses yeux commençaient à chavirer. Mais elle avait de bonnes réserves :

– Ah, quel soleil, ce matin !... J'espère que nous allons avoir de belles journées à passer ensemble. Ah, et puis tu sais, je te dois le plus long baiser de toute ma vie. Je l'oublierai sûrement jamais !...

Elle prit ma tête dans ses bras, j'aurais voulu l'enlacer mais je ne pouvais pas pour le moment. À travers l'étoffe, je mordis l'une de ses pointes de seins du bout des dents.

– Oh... mais pourquoi ne dis-tu rien ?!... me demanda-t-elle d'une voix essoufflée.

Je lâchai son sein pour lui répondre.

– Oh... mais pourquoi t'arrêtes-tu ?!!... fit-elle sur un ton désolé.

Si bien que je repris la chose entre mes lèvres sans dire un mot, ce qui était aussi bien.

Nous sommes restés très exactement douze jours ensemble, dans la baraque de Walter, mais d'après Marlène, douze jours ou douze ans c'était la même chose, tout dépendait de l'intensité des moments et elle était persuadée qu'elle avait parcouru un long bout de chemin avec moi. Je ne partageais pas son opinion à cent pour cent, mais je comprenais ce qu'elle voulait dire. Mes sentiments pour elle n'avaient pas changé, seulement j'avais déjà vu mourir la première, et ainsi donc je me sentais mieux préparé à supporter le départ de la seconde. J'éprouvais presque une sorte de fascination pour le vide qui s'était installé autour de moi. Le comble, c'était que Dogelski téléphonait pratiquement tous les jours pour m'annoncer une bonne nouvelle et il était en train, disait-il, de remplir un sac avec le courrier de mes fans, il le tenait à ma disposition.

Contrairement à un bon écrivain qui doit tout donner à son roman, moi je ne donnais rien et je prenais tout, je venais uniquement satisfaire mon plaisir d'écrire et mon roman se tordait et gémissait sous mes doigts, mais j'avançais sans pitié. Je n'avais plus rien à perdre. J'avais au moins un truc de commun avec un grand écrivain, c'est que je cherchais à sauver ma peau. Durant les derniers jours que je passai avec Marlène, je fus pris d'une véritable frénésie et j'abattis plusieurs chapitres en un temps record. Je travaillais même la nuit, en compagnie des grenouilles et des vers luisants. Ah qu'il est doux d'écrire une phrase, de jeter quelques mots entre deux points. Comme c'est rassurant ! Comme j'en avais besoin !

J'étais à deux doigts de terminer ce roman lorsque Vera nous appela un matin. Marlène discuta longuement avec elle. Puis elle raccrocha et me regarda. Je lui fis signe que j'avais compris, hochant la tête sobrement. Après quoi elle m'expliqua que la proposition de Vera était intéressante mais je n'en compris pas plus car je n'écoutais que d'une oreille. L'autre me bourdonnait, me grinçait, me sifflait.

Le lendemain, je la fis grimper dans le bus. Nous avions décidé de nous éviter le voyage du retour avec tout ce que cela supposait de pénible et d'affligeant. Elle alla s'asseoir tout au fond et ouvrit la fenêtre. Je me tenais dans le soleil, tout propre, rasé de près, et j'avais enfilé ce que j'avais trouvé de plus gai comme chemise. Avec mes mains enfoncées dans mes poches, j'avais l'air d'un petit malin. Elle croisa ses bras sur le rebord et s'y appuya le menton. Elle me regarda en souriant. Je crevais d'envie d'attraper une de ses mains, ou même les deux, mais je dansais d'un pied sur l'autre en plissant des yeux. Pourtant, je ne sautai pas sur mes lunettes. Deux ou trois fois, j'ouvris la bouche comme un poisson hors de l'eau mais aucun son n'en sortit. Le type qui se trouvait devant Marlène me regardait du coin de l'œil, il devait s'imaginer que je présentais un numéro de mime. J'étais en train de mourir sur place et le bus ne démarrait toujours pas. Je regardai un instant la pointe de mes chaussures. Puis je grimaçai à nouveau vers elle. Je dois dire qu'elle n'avait pas non plus sa tête des grands jours. Nous avions passé une partie de la nuit éveillés, mais le cœur nous avait fait défaut et nous ne nous étions rien payé de terrible sur le plan sexuel, simplement le tout-venant, juste l'indispensable. Pour le reste, nous étions plutôt restés silencieux. Clapotis, frissons de la forêt, hululements, il n'y avait rien d'autre. Ni larmes, ni promesses, ni adieux.

Je me suis approché du bus et j'ai donné un léger coup de pied dans le pneu. Il fallait bien que je tente quelque chose. Il disparut devant moi mais je ne levai pas les yeux. J'attendis que le bruit du moteur s'évanouisse, puis je retournai à la Mercedes et rentrai.

21

Il me fallut encore deux jours pour terminer mon roman. Deux jours sombres et glacés comme on peut en espérer quand on écrit les dernières pages. Cinquante-six heures d'affilée sans pratiquement me lever de ma chaise, sans aller respirer une seule fois l'air du dehors. J'envoyai le point final sur les coups de 4 heures de l'après-midi. Lorsque je sortis sur la véranda, il faisait encore chaud et sur le bout de chemin qui me séparait de l'étang, je me dévêtis et piquai une tête dans l'eau. Elle était froide mais je me suis mis à nager comme un forcené et je n'y ai plus pensé. Je me laissais même quelquefois flotter sur le dos. Les poissons venaient voir ce qui se passait et tout doucement, la rumeur se répandit que j'avais fini.

Malgré tout, durant la soirée je me sentis nerveux et j'ai regardé tomber la nuit en compagnie de ma superballe. Je me suis bu une grande tequila pour fêter la naissance de mon roman, puis je me suis aligné trois crêpes surgelées dans le four à micro-ondes. Impossible de me détendre, écouter de la musique ne me fit pas le moindre effet. D'un autre côté, on ne peut jamais se sentir très bien lorsqu'on arrive au bout de la dernière page, on est toujours dans un état un peu bizarre et avec l'âge, ça ne va pas en s'arrangeant, enfin pour ma part j'ai l'impression que chaque nouveau livre me pèse un peu plus. Je ne m'écoutai donc pas trop. J'attrapai mes crêpes et les sortis dehors, pour les oiseaux ou n'importe quel autre animal qui les aimait à la béchamel. Je m'immobilisai un instant pour entendre le grésillement de la nuit et me rafraîchir les idées. J'aimais bien la proximité de l'eau, j'avais toujours été comme ça.

Puis j'éteignis tout et montai dans la chambre avec mon roman sous le bras. J'enfilai un pull. J'apportai un coussin pour ma chaise et m'installai à la table. Il ne s'agissait que de petites corrections légères, un mot par-ci, une virgule par-là, mais je ne pouvais pas passer au travers. D'ailleurs, je ne me sentais pas fatigué et je n'avais rien d'autre à faire. Le temps, ce n'était pas ce qui me manquait à présent. D'autant plus que je n'avais pas besoin de mes dix heures de sommeil, comme lorsque j'avais vingt ans. Malheureusement, tant s'en fallait.

À la manière d'un aveugle, c'est-à-dire avec précaution et un minimum d'angoisse, je pouvais entreprendre l'examen inquiétant de ce qu'il restait autour de moi. Mais j'avais beau chercher et me tourner dans tous les sens, mes mains ne rencontraient que du vide, il n'y avait pas l'ombre d'une âme qui vive dans le coin, pas la moindre petite épaule pour s'appuyer. Je m'étonnais d'être encore debout. Pas en raison de l'heure bien sûr, bien qu'il fût plus de 2 heures du matin et qu'une fraîche humidité m'engourdît. Il me semble que je n'avais rien connu de tel, pas avec une netteté aussi absolue. La mort de Betty m'avait envoyé rouler dans les flammes, tandis qu'à présent j'avais la goutte au nez et mon cœur battait moins vite, ce qui était assurément l'étage au-dessous. J'étais d'une lucidité délirante, je n'essayais pas de me raconter des salades. Je restais penché au-dessus de ma lampe à tourner mes pages, à peaufiner mon truc avec un entêtement absurde. Il y avait un crapaud juste sous ma fenêtre. À intervalles réguliers, il appelait et ça durait depuis des heures. Ses copains ne semblaient pas se bousculer au portillon.

J'entendis le premier bruit alors que j'étais en train de me servir un verre. Je ne savais pas trop, c'était quelque chose d'étrange. Je restai un moment l'oreille tendue mais je débarquai dans un silence total. Même le crapaud s'était tu. Peut-être qu'une belle fille venait de l'embrasser sur la bouche. J'empoignai mon verre et bus aux fantômes avant de me remettre au travail. Cela dit, je n'étais pas réellement dans mon assiette. Décollant mon talon du sol, et sans y prêter attention, j'imprimai à ma jambe droite la danse de Saint-Guy.

Je fus bientôt certain qu'une personne rôdait autour de la baraque. Et je savais pas ce qu'elle fabriquait mais je l'entendais souffler presque distinctement. Je rangeai mes feuilles dans leur chemise en carton glacé. Je savais qu'elle viendrait, je l'avais senti durant tout l'après-midi mais ce qui était fantastique, c'est qu'elle semblait avoir attendu la fin de mon roman. Tout baignait, pour ainsi dire, dans une sombre et mystérieuse harmonie. Je vivais un instant de perfection qui me clouait sur place, tandis que de la véranda montait un curieux glouglou.

Je sursautai à peine lorsque le feu ronfla. Par la fenêtre, j'aperçus des lueurs rouges et des arbres qui dansaient à l'arrière-plan. Ah, c'était d'une fascinante logique. Betty n'avait-elle pas commencé cette histoire par le feu ? Est-ce que j'étais celui qui avait vécu par le glaive ? Je me rendis compte que j'étais à moitié saoul. Où était passé le crapaud ? Où étaient passées les grenouilles ? Où est-ce qu'il était celui qu'on appelait le nouveau Céline, le nouveau Kerouac, maintenant qu'on avait besoin de lui ? !...

Poussé par la force des choses, je me levai et ouvris la porte. Du haut de l'escalier, je pus me rendre compte que toute la véranda cramait, de l'air chaud montait déjà jusqu'à moi et le feu grondait comme un moteur d'avion. M'abandonnant à mon misérable penchant, je refermai la porte et me tournai vers la bouteille de tequila. Ô ironie du sort... le feu coula dans ma gorge bien avant qu'il n'atteignît la chambre. Je pris mon roman avec moi et m'en fus m'asseoir au pied du lit en serrant les genoux. J'étais incapable de bouger le petit doigt car j'avais avant tout une grave décision à prendre. Je m'étendis en travers de ma couette comme un poussin géant alors qu'une longue volute de fumée se glissait sous ma porte.

La fenêtre envoyait des ombres rouges sur les murs de la chambre. En bas, le boucan était infernal, le feu vrombissait, le bois crépitait, la baraque tout entière craquait et gémissait et disparaissait dans la fumée, mais apparemment, je ne me rendais compte de rien, seule la couleur du plafond semblait m'intéresser.

Puis, lorsque la fumée fut trop épaisse, je toussai, les yeux dégoulinants depuis un bon moment. Je toussai et retoussai et dégoulinai de plus belle. Relevant la tête, je pus constater que ce n'était plus des lueurs mais de vraies flammes qui dansaient à la croisée et de l'autre côté je vis la porte se gondoler, la peinture se cloquer et fondre goutte à goutte.

Était-il trop tard ? J'enfonçai mon roman dans mon pantalon et m'enroulai dans la couette. N'avais-je rien oublié ? Je jetai un dernier coup d'œil autour de moi mais tout s'était délayé dans la fumée. Mon âme, ma douleur, mon talent, ma lâcheté, ma vanité, ne restait-il plus rien dans la place ? J'étais moins chargé que je ne l'aurais cru. La porte se fendit en deux au moment même où je me précipitai à travers la fenêtre. Comme disait je ne sais plus qui, « chaque jour qui passe est comme le cerceau de feu que les lions essayent de sauter. »

Je rouvris un œil au petit jour, frileusement entortillé dans la couette et à quelque distance d'un tas de cendres encore fumant. Je ne savais pas si je m'étais évanoui ou si je m'étais tout simplement endormi. J'avais un peu de sang séché sur les mains. Par endroits, la couette avait fondu, le reste était passé au charbon de bois. Mon front était couvert de rosée. Mon mal de crâne épouvantable.

Je me dressai péniblement sur un coude pendant qu'une nouvelle journée se profilait à l'horizon. N'écoutant que mon courage, je me dressai sur mes jambes et zigzaguai jusqu'à la voiture. Je trouvai de l'aspirine dans la boîte à gants. Ainsi que des bonbons au café. Je pris les deux ensemble.

Ensuite, je me mis à poil et entrai dans l'étang. Pendant une bonne minute, j'ai claqué des dents, j'y suis allé de ma grimace, j'ai attendu un moment avant de me mouiller les cheveux, puis je suis parti tranquillement à l'indienne pour me réveiller un peu, et le fait est que j'ai bâillé plusieurs fois en nageant, j'ai recraché les derniers morceaux de sommeil. Au retour, je me suis particulièrement frotté les mains et la figure, et je me suis installé au soleil pour sécher. La forêt était calme et tranquille, les oiseaux chantaient, des poissons sautaient hors de l'eau pour attraper des libellules, les poils de ma poitrine se redressaient et je me suçais les lèvres. J'en connaissais un qui n'allait pas être content.

Une fois sec, je secouai un peu mes affaires et je me rhabillai. J'étais plus que potable. En fait, je n'avais qu'une main et le dessus du crâne égratignés. Je m'arrangeai un peu dans le rétro. Par chance, je ne m'étais pas attrapé une poignée de cheveux blancs et mes yeux n'étaient pas particulièrement pochés. Bien sûr, je n'avais pas le sourire, mais il aurait suffi que je me rase de près et que je me colle sur la figure un masque à base de placenta et de liquide rachidien, pour que les dernières traces de cette épouvantable nuit s'évanouissent comme la neige au soleil, comme la fleur de lotus dans les mains du Bouddha.

Avant de partir, je tirai tout de même la barque hors de l'eau et l'attachai consciencieusement à un arbre. Je dus résister à l'envie d'y monter une dernière fois. Je couchai les rames à l'intérieur et la retournai pour la protéger des pluies. Ce coin avait été si beau. Laissant derrière moi un triste amas de cendres, je claquai doucement ma portière et démarrai.

C'était une très belle journée, ce que l'on pouvait avoir de mieux au printemps, une lumière vive et presque folle, comme un petit moteur gonflé. Cette fois, j'avais mes lunettes sur le nez. Cette fois, je ne roulais pas trop vite. J'avais ouvert mon carreau pour laisser entrer de grandes bouffées d'air tiède et de temps en temps, je m'enfonçais une main dans les cheveux ou je me creusais les reins. Je n'écoutais pas de musique. Je ne me parlais pas à voix haute. Je ne m'attendrissais pas sur le délicat sifflement du vent. Je regardais les kilomètres s'aligner au compteur d'un œil désabusé.

Je suis arrivé en début d'après-midi. Je suis allé directement chez Gloria mais je n'ai trouvé personne. En fait, toute la ville me paraissait silencieuse, somnolente, alanguie. Je n'étais pas pressé. J'allais revenir.

Me garant devant chez moi, j'ai enregistré d'un coup d'œil que les volets étaient tirés chez Marlène. Sans vouloir noircir le tableau, je me suis demandé si je n'allais pas être obligé de déménager sous peu afin de m'éviter des douleurs inutiles, je ne me sentais plus très chaud pour emprunter la voie du fakir, j'aurais plutôt cherché une solution pour panser mes plaies. J'ai attrapé mon roman sous le bras et je suis entré.

L'odeur avait changé. Tout juste s'il ne flottait pas un petit air d'abandon. J'ai ouvert les fenêtres. Dans la cuisine, j'ai trouvé de quoi manger un peu, du thon en boîte et des galettes diététiques aux raisins secs. Pas de mayonnaise, malheureusement. De quoi vous étouffer un honnête homme. Ensuite, j'ai appelé Dogelski.

– Walter, lui ai-je dit, il y a une bonne et une mauvaise nouvelle. J'ai brûlé votre baraque, mais d'un autre côté je vous envoie mon nouveau roman.

Il s'écoula naturellement quelques secondes de silence.

– Je crois que c'est un bon roman, ajoutai-je, une sorte de comédie.

– Eh bien... je dirais que la bonne nouvelle est une TRÈS bonne nouvelle !...

– Walter, je suis vraiment désolé. Pourtant tout est de ma faute...

– Très bien, nous en reparlerons une autre fois. Laissez-moi m'y habituer un peu... Oh, je vous ai envoyé de nouveaux contrats à signer, soyez gentil de ne pas les poser trop près de la cheminée. Vous savez, ces types d'Hollywood téléphonent tous les jours !...

Mis à part le Nobel, je pouvais m'estimer comblé pour un écrivain, je n'avais plus grand-chose à attendre. Ça collait parfaitement avec mon état d'esprit. J'allais peut-être enfin éclaircir ce truc d'Henry Miller : « C'est quand on en a fini avec le sexe et toutes les difficultés matérielles que les vrais problèmes commencent à se poser. » En attendant, je filai prendre un bain. Je me servis d'un produit moussant que Marlène avait oublié là ainsi que de sa savonnette transparente à la glycérine. Je pensai qu'il faudrait que j'élimine également tous ces trucs qui lui avaient appartenu, j'étais bon pour une deuxième séance de ramassage dans les jours qui viendraient. Ça devenait risible. Il y avait longtemps que je n'avais pas ri. Maintenant, chacun était de son côté.

Je mis un peu d'ordre dans la baraque. En temps normal, je n'étais pas un maniaque du rangement mais je ne cherchai pas à me contrarier et me laissai la bride sur le cou. Si ça pouvait me faire plaisir de remettre les choses à leur place, de me tirer toute la pièce au cordeau, de me payer un endroit nickel, pourquoi m'en serais-je privé ? Avais-je le cœur à me refuser un bien innocent caprice ?...

Je passai le restant de l'après-midi avec un chiffon à la main et du papier journal pour les carreaux. J'étais une petite fée. Lorsqu'un peu de cendre menaçait, je la secouais dans le creux de ma main et, recrachant la fumée par-derrière, je cavalais vers le cendrier le plus proche. Je traquais la moindre merde jusque sous le milieu des tapis. Je redressais les tableaux sur les murs. Je vidais les fonds de bouteille et les flanquais dehors. De temps en temps, je m'asseyais et j'attendais que mon œil repère le truc qui clochait, le truc qui espérait passer à l'as. Il me fallait toujours un moment pour me relever. Je ne sais pas si l'on doit en rire, mais dans ce silence brutal, il m'arrivait d'entendre une porte claquer ou des pas et même des voix, des morceaux de phrases tout entiers qui volaient au-dessus de ma tête puis s'éteignaient, me laissant complètement retourné, les yeux dans le vide, les mains crispées sur mon atomiseur de dépoussiérant. Ce n'était pas rien que d'entendre Henri m'appelant de l'escalier pour savoir si je n'avais pas vu ses lunettes. Ou bien c'était un rire de femme, un silence de femme. Tant et si bien qu'à la fin j'étais presque en train de sourire et

434

le jour s'en alla rosissant dans une gerbe d'or sombre, tandis que je me cramponnais aux rideaux.

— C'était la pire chose que tu pouvais me faire, soupirai-je... Enfin j'imagine que tu le sais. Tu n'es pas, euh... comment dit-on ?... tu n'es pas complètement inconscient, n'est-ce pas ? Tu vois, ce n'est pas comme si on te coupait un bras ou une jambe ou que tu sois sur une chaise roulante... mais... Oh, je sais qu'il y a toujours tes livres... je sais que le drapeau des Nations unies est toujours debout, que je peux descendre au coin de la rue pour boire une bière, pour acheter le journal... Je sais que je peux m'asseoir et regarder les gens... et suivre des yeux la première belle fille qui passe... une blonde si possible... Je ne sais pas comment t'expliquer ça. Peut-être que je ferais mieux d'aller habiter au bord de la mer... m'acheter une petite maison près de l'océan pour m'écouter le chuchotement des vagues... Je n'y ai pas encore réfléchi. Une maison à la japonaise avec des cloisons en papier. Ou bien carrément Paris ou New York. Tu sais que je n'ai jamais aimé le bruit mais... peut-être que je dois considérer la situation... peut-être que je finirai par devenir un bon écrivain avec toutes les années qu'il me reste... enfin c'est à souhaiter. J'aimerais au moins réussir une chose dans ma vie, j'ai bien peur de faire partie de la vieille école... Je dois continuer à travailler... Je me trouvais là, au milieu de cet incendie, et je me suis posé la question. Tu étais parti, Marlène était partie et Gloria venait d'arroser la maison d'essence. Alors à quoi bon, me suis-je dit, crois-tu que ça vaille la peine d'en recevoir encore... ? J'avais mon roman sur les genoux... Oh Henri, j'ai quarante ans passés, je ne suis plus un gamin mais j'y ai vraiment pensé... Et pourtant je suis bien là, dans ce fauteuil, ce sont mes bras et mes jambes, ce corps est le mien, ces douleurs sont les miennes et mes bras bougent et mes jambes remuent... mes cheveux se dressent sur ma tête mais je suis une personne vivante... il y a quelque chose en moi qui ne veut pas mourir... Je prie pour que ce soit la passion de l'Écriture... hum, dans le fond je n'en sais rien... Il y a aussi se balader dans les rues, écouter de la musique... se faire couler un bain... oh c'est difficile à dire... ce qui est bon pour les autres est assez bon pour moi...

La nuit était tombée. Je me suis levé pour allumer une petite lampe dans le coin et je me suis mangé une vieille pomme toute fripée en regardant par la fenêtre. Il n'était pas très tard. C'était encore une heure décente pour arriver chez les gens.

Au moment de sortir, j'éteignis tout, puis finalement, je me ravisai et rallumai la lampe. Ça donnait à la pièce une ambiance agréable. J'ai pensé que ce serait mieux pour quand je reviendrais. J'hésitai même à me glisser une pizza dans le four afin d'être accueilli par un chaud parfum d'origan. Mais c'était trop risqué. Rien de pire pour un type encore fragile sur ses jambes que de se retrouver seul chez lui dans une odeur de cramé.

Bob et Gloria habitaient au premier étage d'une baraque dont les proprios occupaient le rez-de-chaussée. Lorsque j'arrivai, toutes les fenêtres de la façade étaient éclairées. La femme était une de mes admiratrices. Elle avait dans les soixante-dix ans et me prenait toujours par le bras pour me parler de mes livres, surtout quand je me pointais en tee-shirt. Le soir, en général, elle était ivre. Toute la sainte journée, elle se trimbalait dans des déshabillés vaporeux et tirait sur un long fume-cigarette. Sa mère vivait dans un fauteuil. De temps en temps, elle se plantait devant elle et lui criait quelque chose, mais la pauvre était sourde comme un pot. Le problème était toujours le même. Il s'agissait de grimper à l'étage sans se faire harponner. Comme elle avait l'oreille fine, vous aviez une chance sur deux ou trois, selon qu'elle avait plus ou moins bu. Elle avait lu tout ce que j'avais écrit mais ce n'était pas tant mon style qu'elle appréciait que les passages un peu chauds.

Je sautai par-dessus la haie du jardinet et me faufilai jusqu'à la porte d'entrée. Le ciel était d'un noir limpide, sans nuages, j'étais moi-même assez détendu. Au fond, je n'attendais rien de précis de cette visite, mais pour la paix de nos esprits, il fallait qu'elle fût faite. Qu'elle eût essayé de me brûler vif, je l'avais encore sur le cœur. Cette histoire-là battait encore comme une porte ouverte en plein vent. J'attendis qu'une voiture passât dans la rue ou qu'un type s'écroulât dans une poubelle, puis je me glissai à l'intérieur et grimpai les escaliers à pas de loup.

« Oh !... c'est vous ? ! !... » entendis-je alors que mon nez se trouvait à la hauteur de la dernière marche. Je me retournai et en descendis quelques-unes.

– Oh, mademoiselle Marguerite !... fis-je.

Elle n'avait de la fleur que le nom, bien que la couleur de son visage tendît vers le blanc absolu. Seules ses oreilles étaient roses, échappant curieusement à la tempête de poudre. On aurait dit une vieille actrice sur le déclin, une qui aurait connu les débuts du parlant. D'une main, elle cramponnait la rampe, de l'autre elle étreignait son peignoir de satin contre sa gorge.

– Ah ça !... Mais vous filiez comme un voleur ! me sermonna-t-elle.

– Mais non... Qu'allez-vous imaginer ?!...

Ses yeux étaient légèrement vitreux. Elle battit des cils en soupirant.

– Viendrez-vous prendre un verre avec moi quand vous en aurez fini avec toute cette jeunesse ?... me demanda-t-elle. Viendrez-vous m'accorder un brin de conversation ?...

– Oh oui... naturellement !...

Elle tourna les talons silencieusement tandis que je remontais à l'étage. Devant la porte, je faillis plier les genoux sous une bouffée de lassitude. Puis j'attrapai fermement la poignée et j'entrai sans frapper.

Elle était en train de laver de la salade dans l'évier. Ses cheveux étaient ramenés sur le dessus de sa tête un peu n'importe comment, maintenus par des pinces colorées en forme de coquille Saint-Jacques. Elle portait une petite jupe blanche et un sweat qui devait appartenir à Bob si l'on en jugeait par la taille. Je ne fis aucun bruit mais pourtant elle se retourna.

Elle ne parut qu'à moitié surprise. Ses yeux flamboyèrent un instant puis elle se transforma en chien de faïence, plongeant ses mains dans le sweat de Bob changé en torchon. Je n'en perdais pas une miette. Le silence sifflait autour de nous telle une marmite jetée dans le feu.

– Ah ah ! explosa-t-elle. J'espère que tu t'es fait la peur de ta vie...

Pourquoi nier qu'elle m'a surpris, pourquoi ne pas reconnaître que j'ai failli vider les étriers. Seigneur, quelle santé incroyable elle avait ! J'étais loin de m'attendre à ce qu'elle abattît ses cartes d'entrée de jeu et surtout pas en ces termes. Un jour, elles finiront vraiment par me tuer, je finirai par tomber sous leurs coups, comme tant d'autres avant moi, et nos cris ne seront pas des hurlements de rage mais des rugissements de pur amour, des râles d'émerveillement, des gémissements de reconnaissance.

– Qu'est-ce que c'est que ce sourire idiot ? !... gronda-t-elle.

– Oh... eh bien, oui... j'ai eu très peur ! Je reconnais que cette fois, tu n'y es pas allée de main morte. Mais c'est quoi, exactement, c'est une espèce de jeu ?...

– Oui, appelle ça comme tu voudras, grinça-t-elle.

Je pris le parti de m'asseoir.

– Bob n'est pas là ? demandai-je innocemment.

– Je l'attends. Pourquoi, c'est Bob que tu voulais voir ?...

– Oh non... souriai-je. Je ne me vois pas en train de faire ça avec Bob.

C'était chacun son tour. Maintenant, c'était à moi de lui couper le sifflet. Je n'étais pas sans avoir remarqué, avec un certain plaisir du reste, que ses joues avaient un tant soit peu rosi. Toutefois, son regard tenait le coup brillamment. Chaque seconde qui passait était une petite bataille de perdue pour elle. Je la laissai donc réfléchir à mes dernières paroles en l'enveloppant d'un sourire angélique qui pour lors n'était pas feint le moins du monde, car je la revoyais comme au début, au temps où tout allait bien entre nous, et j'ai une mémoire terrible pour tous les bons moments que j'ai vécus, personne pouvait m'enlever ça.

– Non, mais j'espère que tu rêves ? ? !... lâcha-t-elle enfin d'une voix que la colère rendait sourde.

– Eh bien... je ne sais pas... enfin si tu veux mon avis, ton acharnement contre moi est de nature sexuelle...

Les poings aux hanches, elle s'avança vers moi. De ses yeux, déjà, elle m'étranglait, cherchait à me réduire en poudre. Elle stoppa à moins de deux mètres :

– Mais dis-moi..., siffla-t-elle, est-ce que c'est l'âge qui te met de pareils trucs en tête ? !...

– Ma foi... je reconnais que je me contrôle un peu moins bien.

À ces mots, je lançai une main fulgurante sous sa jupe et attrapai son slip. Se raidissant, elle poussa un cri. Je tirai alors un grand coup et le malheureux me resta dans les mains. Dans le même temps, Gloria avait bondi en arrière, renversant au passage un vase qui se trouvait sur la table et qui venait de se briser sur le sol avec un grand fracas.

Je pus me rendre compte en la regardant que j'avais repris l'avantage. Elle s'était reculée jusqu'à l'évier et respirait plus vite. Si jamais elle avait eu envie de moi une fois dans sa vie, en ce moment précis elle ne devait plus s'en souvenir. Inutile de dire qu'elle serrait les jambes.

– Tu vois, lui dis-je calmement, cette histoire m'a coûté assez cher... J'estime qu'il faut que tous les problèmes soient réglés.

Comme je me levais, la langue lui revint :

– Ne me touche pas... grogna-t-elle. Merde, tu croyais peut-être que j'allais rien faire ? ! !... Que j'allais accepter une nouvelle fois qu'un type se mette entre mon père et ma mère... Tu m'as bien regardée ? !...

J'avançai une main vers elle pour la mettre en condition mais elle se dégagea d'un bond et mit la table entre nous. Ce rempart dérisoire lui redonna toutefois quelque confiance. À nouveau elle me défia du regard et reprit d'une voix méprisante :

– Et puis n'oublie pas une chose... Je vous avais pas demandé de venir me chercher... Alors maintenant, ne viens pas te plaindre ! !...

Cette fois, je passai à la vitesse supersonique: Je l'empoignai par le col de son sweat et la tirai à moitié par-dessus la table :

– Garde toutes ces conneries pour n'importe

440

qui d'autre !... lui glissai-je à l'oreille. Soixante-dix pour cent de mes lecteurs sont des femmes. Il paraît que je les comprends bien.

Je n'envisageais pas vraiment de lui coller une main aux fesses, mais tout de même, je la plaquai sur la table et l'embrassai sauvagement dans le cou. Elle poussa des cris d'orfraie. Avant qu'elle ne plante ses ongles dans mes bras, je l'envoyai rouler par terre.

« AH ! QUEL BEAU JOUR ! » beuglai-je tandis que dans sa chute elle emportait un guéridon et une lampe moderne en acier poli.

Lui décochant un regard lubrique, je m'employai à sortir frénétiquement de mon pull.

— Quand je lis dans les journaux que je baise la fille de mon meilleur ami, comprends-tu le sentiment d'injustice que j'éprouve ?... ajoutai-je doucement avant de disparaître à l'intérieur de mon pull-over.

Vive comme l'éclair, elle trouva le moyen de tirer profit d'une aussi brève absence. Je lançai mon chandail à travers la pièce et bondis. Mais elle me devançait d'une courte tête et la porte de la salle de bains claqua sous mon nez avec un bruit sinistre.

— Malheureusement, j'ai dit, je lui donne pas deux secondes à cette pauvre serrure !... Chérie, ne sois pas stupide ! !...

Je sortis aussitôt, descendis l'escalier quatre à quatre. Au moment où j'empoignai la hache d'incendie, je tombai sur le fantôme de l'Opéra.

— Tout va bien, Marguerite, lui dis-je. Ne vous inquiétez pas.

— Ah !... balaya-t-elle d'un geste. Je connais toutes ces choses de la vie !...

Je remontai en trombe. Je grattai à la porte :

— Comprends-moi bien, murmurai-je, autant dire que j'ai tout perdu à cause de toi. Alors c'est pas cette petite porte qui va m'arrêter. Tu t'en doutes, n'est-ce pas ?... J'espère que tu n'es pas trop étonnée de ce qui arrive, tu devais bien penser qu'il y avait des limites...

D'un coup sauvage, je plantai la hache dans le panneau de bois. Elle poussa un cri. Comme dirait John Irving, tout est un conte de fées.

Au deuxième coup, je passai la hache au travers.

— Mais tu es devenu fou !... cria-t-elle.

— Ouais, n'importe qui serait devenu fou à ma place !

Comme je me remettais à l'ouvrage, Marguerite se pointa dans mon dos.

— Seigneur Dieu ! soupira-t-elle. Cet escalier est devenu trop dur pour mes jambes !...

Elle se tenait appuyée au mur avec son fume-cigarette à la main. Pour son âge, elle maîtrisait bien les Martini-gin, son élocution n'en était qu'à peine ralentie.

— Merde, restez pas là !... lui dis-je, arrachant d'une main un éclat de bois.

— J'ai connu tout ça... fit-elle en hochant la tête. La joie et les combats sans merci !...

Pour une fois, ce n'était pas une porte en carton et je dus m'acharner là-dessus comme un beau diable. Je grognais et Gloria criait pendant que l'autre envoyait des ronds de fumée dans ma direction. Je n'étais plus aussi calme à présent, et je frappais sur ma cible à coups redoublés. Le panneau se fendait dans le sens de la hauteur mais continuait à tenir debout. J'enrageais.

— Ça ne m'étonne pas que vous écriviez des livres..., me souffla Marguerite.

Lorsque enfin toute une partie de la porte s'envola et vint s'effondrer aux pieds de Gloria. Elle était décomposée. J'étais en nage. D'un coup de pied, j'envoyai promener tout ce qui se trouvait encore sur mon chemin. Je devais avoir l'air abominable car Gloria leva un bras devant sa figure en gémissant. Pour dire la vérité, je me sentais dans un état second.

Je fis un pas à l'intérieur de la salle de bains et attrapai Gloria au collet en rugissant. Je la plaquai au mur. Je profitai que nos yeux se croisent encore une fois pour lever la hache au-dessus de sa tête. Elle poussa un dernier cri et se laissa glisser sur ses talons. J'enfonçai alors la hache dans le mur, à dix centimètres au-dessus de sa tête et pratiquement jusqu'à la garde.

Je dus rencontrer une tuyauterie car un jet d'eau glacée me sauta à la figure. Sur le coup, je crus que la Grâce venait de me toucher. Je fermai les yeux quelques secondes sous ce miracle bienfaisant. Puis je lâchai Gloria qui gémissait à mes pieds et me relevai.

– Tu devrais aller couper l'eau, lui conseillai-je. Bon... tu peux aussi me souhaiter bonne chance...

Je tournai les talons et sortis dans une gerbe d'eau.

– Ah !... La chute était splendide... ! me confia Marguerite. Vous êtes vraiment l'un de mes écrivains préférés !

Je la pris sous un bras pour l'aider à descendre et ce ne fut pas une mince affaire. Les escaliers ne valent rien à une vieille femme saoule, et de mon côté, je n'avais pas trop de toutes mes forces pour me soutenir moi-même. Je n'écoutais pas ce qu'elle me racontait. Au fond, rien n'était très clair. Nous tanguions légèrement, une marche après l'autre, malgré sa vieille main blanche qui glissait sur la rampe et ses chaussures antidérapantes à semelles de caoutchouc.

Littérature extrait du catalogue

Cette collection est d'abord marquée par sa diversité : classiques, grands romans contemporains ou même des livres d'auteurs réputés plus difficiles, comme Borges, Soupault, Goes. En fait, c'est tout le roman qui est proposé ici, Henri Troyat, Bernard Clavel, Guy des Cars, Alain Robbe-Grillet, mais aussi des écrivains tels que Moravia, Colleen McCullough ou Konsalik.

Les classiques tels que Stendhal, Maupassant, Flaubert, Zola, Balzac, etc. sont publiés en texte intégral au prix le plus bas de toute l'édition. Chaque volume est complété par un cahier photos illustrant la biographie de l'auteur.

2167

Composition Communication à Champforgeuil
Impression Brodard et Taupin
à La Flèche (Sarthe) le 17 juin 1988
6522-5 Dépôt légal mai 1988
ISBN 2-277-22167-8
1ᵉʳ dépôt légal dans la collection : avril 1987
Imprimé en France
Editions J'ai lu
27, rue Cassette, 75006 Paris
diffusion France et étranger : Flammarion